青年
妇女卷

新青年
LA JEUNESSE

张宝明 主编 张 剑 副主编

8

新文化元典
丛书

河南文艺出版社

图书在版编目(CIP)数据

新青年.青年妇女卷/张宝明主编. —郑州:河南文艺出版社,2016.5(2025.1重印)
(新文化元典丛书)
ISBN 978-7-5559-0347-5

Ⅰ.①新… Ⅱ.①张… Ⅲ.①期刊-汇编-中国-民国 Ⅳ.①Z62

中国版本图书馆 CIP 数据核字(2015)第 286616 号

总 策 划	王国钦
策　　划	邵　玲
责任编辑	邵　玲
美术编辑	吴　月
责任校对	赵红宙
装帧设计	张　胜

出版发行　河南文艺出版社
本社地址　郑州市郑东新区祥盛街 27 号 C 座 5 楼
承印单位　河南省四合印务有限公司
经销单位　新华书店
纸张规格　640 毫米×960 毫米　1/16
印　　张　21
字　　数　225 000
版　　次　2016 年 5 月第 1 版
印　　次　2025 年 1 月第 5 次印刷
定　　价　38.00 元

版权所有　盗版必究
图书如有印装错误,请寄回印厂调换。
印厂地址　焦作市武陟县詹店镇詹店新区西部工业区凯雪路中段
邮政编码　454950　　电话　0391-8373957

列寧號

新青年

中華民國郵務局特准掛號認爲新聞紙類

第一號　一九二五年四月二十二日出版

出版说明

一、为纪念《新青年》(原名《青年杂志》)创刊100周年,本社特别策划出版"新文化元典丛书"。

二、本丛书由著名学者张宝明主编并提供稿本,由本社分"平装普及"与"精装典藏"两个版本先后出版。"普及版"以大众阅读为目标,分为"政治卷""思潮卷""哲学卷""文学创作卷""文学批评卷""文字卷""翻译卷""青年妇女卷""文化教育卷""随感卷"10卷;"典藏版"以学者研究为指归,延续了本社1998年版《回眸〈新青年〉》的版本形式,分为"哲学思想卷""社会思潮卷""语言文学卷"3卷。

三、本丛书在编辑过程中,对文章内容(包括当时特殊的语言、语法使用,习惯性虚词、数字、异体字用法,对外文中人名、地名的个性化翻译等)及作者署名均以其原貌呈现。为方便今天读者阅读,本次出版对原文中的繁体字进行了简体转换,对可以确定的技术性错讹进行了订正,对个别的标点符号用法进行了相对规范。对错讹较多的英语、俄语等外文,特邀有关专家进行了认真校订。

四、"随感卷"内容选自《新青年》原版各卷中的"随感录"。因原文发表时大部分并无标题,本次专卷出版的标题为主编所加。

五、本丛书的策划出版,也是我们对2019年"五四"运动100周年的一次提前纪念。

河南文艺出版社
2016年5月

回眸:唯以深情凝望……(代序)

张宝明

  1492年10月11日,克里斯托弗·哥伦布看见海上漂来一根芦苇,欢呼雀跃地宣布了被称为"救世主"之新大陆的发现。
  1915年9月,《青年杂志》创刊。这就是那个日后易名为《新青年》的月刊,她从此成为一代又一代青年人心目中拨云见日的精神新大陆。
  饶有情趣的是,无论是彼岸还是此岸的"新大陆",其发现过程都需要有敢于冒险的勇气、勇于担当的气魄、胸怀天下的责任。500年前,哥伦布想方设法说服了西班牙女王得以扬帆;100年前,陈独秀费尽口舌让出版商动心,在那出版业凋敝、萧条的时代,主编那"让我办十年杂志,全国思想全改观"的信誓旦旦背后多少有些心酸。
  一个世纪过去了,重温百年历史记忆,翻阅那一页页泛黄的纸张时,我无法用编选或剪辑来保存这样一个精神存照。
  作为20世纪一轮最为壮丽的精神日出,《新青年》以其鲜活的时代性入世,演绎了一台精彩纷呈的思想史专场。她已经在百年的风雨沧桑中固化为一尊灵魂的雕像、一座精神的丰碑。形而下的标本馆可以被肢解、分离,甚至拆卸为齿轮和螺丝钉,可谁若是声称复制出形而上的灵魂标本馆,我们不免顿生疑窦。因为灵魂的雕像和精神的丰碑只能内化于每一个人的心底,存贮于每一个人的心灵。

回望百年,再也没有这样的思想演绎更值得我们咀嚼了。仿佛,她就是我那无法用肉眼观看的神经末梢。岁月陶铸了文化的沧桑,年龄剪断了思想的记忆。"剪不断,理还乱。"因此,面对沧桑的文化记忆,面对凌乱的思想线团,我们无法用具象化的"编选"或"剪辑"称谓,更无法用当年文化先驱的启蒙来"普及"当下的启蒙。这里的思想静悄悄,这里的灵魂无眠,这里精神永远……我们最好的纪念就是无言面对,默默注目,深深凝望……

《新青年》,已经不是当代青年心目中的"新大陆";回眸《新青年》,无非是想通过那一代知识先驱心中流淌的文字为20世纪中国做一个有血有肉的注脚。发黄的纸张、右行竖迤的文字以及远离的先驱成为朦朦胧胧的追问,我们在回眸中分明看到了自己。我们在解读自己,也在解剖自己,更是在反省着自己。有时,我们又不能不拷问何以如此失去自己。这不是多愁善感,而是因为风雨沧桑的生命之旅招惹了我们的思绪:《新青年》不是一个尘封的历史遗存,而是一个活生生的对象,一段可以触摸的历史,更是一曲跌宕的纸上声音:说你,说他,说我……

风流,不会像诗中说的那样总被雨打风吹去。昔日的倜傥,同样可以因我们的自觉而获得立体的再现。多年之后,长征之后落定延安的毛泽东对埃德加·斯诺吐露心声说:在1916年,我和几个朋友成立了新民学会……许多团体大半都是在陈独秀主编的《新青年》的影响下组织起来的。而我在师范学校读书时,就开始阅读这本杂志了,并且十分崇拜陈独秀和胡适所做的文章。他们成了我的模范,代替了我已经厌弃的康有为和梁启超。青年时代的毛泽东,有很长一段时间都在翻阅、谈论、"思考《新青年》所提出的问题"。1918年2月,读到《新青年》的周恩来在日记中奋笔疾书:晨起读《新青年》,晚归复读之。于其中所持排孔、独身、文学革命诸主义极端赞成。恽代英从武昌写来肺腑之言,盛赞《新青年》的思想价值:我们素来的生活,是在混沌里面。自从看了《新青年》,渐渐地醒悟过来,真是像在黑暗的地方见了曙光一样。我们对于做《新青年》的诸位先生,实在是表不尽的感激。当时在陆军第二预备学校读书的叶挺也热情洋溢地表达过对《新青年》的仰慕和膜拜:空谷足音,遥聆若渴。明灯黑室,觉岸延丰。最后并以急不可待的心情期盼着"思想界的明星"(毛泽东语)。陈独秀指点迷津:吾辈青年,坐沉沉黑狱中,一纸天良,不绝于缕,亟待足下明灯指迷者,当大有人在也。

热血的政治青年对此刊有一种天然的偏爱,在校读书的文学青年对此更是欢喜。北大学生杨振声曾这样回忆说:像春雷初动一般,《新青年》杂志惊醒了整个时代的青年。冰心也这样评论《新青年》:"五四"运动前后,新思潮空前高涨,新出的报纸杂志像雨后春笋一样,目不暇接。我们都贪婪地争着买,争着借,彼此传阅。其中我最喜欢的是《新青年》里鲁迅先生写的小说,像《狂人日记》等篇,尖锐地抨击吃人的礼教,揭露着旧社会的黑暗和悲惨,读了让人同情而震动。凡此种种,举不胜举。

热血青年如是说,引导"新青年"的当事人更是引以为豪。胡适就曾在20世纪30年代为重印《新青年》激动不已,并挥毫题词:《新青年》是中国文学史和思想史上划分一个时代的刊物。最近二十年中的文学运动和思想改革，差不多都是从这个刊物出发的。胡适为重印《新青年》的广而告之及定位，与其在1923年写给"新青年派"高一涵、陶孟等同人的信中表述一脉相承：二十五年来，只有三个杂志可代表三个时代，可以说创造了三个新时代：一是《时务报》，一是《新民丛报》，一是《新青年》。《民报》与《甲寅》还算不上。题中之意还在于：《新青年》创造了一个崭新时代，永远不会被遗忘和尘封。鲁迅作为"新青年派"的中坚，也曾在为《中国新文学大系》所作的序言中鼓与呼：凡是关心现代中国文学的人，谁都知道《新青年》是提倡"文学改良"，后来更进一步号召"文学革命"的发难者。从学术"象牙塔"走向办杂志、发议论的公共空间，从学问家到舆论家，"新青年派"知识群体经历了一个艰难的选择里程。这里，我们不难从鲁迅心灰意冷的"钞古碑"到满怀激情地"听将令"之转变窥见同人们的"一斑"：但是《新青年》的编辑者，却一回一回的来催。催几回，我就做一篇。这里我必得纪念陈独秀先生，他是催我做小说最着力的一个。

....

我们知道，在世界文明史上，18世纪的法国因其启蒙运动的舆论力量留下盛名，并产生了一批以伏尔泰为精神领袖的舆论之王。当作为社会良知化身的知识分子以公共面目出现时，就获得了舆论家的声誉。胡适这位现身说法的当事人这样用英文将其正名为"Journalist"或者"Publicist"，而且对"意中舆论家"有这样的诉求：有"笔力"、懂国内外"时势"、具"远识"，其中"公心"和"毅力"最不可或缺——这是胡适1915年1月尚在美国留学时日记中记下的夙愿。回国任职北京大学后，学问家的身份反被舆论家的名声所掩盖，他走了一条"一发不可收"的不归路。从此，思想史上的胡适而不是学术上的胡适,成为声名鹊起的一代思想骄子。

《新青年》创刊于上海,兴隆于北京,终结于广州。在这一平台上汇聚起来的"新青年派"同人,学术凹陷,思想凸显;学问淡出,舆论立言。"五四"新文化运动的天空中,最耀眼的是那一抹以"民主""科学"为主调的绚丽彩虹。舆论的彰显与张扬,拉动着中国现代性加速转型。1905年科举的终结,让传统士人走向边缘,而舆论家的身份意识和担当情怀重新将他们推向时代的浪尖和话语的中心。这里,"新青年派"同人不再是书斋里"钻牛角"、翻故纸的学术把玩者,而是一批"执牛耳"、观天下的社会现实参与者。行走于风雨故园中的时代先驱们,可以不是理性、冷静的审慎思考者,却是理想在前、激情在身的担当者。一百年后回眸《新青年》,我们可以为他们的急不择言、话不留余的语言暴力保持一份反思的态度,但毋庸置疑的是,他们留下的文本却为我们读懂20世纪以及当下的中国提供了弥足珍贵的思想路径。从这里,走进历史现场;在这里,读懂近世中国。的确,在享受这一新文化运动元典阅读快感之际,无论如何都无法阻止我们的心跳。

这里,不但有"妙手"写下的"文章",更有"道义"担当的"铁肩"。《新青年》寻求真理、坚持真理的使命感与历史同在,历历在目;新文化运动敢于担当、勇于担当的责任感与日月同辉,常读常新。听其言——陈独秀在文学革命的战车上立下过"愿拖四十二生的大炮为之前驱"的誓言,还有那振聋发聩之守护"民主""科学"的承诺:西洋人因为拥护德、赛两先生,闹了多少事,流了多少血,德、赛两先生才渐渐从黑暗中把他们救出,引到光明世界。我们现在认定:只有这两位先生,可以救治中国政治上、道德上、学术上、思想上一切的黑暗。若因为拥护这两位先生,一切政府的压迫、社会的攻击笑骂，就是断头流血，都不推辞。信誓旦旦，掷地有声。观其行——1919年6月8日，陈独秀为声援和欢迎"五四"运动中被捕出狱的学生撰写的《研究室与监狱》就是一篇激情四溢、气势磅礴的短平快舆论：世界文明发源地有二：一是科学研究室，一是监狱。我们青年要立志出了研究室就入监狱，出了监狱就入研究室，这才是人生最高尚优美的生活。从这两处发生的文明，才是真正的文明，才是有生命有价值的文明。陈独秀雄于言、力于事的个性和品格，在舆论抛出三天之后"知行合一"。被胡适誉为"一个有主张的'不羁之才'"的陈独秀，在经过三个月的监禁后，成为中国共产党的创始人。

无独有偶，作为《新青年》主力的舆论家胡适向来以性格稳健、思想"健全"著称。即使如此，他在"新青年派"同人营造的公共空间里丝毫不减锐气，文风堪称犀利直接、所向披靡。如同我们看到的那样，当《民国日报》记者邵力子以北洋政府下令"取缔新思想"之舆情发难胡适，并"三十六计，走为上计"揣测其生病住院时，当事人严正地在《努力周报》上发布公告：我是不跑的，生平不知趋附时髦；生平也不知躲避危险。封报馆，坐监狱，在负责任的舆论家的眼里，算不得危险。然而，"跑"尤其是"跑"到租界里去唱高调：那是耻辱！那是我决不干的！这就是"新青年"那一代知识先驱的共同心声和承诺。知其言，观其行。新文化运动的舆论家就是这样直面着人生、关注着社会、履行着诺言、担当着责任。胡适很早就认识到"舆论家之重要"并"以舆论家自任"。应该说，无论是陈独秀还是胡适，尽管在北京大学地位显赫，但真正"暴得大名"并在中国政治史、思想史、文化史上留下重要的影响，依靠的不是作为学问家的"学术"志业，而是以不安本分的"舆论家"起家。在《新青年》周围,一个知识群体为国家、民族的现代性演进而不遗余力地万丈激情挥洒自如。不甘于自处出世、超然的边缘,而要走向中心,有所担当的"家国""天下"情怀体现得淋漓尽致。

百年回眸,在演出那场思想史专场的新文化思想舞台上,海归们给沉寂的中国注入了前所未有的生机。陈独秀、胡适、周作人、鲁迅、李大钊、钱玄同、刘半农、高一涵、沈尹默……"新青年派"同人扬鞭策马、奋笔疾书。本来,学术是他们的安身立命之本,学问家应该是他们原汁原味的角色担当。但是,归国后面对中国的现实,让他们有一种坐不住、不安分的冲动,携带着西方文明的种子,他们很快从一身长衫的学问家华丽转身为西装革履的舆论家,成为指点江山、激扬文字的中心人物……

百年回眸,新文化元典已经走过了一个世纪。在"知识分子到哪里去了""知识分子还能感动中国吗""人文学还有存在的必要吗"之追问不绝于耳的今天,重读《新青年》是那样的情真意切。只要启蒙还没有"普及",只要"五四"先驱设计的目标还没有抵达,只要"中国梦"还在路上,我们就不能不读《新青年》!百年回眸,那是一个渐行渐远的大时代。我们只有以这样的方式默行注目礼……

百年回眸,《新青年》同人打造的"金字招牌"历历在目。当我们手捧10卷本"普及版"的时候,其实我们是在"提高"着对自我与这个时代的认知。本来,"普及"和"提高"就是一个问题的两个方面,无法化约,采用这样的划分完全是为了阅读的需要。我们深知,其中的每一卷都是一个个精神的制高点、诗意心灵的停泊站:"政治卷""思潮卷""哲学卷""文字卷""文学创作卷""翻译卷""文学批评卷""随感卷"的单打以及"青年妇女卷""文化教育卷"

的组合,都能够给读者带来无限的遐想。一杯茶,或一杯咖啡,在原汁原味的隽永文字中咀嚼、品味、思考,唯有这样的互动才能使我们徜徉于心旷神怡的天地。或浓烈,或淡雅,或遥远,或温馨,思想的滋味本来如此……

目录

关于青年

敬告青年 ……………………………………… 陈独秀　3
共和国家与青年之自觉（一）………………… 高一涵　10
共和国家与青年之自觉（二）………………… 高一涵　18
共和国家与青年之自觉（三）………………… 高一涵　24
德国青年团 …………………………………… 谢　鸿　32
一九一六年 …………………………………… 陈独秀　35
青年与国家之前途 …………………………… 高语罕　40
战云中之青年 ………………………………… 易白沙　47
青年之敌 ……………………………………… 高语罕　52
新青年 ………………………………………… 陈独秀　57
青春 …………………………………………… 李大钊　61
时局对于青年之教训 ………………………… 王　涅　73
青年与欲望 …………………………………… 陈圣任　84
青年与工具 …………………………………… 吴稚晖　89
欧洲战争与青年之觉悟 ……………………… 刘叔雅　96
法国青年团 …………………………………… 谢　鸿　105
新青年之家庭 ………………………………… 李　平　108

青年之生死关头 ……………………………	李次山	111
青年与老人 …………………………………	李大钊	120
青年之自己教育 ……………………………	朱如一	124
说青年早婚之害 ……………………………	郑佩昂	126
青年学生 …………… 北京大学文科学生	罗家伦	129
新青年之新道德 ……………………………	陶履恭	136
文学革新与青年救济（通信）………… 邓萃英	钱玄同	141
告青年 ………………………………………	郭仁林	145
敬告新的青年 ………………………………	朱希祖	150

关于妇女

欧洲七女杰 …………………………………	陈独秀	157
女性与科学		
…………〔日〕 医学士 小酒井光次 作 孟 明 译		160
贤母氏与中国前途之关系 …………………	陈钱爱琛	163
女子教育 ……………………………………	梁华兰	167
女子问题之大解决 …………………………	高素素	170
论中国女子婚姻与育儿问题 ………………	陈华珍	177
女权评议 ……………………………………	吴曾兰	180
改良家庭与国家有密切之关系 ……………	孙鸣琪	188
结婚与恋爱 ………〔美国〕 高曼女士 著 震 瀛 译		191
婚制之过去、现在、未来 …………………	刘延陵	200
女子问题 ……………………………………	陶履恭	215
贞操论 …………〔日〕 与谢野晶子 著 周作人 译		221

贞操问题	胡　适	229
我之节烈观	唐　俟	239
社会与妇女解放问题	华　林	248
美国的妇人	胡　适	251
战后之妇人问题	李大钊	265
男女问题	张崧年	271
男女社交公开	杨潮声	277
一个贞烈的女孩子	夬　庵	280
妇女选举权（通信）	明　慧　独　秀	283
女子将来的地位	汉　俊译	285
妇女·青年·劳动三个问题（通信）	费哲民　独　秀	294
列宁的妇人解放论	李　达转译	297
劳农俄国的妇女解放	山川菊荣作　李达译	299

关于青年

敬告青年

陈独秀

窃以少年老成,中国称人之语也;年长而勿衰(Keep young while growing old),英美人相勖之辞也。此亦东西民族涉想不同现象趋异之一端欤?青年如初春,如朝日,如百卉之萌动,如利刃之新发于硎。人生最可宝贵之时期也。青年之于社会,犹新鲜活泼细胞之在人身。新陈代谢,陈腐朽败者无时不在天然淘汰之途,与新鲜活泼者以空间之位置及时间之生命。人身遵新陈代谢之道则健康,陈腐朽败之细胞充塞人身则人身死;社会遵新陈代谢之道则隆盛,陈腐朽败之分子充塞社会则社会亡。

准斯以谈,吾国之社会,其隆盛耶?抑将亡耶?非予之所忍言者。彼陈腐朽败之分子,一听其天然之淘汰,惟不愿以如流之岁月,与之说短道长,希冀其脱胎换骨。予所欲涕泣陈词者,惟属望于新鲜活泼之青年,有以自觉而奋斗耳!自觉者何?自觉其新鲜活泼之价值与责任,而自视不可卑也。奋斗者何?奋其智能,力排陈腐朽败者以去,视之若仇敌,若洪水猛兽,而不可与为邻,而不为其菌毒所传染也。呜呼!吾国之青年,其果能语于此乎?吾见夫青年其年龄而老年其身体者十之五焉,青年其年龄或身体而老年其脑神经者十之九焉。华其发,泽其容,直其腰,广其膈,非不俨然青年也;及叩其头脑中所涉想、所怀抱,无一不与彼陈腐朽败者为一丘之貉。其始也未常不新鲜活泼,浸假而为陈腐朽败分子所同化者有之;浸假而畏陈腐朽败分子势力之庞大,瞻顾依回,不敢明目张胆,作顽狠之抗斗者有之。充塞社会之空气,无往而非陈腐朽败焉。求些少之新鲜活泼者,以慰吾人窒息之绝望,亦杳不可得。循斯现象,于人身则必死,于社会则必亡。欲救此病,非太息咨嗟之所能济,是在一二敏于自觉勇于奋斗之青年,发挥人间固有之智能,决择人间种种之思想——孰为新鲜活泼,而适于今世之争存;孰为陈腐朽败,而不容留置于脑里。利刃断铁,快刀理麻,决不作牵就依违之想,自度度人,社会庶几其有清宁之日也?青年乎!其有以此自任者乎?若夫明其是非,以供抉择,谨陈六义,幸平心察之。

一、自主的而非奴隶的

等一人也,各有自主之权,绝无奴隶他人之权利,亦绝无以奴自处之义务。奴隶云者,古之昏弱对于强暴之横夺,而失其自由权利者之称也。自人权平等之说兴,奴隶之名,非血气所忍受。世称近世欧洲历史为"解放历史":破坏君权,求政治之解放也;否认教权,求宗教之解放也;均产说兴,求经济之解放也;女子参政运动,求男权之解放也。解放云者,脱离夫奴隶之羁绊,以完其自主自由之人格之谓也。我有手足,自谋温饱;我有口舌,自陈好恶;我有心思,自崇所信;绝不认他人之越俎,亦不应主我而奴他人。盖自认为独立自主之人格以上,一切操行,一切权利,一切信仰,唯有听命各自固有之智能,断无盲从隶属他人之理。非然者,忠孝节义,奴隶之道德也^①;轻刑薄赋,奴隶之幸福也;称颂功德,奴隶之文章也;拜爵赐第,奴隶之光荣也;丰碑高墓,奴隶之纪念物也。以其是非荣辱,听命他人,不以自身为本位,则个人独立平等之人格,消灭无存,其一切善恶行为,势不能诉之自身意志而课以功过;谓之奴隶,谁曰不宜? 立德立功,首当辨此。

二、进步的而非保守的

"人生如逆水行舟,不进则退",中国之恒言也。自宇宙之根本大法言之,森罗万象,无日不在演进之途,万无保守现状之理。特以俗见拘牵,谓有二境,此法兰西当代大哲柏格森(H. Bergson)之《创造进化论》(L'Evolution Ceatrice)所以风靡一世也。以人事之进化言之:笃古不变之族,日就衰亡;日新求进之民,方兴未已;存亡之数,可以逆睹。矧在吾国,大梦未觉,故步自封,精之政教文章,粗之布帛水火,无一不相形丑拙,而可与当世争衡? 举凡残民害理之妖言,率能征之故训,而不可谓诬,谬种流传,岂自今始! 固有之伦理、法律、学术、礼俗,无一非封建制度之遗,持较皙种之所为,以并世之人,而思想差迟,几及千载;尊重廿四朝之历史性,而不作改进之图;则驱吾民于二十世纪之世界以外,纳之奴隶牛马黑暗沟中而已,复何说哉! 于此而言保守,诚不知为何项制度文物,可以适用生存于今世。吾宁忍过去国粹之消亡,而不忍现在及将来之民族,不适世界之生存而归消灭也。呜呼! 巴比伦人往矣,其文明尚有何等之效用耶?"皮之不存,毛将焉附。"世界进化,骎骎未有已焉。其不能善变而与之俱进者,将见其不适环境之争存,而退归天然淘汰已耳,保守云乎哉!

三、进取的而非退隐的

当此恶流奔进之时,得一二自好之士,洁身引退,岂非希世懿德;然欲以化民成俗,请于百尺竿头,再进一步。夫生存竞争,势所不免,一息尚存,即无守退安隐之余地。排万难而前行,乃人生之天职。以善意解之,退隐为高人出世之行;以恶意解之,退隐为弱者不适竞争之现象。欧俗以横厉无前为上德,亚洲以闲逸恬淡为美风,东西民族强弱之原因,斯其一矣。此退隐主义之根本缺点也。若夫吾国之俗,习为委靡:苟取利禄者,不在论列之数;自好之士,希声隐沦,食粟衣帛,无益于世,世以雅人、名士目之,实与游惰无择也。人心秽浊,不以此辈而有所补救,而国民抗往之风,植产之习,于焉以斩。人之生也,应战胜恶社会,而不可为恶社会所征服;应超出恶社会,进冒险苦斗之兵,而不可逃遁恶社会,作退避安闲之想。呜呼!欧罗巴铁骑,入汝室矣,将高卧白云何处也?吾愿青年之为孔墨,而不愿其为巢由;吾愿青年之为托尔斯泰与达噶尔(R. Tagore,印度隐遁诗人),不若其为哥伦布与安重根!

四、世界的而非锁国的

并吾国而存立于大地者,大小凡四十余国,强半与吾有通商往来之谊。加之海陆交通,朝夕千里。古之所谓绝国,今视之若在户庭。举凡一国之经济政治状态有所变更,其影响率被于世界,不啻牵一发而动全身也。立国于今之世,其兴废存亡,视其国之内政者半,影响于国外者恒亦半焉。以吾国近事证之:日本勃兴,以促吾革命维新之局；欧洲战起，日本乃有对我之要求。此非其彰彰者耶？投一国于世界潮流之中，笃旧者固速其危亡，善变者反因以竞进。吾国自通海以来，自悲观者言之，失地偿金，国力索矣；自乐观者言之，倘无甲午、庚子两次之福音，至今犹在八股、垂发时代。居今日而言锁国闭关之策，匪独力所不能，亦且势所不利。万邦并立，动辄相关，无论其国若何富强，亦不能漠视外情，自为风气。各国之制度文物，形式虽不必尽同，但不思驱其国于危亡者，其遵循共同原则之精神，渐趋一致，潮流所及，莫之能违。于此而执特别历史国情之说，以冀抗此潮流，是犹有锁国之精神，而无世界之智识。国民而无世界智识，其国将何以图存于世界之中？语云："闭户造车，出门未必合辙。"今之造车者，不但闭户，且欲以《周礼·考工》之制，行之欧美康庄，其患将不止不合辙已也！

五、实利的而非虚文的

自约翰弥尔（J. S. Mill）实利主义倡导于英，孔特（Comte）之实证哲学倡导于法，欧洲社会之制度，人心之思想，为之一变。最近德意志科学大兴，物质文明，造乎其极，制度人心，为之再变。举凡政治之所营，教育之所期，文学技术之所风尚，万马奔驰，无不齐集于厚生利用之一途。一切虚文空想之无裨于现实生活者，吐弃殆尽。当代大哲，若德意志之倭根（R. Eucken），若法兰西之柏格森，虽不以现时物质文明为美备，咸楬橥生活（英文曰Life，德文曰Leben，法文曰La vie）问题，为立言之的。生活神圣，正以此次战争，血染其鲜明之旗帜。欧人空想虚文之梦，势将觉悟无遗。夫利用厚生，崇实际而薄虚玄，本吾国初民之俗；而今日之社会制度，人心思想，悉自周汉两代而来——周礼崇尚虚文，汉则罢黜百家而尊儒重道——名教之所昭垂，人心之所祈向，无一不与社会现实生活背道而驰。倘不改弦而更张之，则国力将莫由昭苏，社会永无宁日。祀天神而拯水旱，诵《孝经》以退黄巾，人非童昏，知其妄也。物之不切于实用者，虽金玉圭璋，不如布粟粪土！若事之无利于个人或社会现实生活者，皆虚文也，诳人之事也。诳人之事，虽祖宗之所遗留，圣贤之所垂教，政府之所提倡，社会之所崇尚，皆一文不值也！

六、科学的而非想象的

科学者何？吾人对于事物之概念，综合客观之现象，诉之主观之理性而不矛盾之谓也。想象者何？既超脱客观之现象，复抛弃主观之理性，凭空构造，有假定而无实证，不可以人间已有之智灵，明其理由，道其法则者也。在昔蒙昧之世，当今浅化之民，有想象而无科学。宗教美文，皆想象时代之产物。近代欧洲之所以优越他族者，科学之兴，其功不在人权说下，若舟车之有两轮焉。今且日新月异，举凡一事之兴，一物之细，罔不诉之科学法则，以定其得失从违。其效将使人间之思想云为，一遵理性，而迷信斩焉，而无知妄作之风息焉。国人而欲脱蒙昧时代，羞为浅化之民也，则急起直追，当以科学与人权并重。士不知科学，故袭阴阳家符瑞五行之说，惑世诬民；地气风水之谈，乞灵枯骨。农不知科学，故无择种去虫之术。工不知科学，故货弃于地，战斗生事之所需，一一仰给于异国。商不知科学，故惟识罔取近利，未来之胜算，无容心焉。医不知科学，既不解人身之构造，复不事药性之分析，菌毒传染，更无闻焉，惟知附会五行、生克、寒热、阴阳之说，袭古方以投药饵，其术殆与矢人同科。其想象之最神奇者,莫如"气"之一说,其说且通于力士羽流之术。试遍索宇宙间,诚不知此"气"之果为何物也!凡此无常识之思维,无理由之信仰,欲根治之,厥维科学。夫以科学说明真理,事事求诸证实,较之想象武断之所为,其步度诚缓;然其步步皆踏实地,不若幻想突飞者之终无寸进也。宇宙间之事理无穷,科学领土内之膏腴待辟者,正自广阔。青年勉乎哉!

①德国大哲尼采(Nietzsche)别道德为二类:有独立心而勇敢者曰贵族道德(Morality of Noble);谦逊而服从者曰奴隶道德(Moralily of Slave)。

(第一卷第一号,一九一五年九月十五日)

共和国家与青年之自觉(一)

高一涵

专制国家,其兴衰隆替之责,专在主权者之一身;共和国家,其兴衰隆替之责,则在国民之全体。专制国本,建筑于主权者独裁之上,故国家之盛衰,随君主之一身为转移;共和国本,建筑于人民舆论之上,故国基安如泰山,而不虞退转。为专制时代之人民,其第一天职,在格君心之非,与谏止人主之过,以君心一正,国与民皆蒙其庥也。至共和国之政治,每视人民之舆论为运施,故生此时代之人民,其第一天职,则在本自由意志(Free will)造成国民总意(General will),为引导国政之先驰。英国宪法学者,每自诩曰:"吾英宪政,为民权发扬之果,而非以宪政为发扬民权之因。"吾国名号,既颜曰共和,与英之君主国体,虽形式迥异,然无论何国,苟稍顾立国原理,以求长治久安,断未有不以民权为本质。故英宪之根本大则,亦为吾华所莫能外。然则自今以往,吾共和精神之能焕然发扬与否,全视民权之发扬程度为何如。澄清流水,必于其源。欲改造吾国民之德知,俾之脱胎换骨,涤荡其染于专制时代之余毒,他者吾无望矣。惟在染毒较少之青年,其或有以自觉。此不佞之所以专对我菁菁茁茁之青年,而一陈其忠告也。

此篇主旨,在述我青年对于国家之自觉。至对于社会、对于一身之自觉,则于他篇觇缕之。今于述青年自觉之先,首当陈述共和国家为何物。夫共和云者,有形式,有精神。形式为何？即共和国体,为君主国体之反对者也。其主权非为含灵秉气之生人所固有,而实存于有官智神欲、合万众之生以为生之创造团体。此团体非他,即国家之本体是已。再共和国家之元首,其得位也,由于选举；其在任也,制有定期,非如君主之由于世袭终身也。此义虽浅,然用以区别共和国体与君主国体之形式,夫固朗若列眉。次论共和之精神。共和原文,谓之 Republic,考其字义,含有大同福祉之意于其中,所以表明大同团体之性质与蕲向者也。就法律言,则共和国家,毕竟平等,一切自由,无上下贵贱之分,无束缚驰骤之力。凡具独立意见,皆得自由发表；人人所怀之意向、蕲求、感情、利害,苟合于名学之律,皆得尽量流施,而无所于惧,无所于阻。就政治言,使各方之情感、思虑,相剂相调,亘底于相得相安之域,而无屈此申彼之弊,致国家意思,为一党、一派、一流、一系所垄断。故民情舒放活泼自如,绝不虞抑郁沉沦,以消磨其特性,而拘梏其天机。共和精神,其忼略盖如此。且国家之与政府,划然判分。人民创造国家,国家创造政府。政府者,立于国家之下,同与全体人民受制于国家宪法规条者也。执行国家意思,为政府之责；而发表国家意思,则为人民之任。所谓发表者,非发表于漫无团结、纷纭议论之人,乃假一机关,应合全国各流、各系、各党、各派之代表于一堂,而从多决议,以发布之,即所称"国会"是也。故一国政治,果能本国民总意,以向此共和精神之轨道而趋与否,是为政府之职。至发扬蹈厉,自舒其能,以来自与共和精神相合辙。而发挥其实际,是则我人民责无旁贷者也。欲政府不侵我民权,必先立有凛然难犯之概；欲政府不侮我人格,必自具庄严尊重之风。政治之事,反诸物理,乃可以理想变事实,不可以事实拘理想者。惟其可以理想变事实也,故吾人须先立当然之理论,以排去不然之事情;惟其不可以事实拘理想也,故吾人应超出已然之现象,而别启将然之新机。我任重道远之青年,安得不耸起双肩、自负此责?吾人又安得不以此责,举而加诸我任重道远青年之双肩也耶?

顾我青年之欲自负此责,与吾人之欲以此责奉诸青年者,必有其根本之图焉。根本维何?即改造青年之道德是。道德之根据在天性,天性之发展恃自由,自由之表见为舆论。不佞继此将逐一详叙焉。

古之所谓"道德"者,泰西则迷信宗教之威势,东亚则盲从君主之权力,及先王之法言。自混沌初辟以来,民智浅陋,茫不知人道之本源。言论思维,全与宗教相混杂。以为天地万物,一造于神,人生良心上之制裁,惟有托诸神意。《圣书》谓道德为神之命令,颇足表明欧人自法兰西革命以前所怀抱之道德思想。至东亚所谓道德,多惟先王之道是从,不问其理之是否合于现世,但问其例之有无。而"遵先王之法而过者,未之有也"一语,颇足表见吾国儒者守先待后之心。顾王由天亶,故道德渊源亦由天出。于是有天命、天罚、天幸之词见焉。夫维皇降衷,各有所秉。特操异撰,人各不同。欲同其最不同者,以企道一风同之化,故不得不于赋界而外,别求一视之不见、听之不闻之物,托为道德之基。此基一奠,则人人依违瞻顾,虚与委蛇。而瀹灵启知、缮心养性之机失矣。专制之朝,多取消极道德,以弃智黜聪,为臣民之本。如"不识不知,顺帝之则""民可使由之,不可使知之"诸词,见诸经传,利其无作乱之能与犯上之力故也。故往古道德之训,不佞敢断言,其多负而寡正,有消极而少积极者。曰惩忿窒欲,曰克己制私,曰守分安命云云,皆为吾国道德之格言。今按国家原理与世界潮流，始无一不形其抵触。功利家欲倡为废弃道德说者，盖亦有不得已之苦衷云。

虽然，道德者本诸学理，应诸时势，根诸人心，乃因时转移之物，而非一成不变者也。道德而不适时势之用，则须从根本改造之，无所惜也。古者象天尊地卑，以定天泽之分，故君臣大义，无所逃于天地之间；今者地象圆球，飞悬太空，而无上天下泽之判，随所在以观，皆觉平等，故人民思潮，基之趋于齐平，此道德取象天地之说也。然不佞以为道德为人心之标准，本心之物，惟有还证自心，以求直觉，则所谓求之天性是已。所谓天性，乃得诸亶降之自然，不杂于威势，不染夫习惯。顾所谓自然，特不杂第二势力于其中而已，亦非最初、最稚之谓也。必也随其秉赋之奇，施以修缮之力。苟为吾性所固有，即当焕然充发，俾无所遗。循特奇之禀，而之于其极，不可奔向轨外，以求苟同。忿也、欲也、己也、私也，既为吾性之所涵，即当因势利导，致之于相当之域，俾各得其发泄致用之机，不当惩之、窒之、克之、制之，使无可排泄之余地，而溢而横流也。太史公曰："上者利道之，其次整齐之，最下者与之争。"治性之法，亦何莫不然？往古治性与之争者也，今则首当利道，以宣其蕴；次则整齐，俾趋于名学之律，如斯足已。至于分云、命云，皆吾心之所造，而非造吾心者。操纵左右，唯所欲为。何有于守，何有于安，青年记之！夫性犹川然，利道之也顺，拥塞之也狂。此不佞所以有改造道德之说也。持今之道德，以与古较，则古之道德重保守，今之道德贵进取。古之道德，拘于社会之传说；今之道德，由于小己之良心。古之道德，以违反习惯与否，为善恶之准；今之道德，以违反天性与否，为是非之标。古道德在景仰先王，师法往古；今道德在启发真理，楷模将来。古人之性，抑之至无可抑，则为缮练；今人之性,须扬之至无可扬,乃为修养。此则古今道德之绝相反对者也。德国殳家蒙孙氏(Theodor Mommsen)曰:"立宪政体,进取者也,富于生机;专制政体,停滞者也,几于死体。"道德随国势为变迁者,古为专制,故道德停滞抑郁,而奄奄待毙;今为共和,故道德亦当活泼进取,而含有生机。

  道德之基,既根于天性,不受一群习惯所拘,不为宗教势力所囿矣。顾启瀹之机,将谁是赖?则自由尚焉。自不佞观之,自由之说,不外三种:一、绝对自由说;二、绝对无自由说;三、限制自由说。前者为佛氏、老氏、庄氏之言,后者为普通法家所论,介乎其间者,则为物理学家之所证。美儒柏哲士(Burgess)谓,自由泉源出于国家,如国家不赐以自由权,则小己即无自由之道。定自由之范围,建自由之境界,而又为之保护其享受自由之乐,皆国家之责。自由之界,随文化之演进而弥宽,文化愈高,斯自由愈广。至如十八世纪革命派之所谓自由,则全属理想焉。此即今日盛行法律家之学说,次则由物理以推。凡一事之兴,必有前因后果互持之,无能稍脱其轨范者。法国之言自由,至比之太空浮云,以为真能自由矣。殊不知浮云之舒卷于太空,有通吸力之引摄,有日光热之注射,有大气之盘旋;其上其下,其飞其散,皆感受各力之影响,而循之以之,绝不能稍越其藩,以自行其意向。故真正自由,天地间绝无此物。此物理家之言,赫胥黎等主之,吾国侯官严氏即承其绪余者也。太上有真自由说,谓质力本体,恒住真因,皆存于自然,初无期待。如造化然,如真宰然,孰纲维是?孰主张是?孰居无事而推行是?彼通吸力之所以引,其有所主耶?日光之所以热,其有所燃耶?大气之所以盘旋,其有所运耶?果皆无之,宁非真正自由欤?此其义,佛、老、庄氏各主之,今日余杭章氏其发挥者也。然则自由之说,人将何所适从?

　　不佞所欲告我青年之自由,固无取艰深之旨,然亦不必采法律家褊狭之说。曩读黎高克(Leacock)氏政治学,见其分自由之类,曰天然自由(Natural liberty),曰法定自由(Civil liberty)。柏哲士所论,即属后者。前者为卢梭氏之所主张,谓"人生而自由者也,及相约而为国,则牺牲其自由之一部"。是谓自由之性出于天生,非国家所能赐,即精神上之自由,而不为法律所拘束者。夫共和国家,其第一要义,即在致人民之心思、才力,各得其所。所谓各得其所者,即人人各适己事,而不碍他人之各适己事也。盖受命降衷,各有本性。随机利道,乃不销磨。启瀹心灵,端在称性说理,沛然长往,浩然孤行。始克尽量而施,创为独立之议。故青年之戒,第一在扶墙摸壁,依傍他人;第二在明知违性,姑息瞻依。自贼天才,莫过于此二者。古之人,首贵取法先儒;今之人,首贵自我作圣。古之人,在守和光同尘之训;今之人,在冲同风一道之藩。乡愿乃道德之贼,尚同实蠹性之虫。夫青年立志,要当纵横一世,独立不羁,而以移风易俗自任。因于习俗,莫能自拔。悠悠以往,与世何关?日日言学,徒废事耳。西诗有云:"怀疑莫白,口与心违,地狱之门,万恶之媒。"甚愿青年,三复斯言!

　　顾自由要义,首当自重其品格。所谓品格,即尊重严正,高洁其情,予人以凛然不可犯之威仪也。然欲尊重一己之自由,亦必尊重他人之自由。以尊重一己之心,推而施诸人人,以养成互相尊重自由权利之习惯,此谓之平等的自由也。发扬共和精神,根本赖此。凡我青年,时应以自省也。

　　康德曰:"含生秉性之人,皆有一己所蕲向。"此即人与物所以相异之点。物不能自用,而仅利用于人。人则有独立之才力、心思,具自主、自用之能力。物可为利用者,而人则可为尊敬者也。人之所以为人,即恃此自主、自用之资格。惟具有此资格也,故能发表独立之意见。此人品之第一义也,亦即舆论正当之源泉。夫家族之本在爱情,宗教之本在信仰,而共和国家之本则在舆论。所谓舆论有三:多数之意见、少数之意见及独立之意见是也。舆论与公论有殊。公论者,根于道理,屹然独立,而不流于感情;舆论者,以感情为基,不必尽合于道理者也。故欲造成真正舆论,惟有本独立者之自由意见,发挥讨论,以感召同情者之声应气求。莫烈(John Morley)曰:"凡一理想之发见,决非偶然。苟吾已见及,则此理想,必次第往叩他人之门,求其采纳。吾冥行而见光明,亦必有他人暗中摸索,随以俱至。吾所发明,特其耳!"然则吾以独立之见相呼,必有他人以独立之见相应。相应不已,而舆论成焉。舆论在共和国家,实为指道政府引诱社会之具。故舆论之起,显为民情之发表。但当问其发之者,果为独立之见与否,不当先较其是非。孟德斯鸠曰:"自由人民,其一己之推论,果为正当与否,往往不成问题。所当考究者,其所推论,确为人民自主足已。此即言论之所以自由也。"共和国家之本质,即基于小己之言论自由。然则逡巡嗫嚅,不露圭角,宁非摇动国本之媒欤?专制国家之舆论,在附和当朝;共和国家之舆论,在唤醒当道。专制时代之舆论,在服从习惯;共和时代之舆论,在本诸良心,以造成风气。其别也有如此。

虽然,真正发挥舆论,尤有金科玉律宜由焉。即:(一)须有敬重少数意见与独立意见之雅量,不得恃多数之威势,抹煞异己者之主张;(二)多数舆论之起,必人人于其中明白讨论一番,不得违性从众,以欺性灵;(三)凡所主张,须按名学之律,以名学之律为主,不得以一般好恶为凭。共和国家,所以能使人人心思、才力,各得其所者，即由斯道。政府抹煞他人之自由言论，固属巨谬，即人民互相抹煞自由言论，亦为厉禁，何则？不尊重他人之言论自由权，则一己之言论自由权已失其根据。迫挟他人以伸己说，则暴论而已矣，非公论也；屈从他人，违反己性，则自杀而已矣，非自卫也。故曰：欲造成真正舆论，惟本独立者之自由意见，发挥讨论，以感召同情者之声应气求。

以上所陈，乃国法所不能干，观摩所不能得，师友所不能教，父兄所不能责。何也？以所主唯心。苟非吾心，见象即殊，直觉不能，动则成翳故也。轮扁对齐桓公曰："得之于手，而应于心。口不能言，有数存焉于其间。臣不能以喻臣之子，臣之子不能受之于臣。"即此义也。不佞所言，糟粕而已。至于精神，则仍在吾青年自觉云尔。

（第一卷第一号，一九一五年九月十五日）

共和国家与青年之自觉（二）

高一涵

近者讨论国体之声，震惊中外。饩羊仅存之共和名号，尚在动摇未定之秋。斯篇之论，似可不续。然国体之变更与否，乃形式上之事，不佞所论乃共和国民立国之精神。政府施政之效，其影响不逾乎表面之制度，而政治实质之变更，在国民多数心理所趋，不在政治之形式。昔罗马之初变帝政也，政治尚不离共和；周室之衰也，仁义之道，满乎天下，及春秋已四五百载矣，而其余业遗风，流而未灭。可知立国精神，端在人民心理。人人本其独立自由之良心，以证公同，以造舆论。公同、舆论之所归，即是真正国体之基础。无论其间若何变迁，而探其远果，转在为吾人精神之资助。若有意玉成，而防其少怠者然。故国体之变更与否，由吾人精神以观，几无研究之价值。吾辈青年责任，在发扬立国之精神。固当急起直追，毋以政治变迁而顿生挫折，令吾人最贵之精神，转役于曲折循环之时势，而为其奴隶焉，则庶几欤？

不佞此篇所欲述者，乃共和国家之青年对于社会之事。今者通功易事之制兴，公共生活之业起，一自有生以后，盖无一举一动而不息息与社会相关者。生计、教育等事业，其最著者也。处独立生计时代，自耕自食、自织自衣，无交易之习惯，故可以老死不相往来。今则分功协力,为生计之原则,一人之学问、职业,举莫不与社会相需相待,以底于成。孤立营生,微特反天演之进化,抑且危一己之生存。闭门自守之生活,既非今世之所能。则吾辈青年,即应以谋社会之公益者谋一己之私益,亦即以谋一己之私益者谋社会之公益？二者循环,莫之或脱。损社会以利一己者固非,损一己以利社会者亦谬。必二者交益交利、互相维持、各得其域、各衡其平者,乃为得之。故今之为社会谋公益者,第一须取自利利他主义。自利利他主义,即以小己主义为之基,而与牺牲主义及慈惠主义至相反背者也。不佞谨继此分论之。

何言乎"自利利他主义"也？社会集多数小己而成者也。小己为社会之一员,社会为小己所群集。故不谋一己之利益,即无由致社会之发达。近世生计学家,以自利心及公共心二者,为撑拄生计事业之两大砥柱。所谓"自利"者,即欲使一己之利益,着着落实,非特不害他人之利益,且以之赞助他人之利益之谓也。所谓"公共"者,即以为社会一员之我,借公同之事业,而以谋全社会之利益者,遂其一己之生活也。共和国家之人民,互相需待、互相扶持。凡一己所为,莫不使及其效力于全体,各尽性分,以图事功。考其所为,果为自利,抑为利他,举莫能辨,何也？以群己之关系至密,自利即以利他,而利他亦即以自利故也。顾近世国民之自利,绝不与独立生计时代之自利相同。彼之自利,夺他人之利益,窃为己有；此之自利借社会之公益,以遂吾生。彼之自利,与社会之公利分道僻驰；此之自利,与社会之公利同归合辙。彼以行险侥幸为能,故自利实所以败风化。此以同心协力为主,故自利即所以遵德行。此即不佞所以合生计之二大砥柱,而名曰"自利利他主义"之本旨也。

何言乎"自利利他主义"？必以"小己主义"为始基也。共和国民，其蕲向之所归，不在国家，乃在以国家为凭借之资，由之以求小己之归宿者也。国家为达小己之蕲向而设，乃人类创造物之一种，以之保护小己之自由权利，俾得以自力发展其天性，进求夫人道之完全。质言之，盖先有小己后有国家，非先有国家后有小己。为利小己而创造国家，则有之矣；为利国家而创造小己，未之闻也。欧洲挽近，小己主义风靡一时，虽推其流极，或不无弊害。然其文明之所以日进不息者，即人各尊重一己，发挥小己之才猷，以图人生之归宿。而其社会国家之价值，即合此小己之价值为要素，所积而成。吾国数千年文明停滞之大原因，即在此小己主义之不发达一点。在上者持伪国家主义，以刍狗吾民。吾民复匿于家族主义之下而避之。对于国家之兴废，其爱护忠敬之诚，因之益薄，卒致国家、社会、小己，交受其害，一至于此。今日吾辈青年，正当努力以与旧习俗相战，以独立自重之精神，发扬小己之能力。而自由、权利二者，即为发扬能力之梯楷。务须互重权利、互爱自由、瀹灵启智，各随其特操异秉，而充发至尽。一己之天性完全发展，即社会之一员完全独立。积人而群，积群而国，则安固强盛之国家，即自其本根建起，庶足以巍峨终古，不虞突兴突废矣。国家社会，举为小己主义所筑成，此不佞所以以小己主义为自利利他主义之起点也。

且不佞所谓小己主义者，有二要义焉：一曰用才；二曰重法。共和国家，为各展才能、无所曲抑之国家。凡有寸长，均当致诸适宜之境以用之。所谓"用"者，又非授人以进退黜陟之柄，自为皂隶、牛马，供彼颐指气使也。乃己有一分之长，即举而贡献之于社会，无所谦退，亦无所夸张。古之用才，权在君相；今之用才，权在自身。古之怀才者,多待价而沽;今之怀才者,宜及锋而试。怀才于共和国家,而犹待人荐擢,是反主为仆,自侪于皂隶、牛马之列,显然自丧其人格。共和国民,不宜若是其贱也。至于共和国家之法,乃人民之公约,用以自治自克者,非他人任意制定,举以束缚吾人者也。吾人所以乐共和而恶专制者,即在欲得此制法机关,自审吾人所利、所害、所乐、所苦之何在,谋自为趋避之计耳。法律果真由人民总意以定,即应绝对服从、绝对遵守。所谓"服从",所谓"遵守"者,非服从、遵守其形式,须服从、遵守其精神;非因执法者在前,乃勉为自好之士,须于无人察觉之际,而深其自懔之心。惧执法者在前,而始不敢犯者,实寡廉鲜耻,不能自立之辈。乃其所不敢为,非其所不甘也;乃惧他人之察觉,非惧良心之察觉也。夫所谓"人格"者,乃节操之当然,伦理之本然。凡为人类,皆当自知爱护,自知尊重,以副其远于禽兽之实,非所以要誉于乡党、朋友者也。违法而不视为人格上之奇辱,乃视为交际上之缺点。不耻无以对己,乃耻无以对人,是即根本上违反小己主义之处。凡我青年,皆当用以自省者也。

此外尚有背戾自利、利他主义者二事,即"牺牲"与"慈惠"是也。凡为社会共通之原则,奉行之者千万人,流传之者千百世,必其则焉。得乎人情之中,放诸四海而皆准,不使一部感其无妄之灾,一部得其分外之惠者,乃克如此。若损其一以利其一,凭一人一时之意气,偶一行之则可,非所望于大公无我。相安相得,区处条理,各适其宜之共和国民也。任侠之徒,愤季世之不平,凭一时之义勇,偶然行此牺牲主义,固足以振起颓废之习俗,激发腐坏之人心。至共和国家,乃合人人之利益以成社会之利益者,人己交际之间,必俱益俱利,乃不违乎社会公益之原则。设损一己之利益以利他人,则一己之利益既丧,即社会利益之一部缺而不完。而所谓利他人者,未必即能为他人之利。即苟能之,然一方弃其所应得者而不得,一方乃取其不应得者而得之,亦绝非相安相得、各适其宜之道。且生计通例,凡大利所存,必其两益。已受勤劳之苦者,即应享勤劳结果之乐,乃克维持一群而不涣。今持牺牲主义,使我尽受勤劳之苦。而勤劳结果之乐,乃尽让他人享之。人人皆思受苦而不思享乐,则享乐之事,将谁甘受之?有苦无乐之世界,其能发育人类者几何?反之,而人人皆待他人勤劳之结果,以供一己之享乐,则勤劳之事,又将谁任之?有乐无苦之世界,其能锻炼人类者又几何?夫人各有所欲,各有所求;自养其欲,自给其求。且以致人人之所欲所求,各安其相适之域。而如量发泄,安行尽利,乃所以利益社会之道。损其一以利其一,则其利也,必有所穷;而其损也,亦必不绝。非大公无私、相安相得、区处条理、各适其宜之共和国民所宜行者也。此牺牲之事,所以尽反乎自利利他主义也。

复次有慈惠主义。夫社会之利益百端,要皆由勤劳而得。约翰弥尔晚年《自叙传》中有云:"吾深盼夫无贫无富之社会,为可企及也;吾深盼夫不勤劳者不衣食。举世之芸芸总总,均莫逃此规则也。必尽其勤劳之因,乃获生产百物之果。生产物之分配权,万不可决之于诞生,要当决之于正义。"不佞之引此说,乃取其"不勤劳者不衣食"及"生产物之分配权,应当决之于正义"二语。其立论之旨,非所问也。人之所以可贵者,在有人格。日本浮田博士曰:"人格因勤劳而成立,因勤劳而实现……新道德于凡属有益于社会之勤劳,皆视为神圣,而尊之敬之。视为发育人类之品性,完全人类之人格,所不可或缺者焉。"然则欲保全人人之人格,必令其借服劳之结果,以自遂其生。仰给于他人者,举为丧失人格之事。今抱慈惠主义者，固明明以丧失人格之事，期诸被惠者矣。使之不劳而得财，既反乎生计之原则，其终也必养成被惠者之依赖心，挑动其侥幸之念，而败坏其勤劳之力。且己既以慈惠为仁、为善而行之矣，则被惠者必为不仁、不善。以仁善自居，而以不仁不善之事转加他人。一方受道德之美誉，一方犯不道德之恶名。已非一视同仁者所忍出，矧更违生计之原则，而与社会上以莫大之恶害哉！然则共和国家之青年，他日立身之计，惟以勤劳易利益，自保其人格，并以保他人之人格。不以慈惠之名，诱起社会之恶德，斯为中庸之正道矣。

　　总之，今者既入于社会生计时代，社会利益，乃根基于小己利益之上积合而成者。欲谋社会之公益，必先使一己私益著著落实，乃克有当非然者全其一以丧其一，则社会利益将终古无完全发达之时。德国伯伦知理（Bluntchli）有言曰："社会富孕生计、智识之原力，以扶助国家者也。社会不良，则国家之不良随之；社会安宁利达，则国家亦强。故社会者，治安之条件也。"社会与国家之关系，其重要如此。吾国徒以隶于宗法制度之下，垂四千余年。人各重夫一家之私，多不识社会为何物。而"以谋社会公益以自遂其生"之思想，举凋零颓丧，发达难期，遂奄奄至今，日濒于危矣。而犹守宗法制度，奉爱若神，稍一置议，则目为大逆。习俗浸润，浃髓沦肌，法令教育，一时皆难以收效。非人人自悟其非，而以明于中者行于外，持自利利他主义，以振起颓俗，夫固未易言也。语其根源，惟在青年之能改造时势，不为旧说所拘，则庶几也。

　　　　　　　　　　　（第一卷第二号，一九一五年十月十五日）

共和国家与青年之自觉(三)

高一涵

秋风萧瑟,霖雨经旬,槛前淅沥之声,似有意扰吾旅人,故示其变徵音节以相逼。东瀛秋节,风恶潮汹,固时予人以可怖,然大抵多倏起倏落,从未有掀天撼地,相逼而来者。今年何年,胡乃变态若此?诚有令人不寒而栗者矣。乃返瞻故国,萧墙之内,隐伏干戈,激变挑衅,无所不至。一若鹬蚌不久相持,即无以惠彼渔人者。彼行尸走肉之辈,原无足责,独怪吾辈活泼青年,本自居于国家主人之列,放主人之职而不尽,是谓暴弃。要知今年今日,绝非吾人所能自暴自弃之时。今日之变,非但国体之良否问题,实为国家之存亡关键。他日或可旁观,此日则断不容袖手;他人或可贷责,吾辈则断不能少卸仔肩。此不佞所以再四叮咛,苦口忠告者也。前此二篇,乃吾青年之对于国家社会也,当思发挥其实以副之;此篇之旨,则吾青年自今以往,当思所以立身处己之道。故此后所陈,皆就原理往例以为言,俟读者之自觉焉耳!

夫总人类集合之全体,而名之曰"国家";指人类协同创设之制度而称之曰"国体"。是"国家"为人类所合成,"国体"为人类所创造,均非本有自体,由勾萌析甲含生负性而自生自长以底于成者也。近世学者,自伯伦智理(J. K. Bluntsohli)以迄韦罗贝(Willoughby)氏,均以国家之起,肇自人类之自觉、感情、意志。而"国家有机体说",又为多数学者所斥驳,掊击之至无完肤。然则国家之立也,立于人;国体之变也,变于人。吾人欲创造何种国家?立何种国体?吾人即向何方面着着进行,无所用其顾虑。美国法苑之诠"国家"也,曰:"国家者,乃自由人民为公益而结为一体,以享其所自有,而布公道于他人者也。"(A. State is a body of free persons united together for common benefit to enjoy what is their own and to do justice to others.)吴汝雪(Woolsey)亦曰:"国家者,宜有公道者也。国家而无公道,则其组织即为不适宜于人群。"然则国家创造之主,曰自由人民所以创立之因;曰为公益所以永存不灭之理;曰主公道;曰适宜于人群。兼备此四种要素,而后国家方克巍然存乎天地之间。反乎此者,皆谓之违反今世国家成立之原则。夫违反其原则,未有能生存于今世国家之林者也。国家非物,违反原则与否,非由自动,其自身绝无功过之可言。设其主人袖手旁观,以听国家之自处,欲其自赴于原则也,于理于势,皆有所不能。万众齐趋造成时局,曰景运;万众瑟缩酿成祸患,曰浩劫;抖擞精神,着着前趋,曰进步;灰心颓气,任其颠覆,曰退化。吾辈青年,活泼其心,方刚其气,仔肩巨责,来日方长,如以造成景运,着着进步,自任也,是谓之"自觉";如任万几退化,漠不关心,浩劫长流,永陷不复也,是谓之"自杀"。使吾辈青年而欲自杀也,则亦已矣。否则,正宜猛然奋进,趋于自觉之途,以免自杀之惨。虽然,蠢然盲动,君子所羞,吾辈果欲自觉,必有真正自觉之道焉,而非可盲然以进者也。

青年自觉之道,首在练志。志者,根诸心,发诸己,非可见夺于他人,而亦非他人所能夺者。以他人之志强夺吾志及用他人之志以代吾志者,皆属横暴之事。练志之方,第一即在打破此种横暴障碍，以还我本然之自由，而后志乃可立。曰吾志被人劫夺、曰吾志被人强代者，皆庸庸碌碌，懦夫奴性之流，聊以解嘲而已。果为志士，其动也必随心而之，吾志暂时不行或有之。若夺云、代云，必吾先有易夺、易代之弱点。动人轻视之念，或先露可夺、可代之破绽，予人可乘之机，不然已不被夺，己不甘使人代，又谁能夺之、代之？夫国家者，由吾人之志而成；政策者，合吾人之志，同心戮力以向一定之方向而之者也。故国家建筑于人民意志之上，主权发现于人民意志之中，无志则国已无基，奚由而建？主权无主，奚由而生？世人动曰：吾非不欲立志，特强横暴我，时势迫我，境遇苦我，故俾我颓丧至于斯极。不知所谓志者，正在捂此强横、创造时势、战胜境遇，而后志之名称，乃称志之能事，乃完志之实力，乃予人以可见，否则皆谓之无志。待时会之来，乘之以自见于世者，因缘际会而已，非志也；仰他人之势力，利之以显吾身者，侥幸成功而已，亦非志也。吾所云志，乃预定其当然之理，排除万难，拨开障碍，而循轨赴之以求之。设已然之事而不与吾当然之理合，则立除其已然者，而求合乎吾所谓当然，若徒叹其不然、听其自然或待其将然、幸其或然者，举非吾人志内之事，志士绝不为也。人类所以为万物之灵，不为天演所淘汰者，正以负有此志，可以人力胜天。行能胜物而不为物胜，先定一当然之方针，因之以求其将然之归宿。而幸福、安宁、自由、权利，乃可获得，乃可常保，此则立志之用也。

　　天下万事，凡理之所在，即为事实之始基。初不必旁征故例，以相质证，然即欲明证其例，亦自非远。今为简单便利计，请引法兰西史以明之。《迈尔通史》(*Myers' General History*)论法兰西革命之原因，首谓："由其君主之专横凶暴，妄用其权，人民之生命财产，得以任意处置，人民被囚往往不识身犯何罪，而暴征苛敛，又皆为所欲为。"(见《迈尔通史》第627、628页)以不佞所闻,法自路易十四以来,屡行暴政,赋税之担负,至贫民而益重。强制公债,滥发无垠,不良泉币,遍布于市,贫富相悬,益不可以道里计。握特权者,穷奢极欲;而耕农苦力,至贫无立锥。至千七百八十九年,国债山积,国家财政几于破产。呜呼!何其危也!及观其革命既成而后,建设共和,实施宪政,人民之生命自由,举为宪法所保障。《人权宣言》之大旨:一曰自由平等,根于天生;二曰国家主权,完全在民;三曰法律主于人民总意,一视同仁。(见 Declaration of the Rights of Man, August 26, 1789)至其赋税,不得人民许诺,即不得增加一钱,自脱去革命厄运,以迄于今,其享受自由幸福,在世界民族中为第一。呜呼!又何其幸耶!当其暴政横行,国势叠卵,举国志士,绝不苟安旦夕,自取灭亡,而乃怒发冲冠,捐躯殒命,血潭骨皁,炮震肉飞。虽其间几经挫折,共和方成,专制旋复,而奋其义勇,绝不迟回,前者覆亡,后者又起,此其故何哉?志在共和。共和未得,故身可捐而志不可违也。彼知不牺牲今日之身家,即无由致国家于安宁,巩固之域,而有以保护其神圣之自由也。志之所指,险阻立化为坦途,危亡立转为安泰。法兰西国民知之,法兰西国民行之,此正有志之效也。

　　青年自觉之道,又在练胆。夫志者,理义既明,定其正鹄,以为趋赴之的者也。胆者,本此正鹄,鼓其豪兴,以赴前途,无所于惧,无所于恐者也。志为心之所之,胆为行之所主。太平之世,因故袭常,循例以行,罔有所阻。当此之时,瑟缩怯懦之夫,亦得滥竽其列。而吾所谓胆,乃退处于无权,及一旦天倾地裂、雷震风惊,狮象在前,猛虎蹑后,国势阽危,千钧一发,覆亡之惨,悬诸目前,瑟缩懦怯之夫,汗颜咋舌,慑伏退避,而不知所为。吾所谓胆,乃于是脱颖而去。故胆之为用，专在危急存亡之秋。过此以往，将无用武之地。今者，吾国险象，迭见环生，为有史以来所未见。时之所以锻炼玉成吾人之胆者，委曲周至，吾人须知魔力横生，强邻虎视，在在皆为吾人试胆之时。语曰"英雄造时势"，时势何以造？以胆造之。青年第一秘诀，要以时势危急为吾人练胆之资，不得因时局垂危遂生丧胆之象。故自今以往，吾国时势，诚为吾人练胆之第一好机也。

彼法兰西自革命以后，制度破坏，秩序荡然，迫入于恐怖时代（Reign of Terror）。激烈党之互遭残戮者，不下百万。外而列国王侯，又以革命影响将不利于己。从英俄之提倡，联结诸邦，合兵攻法，四境敌兵，长驱深入，血战不利，至千七百九十九年，一败涂地，国势之不绝者直如缕耳！然法人求共和之心，谋自由之志，未尝因是而止也；其后拿破仑以一世之雄，刍狗法人，从事远略。欧洲列强，莫不为其铁马金戈所践踏。对外如此，对内其又奚言？共和既翻，帝政旋始，生杀予夺，从其一心。然法人求共和之心，谋自由之志，未尝因是而止也。云其危急，其有过于四面楚歌，声声相逼。外兵既临城下，而国内党祸尚自相水火者乎！云其迫压，其有过于盖世魔王。手操兵柄，长驱普澳之郊，几如入无人之境，况或少怀顾忌，于所谓民意民气者乎！何法人迫于党争而不惧？迫于联军而不惧？迫于一世魔王之残摧而不惧？而必善始善终，求所谓共和，求所谓自由者乎！曰胆为之也惟其胆略之壮，故能成此掀天撼地之殊勋。为民族而战为国家而战为世界之人道而战，而无所恐怖也。此又练胆之功也。

青年自觉之道，又在于练识。识者，御事以理，判案以律，推其原因，而有以知其结果者也。故识之本在学，学者，籀其因果公例，用以数往知来，见其然而必以推其所以然者也。如见日而知其朝升东海，夕沉西山；见木叶之入水而知其浮；见金石之入水而知其沉。此但知其然，非可以之为学也。若见太阳之西向而走，即识为地球东向回转之结果；知地球之回绕太阳，为由引力作用之所致；见木叶金石之浮沉，即理解其从比重之法则而然。此乃谓之科学，非依据律令，不得以臆擅断之，学之真乃于是见。夫求科学之道，不外于万殊物理之中，归籀其统一会通之则。执此统一会通之则，以逆万殊之事，以断未然之机也。前者谓之归纳，后者谓之演绎；前者用以读书，后者用以应事。其所以求此之法，应分三种：一曰试验。试验者，见一物之既然，因以求同此物者之皆然，所得者事实也。次曰推证。就其事实，谨慎研求，以寻其常然之例。常然之例者何？曰因同者果莫不同是也。再次曰推概。推概者，既得物理之常然，著为公例，用以逆睹未形者是也。语本严复。名学浅说如化学家分验杂质，合炼原素，执因求果，凡显见之象，变化之节，均如所期者，谓之试验。由此试验，而求某质之所以显某象者，因于某理。某原素之所以呈某变化者，因于某故。由其然而推其所以然者，谓之推证。至于推概，则执此所以然之例，以逆未然。就纷然万殊之物，以籀其同然合理之原。吾见虽或有涯，而吾例则统摄万有，于是归纳之事尽矣。明同因同果之法，则知凡因确同果必无异。他人以甲法强国者，苟其因确与吾同，则吾用甲法，亦必强国；他人用乙法争得自由者，苟其因亦与吾合，则吾用乙法，亦必争得自由。故准卢梭自由平等来自天生之例，则可知吾既为人，亦应享受天然之自由平等。或有障碍，皆为外缘，吾得排而去之也；准卢梭主权为人民总意所成之例，则可知吾国主权，既无物质，亦应由吾人人民总意肇发之；非然者，即为伪造主权，与吾人无与。凡此皆物理人事，例有相通者也。

虽然，今者文明大启，而人事之发明，有不必为物理之例所拘者。即物理者，每由例以求理；人事者，可由理以肇例是也。物理学家先于例中考求，由旧有之例以推阐新理，设例不吾从，吾之理即不能立，当变吾理以殉之；至人事之学则不然，主观在我，凡我以外皆客观。故吾理苟觉可通，吾例即从之而见，凡例有未当吾理者，得以吾理变其例，徒例不能立也。前者由已然而推其所以然；后者则以当然易其未然者也。此又近世物理人事之根本不同处也。论政者，人事之学，即不引例，吾说亦自可行。矧吾国今日情形，在在与他国之往例有合，理例俱符，他日结果，又安能逃国之公例哉？

顾吾所谓由理肇例者，乃谓理不必限于例，非谓凡例皆非理或理皆先于例也。大抵文化初开之时，多以政例肇政理，故有尧、舜、禹、汤之政治，而后孔孟之政论乃大明。至文明大启之秋，则常以政理启政例，故孟德斯鸠之"三权分立"说为近世宪政之精神，卢梭之"平等自由论"遂唤起法国之革命，盖以政例肇政理者，其思想常拘于守成；以政理启政例者，其思想常趋于改进。今之世固脱故谋新、日日演进之世也，固理论一出，而世界之趋势因之丕变之世也。吾人今日第一要务，即在求确当之政理，以为政例之前驱，确信于理可通，于例即有可立。察他人之理论，可行于其国者，则知吾人之理论，必可行于吾邦。其所难者，在于察因耳。察因中所含之条件，果确与平日所推论之原理同，则遵吾所推论者以行之，他日自必收相同之果。此按诸逻辑，其律不爽者也。吾国今者，其原因何在？因中所含之条件何若？果宜从若何之理论而行，乃有转危为安之望？此则专在吾辈青年之自觉。欲自觉其正途，不致彷徨道

共和国家与青年之自觉(三)　　　　　　　　　　　　　　31

左也,则识尚焉,此练识又所以为自觉之要道也。

　总之练志、练胆、练识,三者互相为用,不可缺一。以志言,则胆与识所以定志者也;以胆言,则志与识所以壮胆者也;以识言,则志与胆所以致识于用者也。志何以不移?有胆有识以定之,故不移;胆何以不怯?有志有识以壮之,故不怯;识何以能行?有志有胆以致之于用则行。吾辈丁兹国运,第一戒在抱悲观;第二戒在图自了。一抱悲观,则灰心颓气而不存猛勇奋进之心;一图自了,则朝不谋夕而不存任重道远之念。境由心造,心神强壮,则虽残山胜水亦为我动心忍性之资;心志颓唐,即壮版雄图反增我感喟凄凉之恨。至欲图自了,则今日更非其时。若吾身昨年已死,自了之愿固可告终。苟吾之死应在明年,则今年尚为吾奋斗之期,而非吾告终之日。非特明年然也,即吾之死在次月、次日、次时、次刻,而吾之奋斗尚当于此月、此日、此时、此刻行之。急起直追,至死乃止,则主人之责已尽,而吾怀乃可少安,吾心乃可明告于天下后世。此所以当共和告别之顷,而殷殷然对我青年为此临岐握手,各自珍重之最后一言也欤!

　　　　　　　　　　　　（第一卷第三号,一九一五年十一月十五日）

德国青年团

谢　鸿

一、德国青年团之源起

"青年教育"云者，非指学校教育而言，乃就社会教育而言也。盖在欧美各国，今日之青年教育，已非单纯教育学上之问题，而为与国运有关之实际问题。此种观念之发生，迫于国难，起一种恐怖心。由是一般国民，受非常刺激，其结果，遂合力图青年社会教育之发达。说者谓英俄两国从事于青年社会教育者，激于俄日战争及南非战争后之警觉，岂不然哉？德国自先世受拿破仑一世蹂躏，国人茹苦忍痛，专事青年教养，以为复仇之准备。厥后普奥及普法两次战争，虽获胜利，尤恐国人因此而生惰气，全国上下，从事青年教育益力。此次联合奥国与四协约国宣战，迄今已逾一载，强敌如英、法、俄、意，始终不能入其国境一步。通国人口，不过七千万，男子约居半数，而出征之额兵及补充兵之数，在七百万以上。合以前死伤俘虏及最近所征，自十七岁至五十二岁之志愿兵计之，其总数达于千万，国民意气之盛，可谓横绝一时。实际德国之强，不在军容之盛，由于国家之基础巩固。举国人民，复能贯彻青年德意志主义,尽其所有智力、能力、财力,以供国家牺牲。有此精神,乃有今日之战绩。饮水思源,谓非青年社会教育之赐不可得也。

二、青年团之统一计划

德国近来教育,受法国鼓励者居多,因法国对于国内青年施军事教育而生对抗之心,征诸国防会及青年德意志会之设置可知也。外此关系教育会之青年团体,亦复不少。其指导之任,大率责诸附近防营之将佐,惟其教育方法,有偏重军事之倾向。国人颇有责言,于是政府知青年教育任各团体之各自行动,易生流弊,遂筹统一方法。其教育目的,不偏重体育,保持中庸之度,养成有坚强体力与强毅精神之健全国民。所谓"德意志魂"是也。遂于一千九百十一年,以统一各团体为目的,组织"青年德意志团"。其趣旨略谓"青年教育,宜谋身心健全,使之守规律、重公德,养成富于敬神心及爱国心之国民为第一要义。青年之父母及社会各方面之人,当协力匡助,始能达其目的。凡党派、军部、教会、实业家,尤当执中立态度,不偏于一面,始能达协同匡助之目的"。此布告一出,举国人民,不论若何阶级,均进而补助青年教育。至今日,遂养成坚强、勤勉而重规律之国民性也。

三、青年团之教育方法

德国统一青年团之计划既成,设本部于柏林,以皇太子为总理,戈尔将军为会长。各联邦均以国王及世子为支部理事。凡各地方青年团之事业,不受本部之拘束,惟其主义及进行方针,不得有背于前项布告之宗旨。其经费,受政府补助,若普鲁士、巴伐利亚之陆军部,更与以特别之便宜。现今此种团体之设置,在一万以上,其会员之多,更不可胜纪。指导之责,率以军营将佐当之。游历德国各地方,星期日见有多数少年,服装不一,荷木枪,军营将佐随其后,于野外仿设野营,或于森林中游戏者,青年团团员也。德国有斯铁青一市,其地毗连俄境,为国家防营之驻扎地。青年团团员,均为自十三岁至十八岁之青年,其教育方法,以体操、游戏、旅行及模仿军营野操,增长其体力。复时开讲演会于附近学校,灌输常识,以补助其智识之不足。遇军营大操及举行纪念时,特许参观,激起其名誉向上之心。平时一团分五队由该地防营之将佐指导一切。此虽就斯铁青一隅而言,举一反三,全国青年团之教育方法,大率类此。至无军队驻扎之地,地方之青年团,以本村有名望之人及学校教员指导之。然在德国,此等人又多为退伍之将佐也。总之,德国青年团之精神所在,就一地方而论,以养成勤勉节约,能独立生活为宗旨。市府稍大者,率以小学校之所在地为标准。区分市街,各区内凡达于征兵年龄之青年,施以教育,务使其思想行为不致放逸。所有工人、佣工、学徒,多利用星期日及休暇日或夜间加职业上之教育。又或利用小学校,设特别学校以教育之。此种学校,德人称为第一勤劳学校,若军队则称为第二学校。青年团本部会长戈尔将军,尝语人曰:"政府知我国青年团,因风俗习尚,易趋于军事的训练,只求体力精神强健,成为守规律之勤勉国民,并按各人所习之职业使之发展。俾与其他之国民角胜,决非使青年尽为军人。"观此欲谋青年社会教育者,可以知所择矣。

(第一卷第三号,一九一五年十一月十五日)

一九一六年

陈独秀

　　任重道远之青年诸君乎！诸君所生之时代，为何等时代乎？乃二十世纪之第十六年之初也。世界之变动即进化，月异而岁不同。人类光明之历史，愈演愈疾。十八世纪之文明，十七世纪之人以为狂易也；十九世纪之文明，十八世纪之人以为梦想也；而现代二十世纪之文明，其进境如何，今方萌动，不可得而言焉。然生斯世者，必昂头自负为二十世纪之人，创造二十世纪之新文明，不可因袭十九世纪以上之文明为止境。人类文明之进化，新陈代谢，如水之逝，如矢之行，时时相续，时时变易。二十世纪之第十六年之人，又当万事一新，不可因袭二十世纪之第十五年以上之文明为满足。盖人类生活之特色，乃在创造文明耳。假令二十世纪之文明，不加于十九世纪，则吾人二十世纪之生存为无价值，二十世纪之历史为空白；假令千九百十六年之文明，一仍千九百十五年之旧，而无所更张，则吾人千九百十六年之生存为赘疣，千九百十六年之历史为重出。故于千九百十六年入岁之初，敢珍重为吾任重道之远青年诸君告也。

　　自世界言之，此一九一六年以前以后之历史，将灼然大变也欤。欧洲战争，延及世界，胜负之数，日渐明了。德人所失，去青岛及南非洲、太平洋殖民地外，寸地无损；西拒英、法，远离国境；东入俄边，夺地千里；出巴尔干，灭塞尔维亚，德、土二京，轨轴相接。德虽悉锐南征，而俄之于东，英、法之于西，仅保残喘，莫越雷池。回部之众，倾心于德。印度、波斯、阿拉伯、埃及、摩洛哥，皆突厥旧邦，假以利器，必为前驱。则一九一六年以前英人所据欧亚往还之要道，若苏彝士，若亚丁，若锡兰，将否折而入于德人之手？英、法、俄所据亚洲之殖民地，是否能保一九一六年以前之状态？一九一六年之世界地图，是否与一九一五年者同一颜色？征诸新旧民族相代之先例，其略可得而知矣。英国政党政治之缺点，日益暴露，强迫兵役，势在必行。列国鉴于德意志强盛之大原，举全力以为工业化学是务。审此一九一六年欧洲之形势，军事、政治、学术、思想，新受此次战争之洗礼，必有剧变，大异于前。一九一六年，固欧洲人所珍重视之者也。

　　自吾国言之，吾国人对此一九一六年，尤应有特别之感情，绝伦之希望。盖吾人自有史以讫一九一五年，于政治，于社会，于道德，于学术，所造之罪孽，所蒙之羞辱，虽倾江汉不可浣也。当此除旧布新之际，理应从头忏悔，改过自新。一九一五年与一九一六年间，在历史上画一鸿沟之界。自开辟以讫一九一五年，皆以古代史目之。从前种种事，至一九一六年死；以后种种事，自一九一六年生。吾人首当一新其心血，以新人格，以新国家，以新社会，以新家庭，以新民族。必迨民族更新，吾人之愿始偿，吾人始有与皙族周旋之价值，吾人始有食息此大地一隅之资格。青年必怀此希望，始克称其为青年而非老年。青年而欲达此希望，必扑杀诸老年，而自重其青年，且必自杀其一九一五年之青年，而自重其一九一六年之青年。

一九一六年之青年，其思想动作，果何所适从乎？

第一，自居征服（To Conquer）地位，勿自居被征服（Be Conquered）地位。全体人类中，男子征服者也，女子被征服者也；白人征服者也，非白人皆被征服者也。极东民族中，蒙、满、日本为征服民族，汉人种为被征服民族。汉人种中，尤以扬子江流域，为被征服民族中之被征服民族所生聚，姑苏江左之良民，其代表也。征服者何？其人好勇斗狠，不为势屈之谓也。被征服者何？其人怯懦苟安，惟强力是从，但求目前生命财产之安全，虽仇敌、盗窃、异族、阉宦，亦忍辱而服事之颂扬之，所谓顺民是也。吾人平心思之，倘无此种之劣根性，则予获妄言之咎矣。如其不免焉，自负为一九一六年之男女青年，势将以铁血一洗此浃髓沦肌之奇耻大辱。

第二，尊重个人独立自主之人格，勿为他人之附属品。以一物附属一物，或以一物附属一人而为其所有，其物为无意识者也。若有意识之人间，各有其意识，斯各有其独立自主之权。若以一人而附属一人，即丧其自由自尊之人格，立沦于被征服之女子、奴隶、捕虏、家畜之地位。此白皙人种所以兢兢于独立自主之人格，平等自由之人权也。集人成国，个人之人格高，斯国家之人格亦高；个人之权巩固，斯国家之权亦巩固。而吾国自古相传之道德政治，胥反乎是。儒者三纲之说，为一切道德政治之大原。君为臣纲，则民于君为附属品，而无独立自主之人格矣。父为子纲，则子于父为附属品，而无独立自主之人格矣。夫为妻纲，则妻于夫为附属品，而无独立自主之人格矣。率天下之男女，为臣，为子，为妻，而不见有一独立自主之人者，三纲之说为之也。缘此而生金科玉律之道德名词，曰忠，曰孝，曰节，皆非推己及人之主人道德，而为以己属人之奴隶道德也。人间百行，皆以自我为中心。此而丧失，他何足言？

奴隶道德者,即丧失此中心,一切操行,悉非义由己起,附属他人以为功过者也。自负为一九一六年之男女青年,其各奋斗以脱离此附属品之地位,以恢复独立自主之人格。

第三,从事国民运动,勿囿于党派运动。人生而私不能无党,政治运用,党尤尚焉。兹之非难党见者,盖有二义。其一,政党政治,将随一九一五年为过去之长物,且不适用于今日之中国也。纯全政党政治,惟一见于英伦,今且不保。英之能行此制者,其国民几皆政党也,富且贵者多属保守党,贫困者非自由党即劳动党。政党殆即国民之化身,故政治运行,鲜有隔阂,且其民性深沉,不为已甚,合各党于"巴力门"。国之大政,悉决以三C。所谓三C者,第一曰Contest,党争是也;第二曰Conference,协商是也;第三曰Compromise,和解是也。他国鲜克臻此,吾人尤所难能。政党之岁月尚浅,范围过狭,目为国民中特殊一阶级。而政党自身,亦以为一种之营业:利权分配,或可相容;专利自恣,相攻无已。故曰,政党政治,不适用于今日之中国也。其二,吾国年来政象,惟有党派运动,而无国民运动也。法兰西之革命,法兰西国民之恶王政与教权也。美利坚之独立,十三州人民之恶苛税也。日本之维新,日本国民之恶德川专政也。是乃法、美、日本国民之运动,非一党一派人之所主张所成就。凡一党一派人之所主张,而不出于多数国民之运动,其事每不易成就,即成就矣,而亦无与于国民根本之进步。吾国之维新也,复古也,共和也,帝政也,皆政府党与在野党之所主张抗斗,而国民若观对岸之火,熟视而无所容心,其结果也,不过党派之胜负,于国民根本之进步,必无与焉。自负为一九一六年之男女青年,其各自勉为强有力之国民,使吾国党派运动进而为国民运动,自一九一六年始。世界政象,少数优秀政党政治,进而为多数优秀国民政治,亦将自一九一六年始。此予敢为吾青年诸君预言者也。

(第一卷第五号,一九一六年一月十五日)

青年与国家之前途

高语罕

英人甄克思曰："国于天地，必求自存。"语曰："民为邦本，本固邦宁。"由前之说，知吾国当此内忧外患纷呈之时，必求所以自存之道。由后之说，知吾国欲求自存，必须求之国民自身。虽然，吾国之民众矣，老者血气既衰，殆如秋草斜阳，萎谢之期将至；幼者年力未壮，方似春芽初发，郁茂之日尚早，而国势危亡，迫不及待。求于此十年之内，能以卓自树立，奋发为雄，内以刷新政治，巩固邦基，外以雪耻御侮，振威邻国，则舍我青年谁属？盖民为国之根本，而青年又民之中坚也。欲国之强，强吾民其可也。欲民之强，强吾青年其可也。强之之道奈何？曰导正其志趣也，曰培养其道德也，曰发扬其精神也。顾精神之发扬，道德之培养，志趣之导正，首须研究青年之障碍，继说明人生之究竟，终则详论国民之责任。请得而缕陈之。

一、青年之障碍

吾国家族社会，根深蒂固，蟠结人心者数千年，父母之所教，兄弟之所勉，妻子之所仰望，不外目前衣暖、食饱、居安三事。知识所及，不出乎口耳四寸之间，以致英俊青年，半为家族生活所累，其稍进者，则作官发财为唯一教育方针，能此者为一门之肖子，宗祖之贤孙，兄弟以为尊荣，妻子假为光宠。设有一二非常之资，不为流俗所囿，则群聚而非笑之诟詈之，家庭将视之为狂妄顽钝，侪之于浑沌穷奇，终之以郁以折，而美质尽失，与卑卑者俱化。此家庭之阻碍青年前途也。

化民成俗，端资学校。夫学校之在吾国，以人口方域计之，几无教育可言。边鄙荒陬无论已，通都巨邑，学校林立之地，求其设备完全，亦不可多得。其有一二声名卓著者，大都重其形势，而遗其精神，问其教育目光所注，又鲜能为贯彻之主张。吾至高尚纯洁之青年，又乌从而学焉，此自主持教育者一方言之也。至于学者本身，更无一定之旨趣，今日入工业，明日入师范，再明日又入法政，又入陆军，问其来学之目的，则瞠目而不能对。即其个人之意，大都不外前者所谓衣食居处，及作官发财诸问题，纵使教育者主张甚是，来学者趋向亦正，盖亦不离乎讲堂教授，口头文明，而能言行一致，倡为学风，使青年有所观感，有所模范，蔚成一群优秀之青年，未见其人，亦未闻其语也。则学校教育，亦不足促青年之进步矣。

至于社会，则更有足令人寒心者。吾国之社会，可分为两部：曰内部，曰外部。内部交通不便，风气鄙僿，噩噩浑浑，未脱半化之迹，而人情朴厚，尚有一种睦霭之风。外部则交通甚便，风气亦开，惟人情浇薄，俗尚奢靡，青年子弟，濡染既久，每堕志气而荒嬉所业，如新剧社、如公园、如藏书楼、如演说团体、如音乐俱乐等部。文明各国，莫不以此联络国民情感，增进国民爱国保种观念，发扬国民高尚优美思想，故入其社会，自有令人肃然敬慕，怡然和悦者，返观吾国则何如？此固由于政治不良，莫由兴奋，而社会名流，不能力谋进步,不能以身作则,亦未始非重大之原因,于是吾国青年,更失其劝诱观感之机,迷离惝惶,弗识所由。源不正而望其流之清,岂可得乎?

二、人生之究竟

今欲觅补救之方,不可不使青年学子,先了解人生之究竟。说明人生之究竟,首宜详究生死、人我之真相,继论苦乐之胜义,其他问题,则迎刃解矣。近世谈说之士,动曰热心公益也、舍身卫国也、奔走社会救人救世也,吾侪同是血气之伦,此等高谊,恶有不同声膜拜之理?顾问其公益何以要热心,国家何以要保卫,社会何劳于奔走救人也、救世也,何以要发此宏愿?吾恐能解答此问题者甚鲜。此题不解,终是冥行索涂,弗克自主,岂不大可哀耶?则生死、人我之义,研究讨论,又焉可缓?

一、生死问题。夫生死之事大矣,上寿不过百年,终有形枯气索之日。以此魂交形开之身为生耶,则陈白沙先生有言曰:

> 人具七尺之躯,除了此心此理,便无可贵,浑是一包浓血,裹一大块骨头。饥能食,渴能饮,能著衣服,能行淫欲,贫贱而思富贵,富贵而贪权势,忿而争,忧而悲,穷则滥,乐则淫,凡百所为,一信血气老死而后已,则命之曰禽兽。

夫人而等于禽兽,是虽生犹死也。庄子曰:

> 一受其成形,不亡以待尽。终身役役而不见其成功,苶然疲役

而不知其所归,可不哀耶?人谓之不死奚益。

"终身役役"谓之死,则所谓生者,此心此理也,不"茶然疲役而知其所归"者也。盖我有躯壳、精神之异,生死亦有形上、形下之殊。形体其身,精神其心。身死事小,心死事大。吾人死其身,勿死其心。生其心,勿徒生其身。心者,性也。性光常照,大智湛然,虚灵不昧,万古不灭,生之至也。

二、人我问题。万事纷纭,都有差别。差别之相,肇自我见。夫我有二:曰理性,曰躯壳。古今之说不同,圣凡之心各异。孔子曰:"古之学者为己。"所谓"为己"者,即为我也,为理性之我,非躯壳之我也。今人徒认躯壳为我,而迷其理性,理性既迷,不但为我非,为人亦非。故我与人所异者躯壳,所同者理性。理性同则我亦人也,人亦我也。舍人而爱我,背乎理性。舍我而爱人,亦背乎理性。德国哲人菲斯的曰:

人类一切责任,更无所谓对世责任,所有者惟对我责任而已。

又曰:

我曷为而生?我为我而生。我曷为而存?我为我而存。我曷为而勤动?我为我而勤动。

故修身、齐家、治国、平天下,皆为我之事也。古昔圣贤、仙佛、忠臣、烈士,皆为我之人也。孟子曰:"万物皆备于我。"又曰:"善推其所为而已。"然则爱万物者,非爱万物也,爱我也。陈白沙亦曰:

"……吾自信，吾自静自动，自开自辟，自舒自展。甲不问乙供，乙不待甲赐。牛自为牛，马自为马。"斯言也，精辟独到，阐发千古余蕴。盖人生必明人我之义，兼爱自爱之实，始有安身立命之地，不为外物所摇。夫生死、人我之说既解，则苦乐问题尚矣。

同此心也，同此理也。吾侪早作而夜思，手胼而足胝，果何为耶？得之则喜，失之则忧，果又何为耶？商贾何为争利于江湖？农夫何为辛苦于稼穑？士子何为穷年于典籍？战士何为效命于疆场？帝王君后，争城争地，子孙诛夷而不顾，盗贼强豪，杀人越货，身为刑僇而不辞。何也？孔子周流列国，席不暇暖，栖栖皇皇；墨子摩顶放踵以利天下；释迦苦心修行，度人度世。抑又何也？无它，皆苦乐问题趋之使然也。夫人类至不齐，所谓苦乐亦樊然而淆乱，恶由立一德以绳之。严几道曰：

论人道，务通其全而观之，不得以一曲论也……然则人道必避苦而趋乐，必有所乐，始名为善，彰彰名矣，故曰善恶以苦乐之广狭分也。然宜知一群之中，必彼苦而此乐，抑己苦而后人乐，皆非极盛之世。极盛之世，人量各足，无取挹注。于斯之世，乐即为善，苦即为恶，故曰善恶视苦乐也。

章秋桐近亦提倡幸福主义，并引穆勒、戴雪及孙卿诸儒之说以实之，颇中肯綮。其言曰：

须知近世国家惟一职志，乃在提倡人民体质上之欢娱。戴雪推广边说，尝精求幸福两字之定义，谓"幸福云者，在使各种阶级，皆于法律范围以内，享有相当之娱乐"。所谓"相当之娱乐"，实不外生活程度与当时文明相应而已,非有他也。

是则苦乐主义,既为善恶究竟问题,而求娱乐既须在范围以内,其程度又必与当时文明程度相应,精密周匝,毫无流弊。虽然,人之度量相越,远有高尚优美思想之人,既明人我之义,又达生死之观,其视苦乐也自异于常人,又乌可以一概论也。

以上说明人我、生死、苦乐诸义,学者当可了悟于心,不佞将继此而论个人与国家之关系。

一、国家之起源。人生而有欲,欲而不足则争,争则强弱以分,弱者肉而强者食。知识渐起,尽于危亡,用相结合以为保助,于是由游牧而酋长,由酋长而国家。国家也,又有由专制而立宪,由君主而民主者矣。要之,立之政府,托以国权,奉身公仆,出纳民意,冀以内息纷争,外御邻敌则一。盖国家既为一国人民共同目的之组织体,主权也,土地也,人民也,非一人一家可得而私,亦非一人可负之而趋,即所以谋一国最大幸福,谋公共安宁之团体也。此国家起源之说也。

二、现在国家在国际间之位置。轮轨发轫,交通频繁,国际纠纷,与日俱进。或骎骎而远驾,或唯唯以听命。前者列强是也,后者吾国是也。海禁之开,迄数十年,进步迟滞,一辱再辱,割地赔款,国已不国。所以苟延残喘者,列强均势之局为之也,非我果有自存之道不亡之势也。欧战初起,波及亚东,东邻乘隙,要素忽来,迫我二十余款之承认,铸成五月九日之奇耻。痛定思痛,血泪未干,风雨漂摇,惊魂又起,则吾国在国际间之地位,国人当自知之矣。

三、国民之责任。吾侪国民,际此大难将临、危亡立至之秋,其责任果安在耶？首须具有政治常识，次须具有合群之能力。（一）国家之强盛，固在少数优秀分子，而多数国民之普通智识，尤为立国之要素。故无论何人，必具有判别是非善恶之能力。政治之良窳，官吏之忠佞，辨之既熟，使奸雄大憝，不敢妄生觊觎，则水平线上之政治常识，必不可缺也。（二）国民宜各量其才能，以觅其自见之涂，守其群己之界，以为活动之地，戢其自营之私，益扩爱群之德。赫胥黎曰："苟私过用，则不独必害于其群，亦且终伤其一己。何则托于群而为群所不容也？"吾于是知必爱其群矣。孙卿曰："人有气，有生，有知，有义……曰人能群……人何以能群？曰分。分何以能行？曰以义。故义以分则和，和则一，一则多力，多力则强，强则胜物。"夫分者有制限之谓也，义者事之宜也。吾于是又知合群之道，在各守其制限，而各行其所当行。阳明先生之言曰："用之者同心一德，以共安天下之民，视才之称否，而不以崇卑为轻重，劳逸为美恶。效用者，亦惟知同心一德以共安天下之民。苟当其能，则终身处于烦剧而不以为劳，安于卑琐而不以为贱……故稷勤其稼而不耻。其不知教，视契之善教，即己之善教也。夔司其乐，而不耻于不明礼，视夷之通礼，即己之通礼也。"其言可深长思矣。世风日下，邪欲横流，逐臭趋腐，民莫知本，私利之争持日甚，国家之危亡益急。吾青年当进德修业之时，正为世储才之际，知其障碍而去之，识其究竟而皈之，明其责任而负之。中庸思辨之学，大学知止之道，不可一日忽也，不可一日忽也！

（第一卷第五号，一九一六年一月十五日）

战云中之青年

易白沙

逢逢战云，一西一东，一南一北。吾青年闻见所涉之世界，已成一伏尸流血，寡妻孤子，伤心惨目之世界。吾青年生长优游寄托之国家，已成一干戈纷起，黔首流离，存亡危急，救死不遑之国家。吾青年今日之藐躬，遭兹世界，处兹国家，其责任重大，不啻背负四百兆男女老幼之哀乐，且肩担六大洲人类之荣枯。愚为斯言，实非夸语，更非故造危词，耸动青年诸君子之清听。凡个人与国家，国家与世界，言笑动止，罔不息息相关。倘自放弃其责任，则父母妻子，仰事俯畜，饮食衣服，思想言论，当一一俯首静待他人裁制。离（魑）魅罔两，肖翘惴耎，随地可以停止我之发言权，而我青年时代之生涯，将如朝菌蟪蛄，仅生息此晦朔春秋范围以内，如婴儿老朽，惟啼笑辗转于床箦咫尺之间而已。斯人也，侧身天地，尚安有丝毫价值之可言？放弃责任之青年，即一钱不值之青年也，即朝菌蟪蛄、婴儿老朽，而非青年也。所谓责任者，非朝发一议曰讽世，夕倡一论曰救国。出疆载质，干说当轴，朋党比周，竞夺声誉，大敌当前，犹争私愤，覆巢在目，且攘利权，此实人群之蟊贼，不得尊为救世救国敢负责任之青年。彼利权之奴也，情欲之奴也，以较放弃责任者之奴于他人，无所择其妍媸。

放弃责任者,勿论矣。竞利权而恣情欲,亦与负责任之实绝不相类,惟愿目前一己苟安,罔惜他日丧邦祸国。以责任为利权、情欲之牺牲,以利权、情欲为责任之代价,专制政治,则争帝王;共和国家,则争总统;从事政党,则造言相诋;服役百僚,则群相构陷;将帅握符节,则视异军为仇雠;缙绅长闾里,则目邻邑为敌国;甚至一学校之师徒,一言论之报纸,一通有无之商贾,一化百材之工艺,亦多偏于感情,趋重利权,同室操戈,勇于私斗。邦人特性,往往以社稷人民,为利权、情欲殉葬之冥器。观于亡明之季,朱氏子孙,闺阁大臣,疆场将领,莫不相排相嫉,相攻相夺,相掣肘,相牵制。洪承畴、吴三桂之徒,且引盗入室,为王前驱,使满洲最少数游牧民族,鞭笞神州,宰制华夏,我国人至今犹受其遗毒焉。此中国过去之青年,放弃责任,竞竞于利权、情欲之咎也。人于水鉴,无如民鉴。亡明之民,可以鉴矣。今祝祷现在之青年,勿放弃责任,尤必先祝祷现在之青年,牺牲利权与情欲,绝此两大妖魔,乃可与言责任矣。

　　责任者,果何物耶?精洁纯白,坚忍沉毅,出于良知之自然,不可旁代,不可中立,发动非由情欲,希望不在利权者也,如孝子之救父,忠臣之抗国,慈母之保赤子,侠士之重然诺,全由一己精神,振荡发越。用志所在,大浸稽天而不溺,大旱金石流山土焦而不热,赴汤蹈火,死不旋踵,以求心之所安。当孝子、忠臣、慈母、侠士,险阻艰难,负其责任而趋,邻人之子,谓孝子曰"吾代救汝父",他国之大夫,谓忠臣曰"吾代卫汝国",东邻老媪,谓慈母曰"吾代保汝子",远方丈夫,谓侠士曰"吾代践汝诺",假令孝子许之,则失其为子之资格矣,忠臣许之,则失其为臣之资格矣,慈母许之,则失其为母之资格矣,侠士许之,则失其为士之资格矣。何也?彼各立于良知上主人地位,绝对不容他人代尽其责任者也。此种责任心,至精洁纯白，绝无丝毫他种卑劣芜秽之原质，酝酿错杂其间。我责任重大之青年，尤不可不辨析此界说焉。

呜呼，今日何日？我青年之父，待救亦极矣；青年之国，待抗卫亦亟矣；青年之赤子，待保抱携持亦亟矣；青年之然诺，待践行亦亟矣。干戈环绕于吾人之四周，干戈之外，又有干戈以环绕焉。何地无号啼之声？何处无死亡之惨？空气呼吸，何一非血雨腥风？祸灾迁移，何一不惊心动魄？愚者于此时，追责戎首。夫战争之起，必有远因。欧洲之大决斗，乃外交上四五十年之岁月所演成。中国之阋墙，则历史上四千年所栽余孽也。服上刑者，非墓木已拱，即华发堕颠，皆过去之青年，于今日人类痛苦，已无补救，只供历史学者凭吊之材料已耳。智者于此时，又推测将来，吊死扶伤，培养元气，以恢复人间百福。此固慈善事业中第一问题。维持永久和平，廓清野心家之侵略主义，尤人生应有之筹策。凡此所陈，谈何容易。盖非数十百年慈祥恺悌之仁人，公同讨论，断难成就，是乃未来之青年所有责任也。吾今日现在之青年，万难放弃之责任，不在追咎既往与推测将来，惟在目前千金一刻之转瞬光阴，救父、抗国、保赤子、践然诺而已。救之、抗之、保之、践之之道，惟抚剑疾视，求敌一人，不必如项籍学万人敌、范希文胸中有数万甲兵，各奋匹夫之勇，廓清世界之战云，与国内之战云而已。

欧洲战云，弥漫世界，吾青年本无中立之理也。彼抱负大塞尔维亚主义之青年，击死奥大利之男女两青年耳，竟演成一折天柱绝地维空前之大决斗。始则奥、塞二国之眦睚，于是俄人与焉，德人与焉，法人、英人与焉，如比利时，如鲁森堡，如黑山国，如勃牙利，如土耳其之弱，如意大利之中立，皆联袂投入战争，惟恐或后。印度、埃及、阿拉伯、波斯诸亡国遗民，亦且见猎心喜，跃跃欲试。东方日本,风马牛不相及也,乃隔万里重洋,通哀的美敦书于德人,皆以加入交战团为荣幸,以血飞肉舞之场为俱乐部。论者争传某国协约,某国同盟,某国外交,某国运动,其实皆非也。诸国之青年,各尊重其责任心耳。而不然者,我之青岛,切肤巨痛,较诸协约、同盟、外交运动,其关系孰深?胡为从壁上观战耶?郁郁泰山,美哉国乎!我青年一旦放弃其责任,遂使清夜胡笳,杂吹于邹鲁缙绅先生之门,而五月七日最后通牒,无形之灭亡。视比利时、塞尔维亚之山河破碎,为辱几何,非我青年不负责任之咎而谁咎哉!

此次国内之纷争,是非曲直,非本题所欲论。但计国势安危,道德存亡,身世荣辱,我青年肩上之责任,实万无放弃之余地,万无中立之理由。此而放弃,此而中立,譬诸野彘,两虎相遘,眈眈逐逐,爪牙奋张,彘守局外,终为胜者之牺牲;譬诸齐姬,遇两荡子,富均貌敌,嫉妒寻仇,机阱构陷,齐姬傍观,惟供胜者之狎玩;牺牲者放弃之结果也,狎玩者中立之报酬也。愚何敢以鄙悖不情之喻,侮我青年?惟皇天无亲,降此丧乱,我国家地位,实去野彘无几。我国民资格,若再经一次堕落,其高于齐姬几何,决非愚者所能忖度。儒家有恒言曰:"今有同室之人斗者,救之,虽被发缨冠而救之可也。乡邻有斗者,被发缨冠而往救之,则惑也,虽闭户可也。"此辨别人生责任,有当负者,有不当负者。夫乡邻血斗,未尝不扰乱公安,与其闭门高枕,受池鱼之殃,奚若仗义执言,肃清风纪,使贪人败类,不容于乡里。吾国青岛中立,所损利权,等于甲午庚子之役,是即闭户主义所遗之辱焉。矧今者祸起门内,无户可闭,我青年唯一之责任,惟祈诸良心判其曲直,仗剑而起,左袒其兄也可,左袒其弟也亦可,而袖手旁观则不可。以非他人他国之事,无中立之余地也。予闻夏之亡也,桀与其属五百人,徙于齐,齐民不从;徙于鲁,鲁民复奔;其属五百人遂蹈海焉。此视田横之客未见其劣也。吾青年果不放弃责任,虽之齐之鲁之海,亦无不可,况从事桑林之舞乎?

(第一卷第六号,一九一六年二月十五日)

青年之敌

高语罕

　　呜呼,吾至爱之青年乎！呜呼,吾至敬之青年乎！吾至爱至敬之青年,何幸而生此簇新灿烂、光怪陆离之二十世纪之世界耶！吾至爱至敬之青年,又何幸而生此地大物博,有五千年之历史之文明而具雄飞世界之资格之中国耶！吾为吾青年喜。呜呼,吾至爱至敬之青年,又何不幸而生兹生计竞争,万物奋斗之二十世纪之世界耶！吾至爱至敬之青年,又何不幸而生兹国削民弱,耻辱频仍,岌岌殆哉之中国耶！吾又为吾青年惧。

　　吾青年诸君,试放眼以观世界。其政治之修明若何？其学术之进步若何？其社会之善良若何？其风俗之淳美又若何？至于今最足闹动世人之耳目者,非欧洲战争乎？强国六七,战地遍乎全欧,杀人盈野,军士趋之若鹜。军队之组织,在空则有飞艇队,在水则有潜行艇,在陆则除步马炮工辎外,又有汽车队,自行车队。其攻城也,有四十二栅之巨炮。其防守也,有极坚固之要塞。其侦察敌情也,则用飞鸽。其搜索间谍也,则用警犬。且德人之侦察敌军,用一种光弹,英军之侦察敌人也亦然,且可侦敌而不为敌所侦。德用闷杀瓦斯以攻敌,法则用铝质之嘴套以御之。科学愈明,攻战愈巧,在在足以启发吾人之智识,增进吾人之文明。吾所为吾青年喜者，此也。

吾青年诸君，又试回首以观吾国。其政治之修明者何在？其学术之进步者何在？其社会之善良者何在？其风俗之淳美者又何在？又返观乎吾国之军事，陆军数十师，果足一当彼强邻之马足乎？兵舰大小新旧四十余艘，果足与强邻相逐于惊涛骇浪中乎？其他所谓飞艇队也，潜水艇也，汽车队也，自行车队也，军鸽也，警犬也，光弹也，闷杀瓦斯也，铝质嘴套也，吾恐吾国人之习其名者尚寡，又安望其能力追前程耶？譬之人已登天，我尚扶墙学步；人已入地，我尚跌蹶坦途。外侮屡至，朝不保夕，吾又何以御之？坐而待亡，天演公例，则他年婴此痛苦、罹此大难者，吾今日至爱至敬之青年也。吾乌能不为吾青年惧？

海通至今，数十年矣；危亡至今，亦云亟矣！而吾国人犹瞢瞢若不知有国家灭亡之虑者！

"牛庄之败，浏阳恃以苏中国之昏梦者也。已则竭力苏之，结果为戊戌政变。自此以后，昏梦较甲午有加。联军之后，又复苏之，而昏梦复如故也，且其泄沓颟顸，视庚子前尤甚。其后十年，亦有机会时时以小苏之，而大苏则在辛亥。以吾人恶苏之性且突进也，不及二年，而昏梦之态，又远胜于光宣之间。"

此某杂志记者之言也。中日交涉起，一时国人愤慨填膺，呼号奔走，似此吾民之昏梦可大苏而特苏。今几日耳，国人脑中，尚有"五月九日"四字之印象否耶？政府固若是其因循不知振作，吾民亦何独不然？故"顶门方被铁锤，微觉痛苦，尾后偶戢鞭影，辄又欢腾"（《甲寅》杂志第六期《国民心理反常论》），实吾民之写真也。吾无以名之，强名之曰"猪性"，丁义华则说之曰"顽钝、无耻"。

呜呼，吾国人其真顽钝无耻耶？《孟子》曰："羞恶之心，人皆有之。"吾民犹是人也,谓之无耻,必不愿受。虽然征之往事,证之见象,名之曰"无耻",其有奚辞?是必吾人之根性上有一物焉,汨其良知,没其良能。吾民之良知知爱国,此一物曰"汝毋爱之";吾民之良能能爱国,此一物曰"汝毋爱之"。此一物也,黄远生谥之曰"毒"。斯毒之徽菌,则为"笼统",可谓一语道破吾国社会之真象矣,斯真吾人之毒也。虽然,斯毒也,必有至久之酝酿,至深之媒孽。夫此酝酿媒孽非他,即惰性也。惰性者,吾国人之公毒也,即吾国人之公敌也。吾人为此敌所降伏既远且溥,贤而至于圣哲,愚而至于编氓,上而至于元首,下而至于娼优,其思想,其言论,其举动,莫不受惰性所鞭笞。曰"将就",曰"敷衍",曰"得过且过",曰"过了一天是一天",曰"今朝有酒今朝醉"。举凡此类,何一非吾祖宗相传之家法耶?曰"观望",曰"因循",曰"首鼠两端",曰"我躬不阅,遑恤我后",又何一非吾祖宗相传之心理耶?尤可笑者,吾国二十余朝之历史,何一非自欺欺人之事?何一非盗贼奸宄之所为?谯周之作降表,既见惯而不羞。冯道之为三公,亦屡见而不耻。今日盗贼,明日神圣,无他,皆惰性之毒之也。数千年来不能克此公敌而去之,今则将歼吾种姓矣,可不惧哉!

虽然,此惰性也,亦非能自生自长也,必有种种因缘,以渐成此蔓草难图之势。其在主观,人情好逸而恶劳,畏难而苟安,贪生而畏死,古先哲已尝言之矣。其在客观:(一)家庭方面。吾国人有一大恶习,即子孙之念是也。大凡三十余岁之夫妇,其子未及冠也,使非其家至不可了生,必为其子完婚,完婚早则添孙早。每观壮年夫妇之得孙也,兄弟亲戚视为莫大之庆,彼等亦自视含饴抱孙为人生无上之乐。而其子与媳血气未定,又不更事,早婚则戕折者多,早子则不教者众。因此而家族愈繁衍,无赖不教之子孙愈多。此不教无赖之子孙,又大率不能独立生活,而仰给于家庭。生之者寡,食之者众。于是由富而贫,由贫而促,而无以为生。惰气乘之,万事俱堕于冥莫之中而不自觉。呜呼,几何不率天下人而乞丐之也?(二)社会方面。由家庭、社会种种恶劣之原因,而造成社会多数无业待食之民。又以水旱浸灾,兵燹屡经,失业之民益众。于是而种种慈善事业,因之以起。此等事业,大半由于行善求福之目的,与烧香拜偶像同也。其他则属于政府地方之救济,如施粥厂,如平粜局,如施送寒衣所,如养老育婴院,如清节堂等等。其于社会吾不能谓其无片面的利益,然头痛医头,脚痛医脚,终之游民愈多,惰民愈众,益增其"好吃懒作"之性,没其独立自营之质。是扬汤止沸,抱薪救火也,非徒无益而又害之。(三)政治方面,益令我不寒而栗。吾国士农工商,虽称四民,而士独尊,其他若农若工若商,皆不得与之齿。自古皆然,今尚未改。士人以读书为其专业,以服官为其天职,有博一第晋一级者,乡党交游,以为光宠。彼士人者峨冠而博带,安貌而宽容,于思于思,以骄以媚,吾民日奉其脂膏食之,日出其血汗以享之,高坐堂皇,觍不知耻。于是商贾罢其业,百工去其肆,捐其资财,投其利器,以从事于官之一途,上焉者耀吾乡党,光吾门第也,其余则谋生耳,疗贫耳,救死耳。至于谋生、疗贫、救死,皆须求之于作官,吾民焉有不贫且弱?吾国焉有不削且亡也?

　　综上诸因,惰性日增,此吾人内界之敌也。此敌不克,一切外界之敌,若邻国之侵陵也,神奸之蠹国也,其他若恶社会也,恶风俗也,恶国家所遗留之旧思想也,日包围吾人而降之戮之,未有能幸免者也。然则欲克此敌,果何道之由?请举前言为吾至爱至敬之青年诵之。

晏子曰："为者常成，行者常至，婴非有异于人也。常为而不置，常行而不止者，故难及也。"（见《内篇·杂下》第六）

明儒金伯玉先生曰："一事不可放过，一念不可放过，一时不可放过，勇猛精进。"

阳明先生答人"上知与下愚不移"之问曰："非不能移，是不肯移耳。"

（第一卷第六号，一九一六年二月十五日）

新青年

陈独秀

青年何为而云新青年乎？以别夫旧青年也。同一青年也，而新旧之别安在？自年龄言之，新旧青年固无以异。然生理上、心理上，新青年与旧青年，固有绝对之鸿沟，是不可不指陈其大别，以促吾青年之警觉。慎勿以年龄在青年时代，遂妄自以为取得青年之资格也。

自生理言之，"白面书生"为吾国青年称美之名词。民族衰微，即坐此病。美其貌，弱其质。全国青年，悉秉蒲柳之资，绝无桓武之态。艰难辛苦，力不能堪。青年堕落，壮无能为。此非吾国今日之现象乎？且青年体弱，又不识卫生，疾病死亡之率，日以加增。浅化之民，势所必至。倘有精确之统计，示以年表，其必惊心怵目也无疑。世界各国青年死亡之病因，德国以结核性为最多，然据一九一二年之统计，较三十年前减少半数。英国以呼吸器病为最多，据今统计，较之十余年前，减少四分之一。日本青年之死亡，以脑神经系之疾为最多，而最近调查，较十年前，减少六分之一。德之立教，体育殊重，民力大张，数十年来青年死亡率之锐减，列国无与比伦。英、美、日本之青年，亦皆以强武有力相高。竞舟角力之会，野球远足之游，几无虚日，其重视也，不在读书授业之下。故其青年之壮健活泼，国民之进取有为，良有以也。而我之青年则何如乎？甚者纵欲自戕以促其天年，否亦不过斯斯文文一白面书生耳！年龄虽在青年时代，而身体之强度，已达头童齿豁之期。盈千累万之青年中，求得一面红体壮，若欧美青年之威武陵人者，竟若凤毛麟角。人字吾为东方病夫国，而吾人之少年青年，几无一不在病夫之列，如此民族将何以图存？吾可爱可敬之青年诸君乎，倘自认为二十世纪之新青年，首应于生理上完成真青年之资格，慎勿以年龄上之伪青年自满也！

更进而一论心理上之新青年何以别夫旧青年乎？充满吾人之神经，填塞吾人之骨髓，虽尸解魂消，焚其骨、扬其灰，用显微镜点点验之，皆各有"做官发财"四大字。做官以张其威，发财以逞其欲。一若做官发财为人生唯一之目的。人间种种善行，凡不利此目的者，一切牺牲之而无所顾惜。人间种种罪恶，凡有利此目的者，一切奉行之而无所忌惮。此等卑劣思维，乃远祖以来历世遗传之缺点（孔门即有干禄之学）。与夫社会之恶习，相演而日深。无论若何读书明理之青年，发愤维新之志士，一旦与世周旋，做官发财思想之触发，无不与日俱深。浊流滔滔，虽有健者，莫之能御。人之侮我者，不曰"支那贱种"，即曰"卑劣无耻"。将忍此而终古乎？誓将一雪此耻乎！此责任不得不加诸未尝堕落宅心清白我青年诸君之双肩。彼老者壮者及比诸老者壮者腐败堕落之青年，均无论矣。吾可敬可爱之青年诸君乎，倘自认为二十世纪之新青年，头脑中必斩尽涤绝彼老者壮者及比诸老者壮者腐败堕落诸青年之做官发财思想，精神上别构真实新鲜之信仰，始得谓为新青年而非旧青年，始得谓为真青年而非伪青年。青年之精神界欲求此除旧布新之大革命，第一当明人生归宿问题。人生数十寒暑耳，乐天者荡，厌世者偷，惟知于此可贵之数十寒暑中，量力以求成相当之人物为归宿者得之。准此以行，则不得不内图个性之发展，外图贡献于其群。岁不我与，时不再来，计功之期，屈指可俟。一切未来之责任，毕生之光荣，又皆于此数十寒暑中之青年时代十数寒暑间植其大本。前瞻古人，后念来者，此身将为何如人，自不应仅以做官求荣为归宿也。第二当明人生幸福问题。人之生也，求幸福而避痛苦，乃当然之天则。英人边沁氏，幸福论者之泰斗也。举人生乐事凡十余，而财富之乐居其一。举人生之痛苦亦十余事，而处分财富之难，即列诸拙劣痛苦之内。审是，金钱虽有万能之现象，而幸福与财富，绝不可视为一物也明矣。幸福之为物既必准快乐与痛苦以为度，又必兼个人与社会以为量。以个人发财主义为幸福主义者，是不知幸福之为何物也。吾青年之于人生幸福问题，应有五种观念：一曰毕生幸福，悉于青年时代造其因；二曰幸福内容，以强健之身体、正当之职业、称实之名誉为最要，而发财不与焉；三曰不以个人幸福损害国家社会；四曰自身幸福，应以自力造之，不可依赖他人；五曰不以现在暂时之幸福，易将来永久之痛苦。信能识此五者，则幸福之追求，未尝非青年正当之信仰。若夫沉迷于社会家庭之恶习，以发财与幸福并为一谈，则异日立身处世，奢以贼己，贪以贼人，其为害于个人及社会国家者，宁有纪极！夫发财本非恶事，个人及社会之生存与发展，且以生产殖业为重要之条件。惟中国式之发财方法不出于生产殖业，而出于苟得妄取，甚至以做官为发财之捷径，猎官摸金，铸为国民之常识，为害国家，莫此为甚。发财固非恶事，即做官亦非恶事，幸福更非恶事。惟吾人合做官、发财、享幸福三者以一贯之精神，遂至大盗遍于国中。人间种种至可恐怖之罪恶多由此造成。国将由此灭，种将由此削。吾可敬可爱之青年，倘留此龌龊思想些微于头脑，则新青年之资格，丧失无余。因其精神上之龌龊下流，与彼腐败堕落之旧青年无以异也。

予于国中之老者壮者，与夫比诸老者壮者之青年，无论属何社会，隶何党派，于生理上、心理上，十九怀抱悲观，即自身亦在诅咒之列。幸有一线光明者，时时微闻无数健全洁白之新青年，自绝望消沉中唤予以兴起，用敢作此最后之哀鸣！

（第二卷第一号，一九一六年九月一日）

青春

李大钊

春日载阳,东风解冻,远从瀛岛,反顾祖邦。肃杀郁塞之象,一变而为清和明媚之象矣;冰雪冱寒之天,一幻而为百卉昭苏之天矣。每更节序,辄动怀思,人事万端,那堪回首,或则幽闺善怨,或则骚客工愁。当兹春雨梨花,重门深掩,诗人憔悴,独倚栏杆之际,登楼四瞩,则见千条垂柳,未半才黄,十里铺青,遥看有色。彼幽闲贞静之青春,携来无限之希望,无限之兴趣,飘然贡其柔丽之姿,于吾前途辽远之青年之前,而默许以独享之权利。嗟吾青年可爱之学子乎!彼美之青春,念子之任重而道远也,子之内美而修能也。怜子之劳,爱子之才也。故而经年一度,展其怡和之颜,饯子于长征迈往之途,冀有以慰子之心也。纵子为尽瘁于子之高尚之理想、圣神之使命、远大之事业、艰巨之责任,而夙兴夜寐,不遑启处。亦当于千忙万迫之中,偷隙一眄,霁颜相向,领彼恋子之殷情,赠子之韶华。俾以青年纯洁之躬,饫尝青春之甘美,浃浴青春之恩泽,永续青春之生涯。致我为青春之我,我之家庭为青春之家庭,我之国家为青春之国家,我之民族为青春之民族。斯青春之我,乃不枉于遥遥百千万劫中。为此一大因缘,与此多情多爱之青春,相邂近于无尽青春中之一部分空间与时间也。

块然一躯，渺乎微矣，于此广大悠久之宇宙，殆犹沧海之一粟耳。其得永享青春之幸福与否，当问宇宙自然之青春是否为无尽。如其有尽，纵有彭聃之寿，甚且与宇宙齐，亦奚能许我以常享之福？如其无尽，吾人奋其悲壮之精神，以与无尽之宇宙竞进，又何不能之有？而宇宙之果否为无尽，当问宇宙之有无初终。宇宙果有初乎？曰："初乎无也。"果有终乎？曰："终乎无也。"初乎无者，等于无初。终乎无者，等于无终。无初无终，是于空间为无限，于时间为无极。质言之无而已矣，此绝列之说也。若由相对观之，则宇宙为有进化者。既有进化，必有退化，于是差别之万象万殊生焉。惟其为万象万殊，故于全体为个体，于全生为一生。个体之积，如何其广大，而终于有限。一生之命，如何其悠久，而终于有涯。于是有生即有死，有盛即有衰，有阴即有阳，有否即有泰，有剥即有复，有屈即有信，有消即有长，有盈即有虚，有吉即有凶，有祸即有福，有青春即有白首，有健壮即有颓老，质言之有而已矣。庄周有云："朝菌不知晦朔，蟪蛄不知春秋。"又云："小知不如大知，小年不如大年。"夫晦朔与春秋而果为有耶，何以菌蛄以外之有生，几经晦朔几历春秋者皆知之，而菌蛄独不知也？其果为无耶，又何以菌蛄虽不知，而菌蛄以外之有生，几经晦朔几历春秋者，皆知之也？是有无之说，亦至无定矣。以吾人之知，小于宇宙自然之知，其年小于宇宙自然之年，而欲断空间时间不能超越之宇宙为有为无，是亦朝菌之晦朔，蟪蛄之春秋耳。秘观宇宙，有二相焉。由佛理言之，平等与差别也，空与色也。由哲理言之，绝对与相对也。由数理言之，有与无也。由《易》理言之，周与易也。《周易》非以昭代立名，宋儒罗泌尝论之于《路史》。而金氏圣叹《序离骚经》，释之尤近精微，谓"周其体也，易其用也。约法而论，周以常住为义，易以变易为义。双约人法，则周乃圣人之能事，易乃大千之变易。大千本无一有，更立不定。日新、日日新、又日新之谓也，圣人独能以忧患之心周之，尘尘刹刹，无不普遍。又复尘尘周于刹刹，刹刹周于尘尘，然后世界自见其易。圣人时得其常，故云《周易》"。仲尼曰："自其异者视之，肝胆楚越也；自其同者视之，万物皆一也。"此同异之辨也。东坡曰："自其变者而观之，则天地曾不能以一瞬；自其不变者而观之，造物与吾皆无尽藏也。"此变不变之殊也。其变者青春之进程，其不变者无尽之青春也。其异者青春之进程，其同者无尽之青春也。其易者青春之进程，其周者无尽之青春也。其有者青春之进程，其无者无尽之青春也。其相对者青春之进程，其绝对者无尽之青春也。其色者差别者青春之进程，其空者平等者无尽之青春也。推而言之，乃至生死盛衰、阴阳、否泰、剥复、屈信、消长、盈虚、吉凶、祸福、青春白首、健壮颓老之轮回反复，连续流转，无非青春之进程。而此无初无终、无限无极、无方无体之机轴，亦即无尽之青春也。青年锐进之子，尘尘刹刹，立于旋转簸扬循环无端之大洪流中，宜有江流不转之精神，屹然独立之气魄，冲荡其潮流，抵拒其势力，以其不变应其变，以其同操其异，以其周执其易，以其无持其有，以其绝对统其相对，以其空驭其色，以其平等律其差别，故能以宇宙之生涯为自我之生涯，以宇宙之青春为自我之青春。宇宙无尽，即青春无尽，即自我无尽。此之精神，即生死肉骨、回天再造之精神也。此之气魄，即慷慨悲壮、拔山盖世之气魄也。惟真知爱青春者，乃能识宇宙有无尽之青春。惟真能识宇宙有无尽之青春者，乃能具此种精神与气魄。惟真有此种精神与气魄者，乃能永享宇宙无尽之青春。

一成一毁者，天之道也；一阴一阳者，易之道也。唐生维廉与铁特二家，遽研物理，知天地必有终极。盖天之行也以其动，其动也以不均，犹水之有高下而后流也。今太阳本热常耗，以彗星来往度之递差，知地外有最轻之冈气，为能阻物，既能阻物，斯能耗热耗力。故大宇积热力，每散趋均平，及其均平，天地乃毁。天地且有时而毁，况其间所包蕴之万物乎？漫云天地，究何所指，殊嫌茫漠，征实言之，有若地球。地球之有生命，已为地质学家所明证。惟今日之地球，为儿童地球乎？青年地球乎？丁壮地球乎？抑白首地球乎？此实未答之问也。苟犹在儿童或青年之期，前途自足乐观，游优乐土，来日方长，人生趣味益以浓厚，神志益以飞舞。即在丁壮之年，亦属元神盛涌，血气畅发之期，奋志前行，亦当勿懈。独至地球之寿，已臻白发之颓龄，则栖息其上之吾人，夜夜仰见死气沉沉之月球，徒借曜灵之末光，以示伤心之颜色于人寰。若以警告地球之终有死期也者，言念及此，能勿愀然。虽然地球即成白首，吾人尚在青春，以吾人之青春，柔化地球之白首，虽老犹未老也。是则地球一日存在，即吾人之青春一日存在。吾人之青春一日存在，即地球之青春一日存在。吾人有现在一刹那之地球，即有现在一刹那之青春，即当尽现在一刹那对于地球之责任。虽明知未来一刹那之地球必毁，当知未来一刹那之青春不毁。未来一刹那之地球，虽非现在一刹那之地球，而未来一刹那之青春，犹是现在一刹那之青春。未来一刹那之我，仍有对于未来一刹那之地球之责任。庸得以虞地球形体之幻灭，而猥为沮丧哉！

　　复次，生于地球上之人类，其犹在青春乎？抑已臻白首乎？将来衰亡之顷，究与地球同时自然死灭乎？抑因地球温度激变，突与动植物共死灭乎？其或先兹事变，如个人若民族之死灭乎？斯亦难决之题也。生物学者之言曰："人类之生活，反乎自然之生活也。

自妇人畏葸，抱子而奔，始学立行，胸部暴露，必须被物以求遮卫，而人类遂有衣裳；又以播迁转徙，所携食物，易于腐败，而人类遂有火食。有衣裳而人类失其毛发矣，有火食而人类失其胃肠矣。其趋文明也日进，其背自然也日遐。浸假有舟车电汽，而人类丧其手足矣。有望远镜、德律风等，而人类丧其耳目矣。他如有书报传译之速，文明利器之普，而人类亡其脑力。有机关枪四十二珊之炮，而人类弱其战能。有分工合作之都市生活，歌舞楼台之繁华景象，而人类增其新病。凡此种种，人类所以日向灭种之途者，若决江河，奔流莫遏，长此不已，劫焉可逃。"此辈学者所由大声疾呼，布兹骇世听闻之噩耗，而冀以谋挽救之方也。宗教信士则从而反之，谓宇宙一切，皆为神造，维护之任，神自当之。吾人智能薄弱，惟托庇于神而能免于罪恶灾厄也。如生物家言，是为蔑夷神之功德，影响所及，将驱人类入于悲观之途。圣智且尚无灵，人工又胡能阕。惟有瞑心自放，居于下流，荒亡日久，将为人心世道之忧矣。末俗浇漓，未始非为此说者阶之厉也。吾人宜坚信上帝有全知全能，虔心奉祷，罪患如山，亦能免矣。由前之说，固易流于悲观，而其足以警觉世人，俾知谋矫正背乎自然之生活，此其所长也。由后之说，虽足以坚人信仰之力，俾其灵魂得游优于永生之天国，而其过崇神力，轻蔑本能，并以讳蔽科学之实际，乃其所短也。吾人于此，宜如宗教信士之信仰上帝者，信人类有无尽之青春，更宜悚然于生物学者之旨，以深自警惕，力图于背逆自然生活之中，而能依人为之工夫，致其背逆自然之生活，无异于顺适自然之生活。斯则人类之寿，虽在耄耋之年，而吾人苟奋自我之欲能，又何不可返于无尽青春之域，而奏起死回生之功也？

人类之成一民族、一国家者，亦各有其生命焉。有青春之民族,斯有白首之民族;有青春之国家,斯有白首之国家。吾之民族若国家,果为青春之民族、青春之国家欤?抑为白首之民族、白首之国家欤?苟已成白首之民族、白首之国家焉。吾辈青年之谋,所以致之回春为之再造者,又应以何等信力与愿力从事,而克以著效。此则系乎青年之自觉何如耳。异族之觇吾国者,辄曰:"支那者老大之邦也。支那之民族,濒灭之民族也。支那之国家,待亡之国家也。"洪荒而后,民族若国家之递兴递亡者,舜然其不可纪矣。粤稽西史,罗马、巴比伦之盛时,丰功伟烈,彪著寰宇。曾几何时,一代声华都成尘土矣。只今屈指,欧土名邦,若意大利、若法兰西、若西班牙、若葡萄牙、若和兰、若比利时、若丹马、若瑞典、若那威,乃至若英吉利,罔不有积尘之历史,以重累其国家若民族之生命。回溯往祀,是等国族,固皆尝有其青春之期,以其畅盛之生命,展其特殊之天才。而今已矣,声华渐落,躯壳空存,纷纷者皆成文明史上之过客矣。其较新者,惟德意志与勃牙利。此次战血洪涛中,又为其生命力之所注,勃然爆发,以挥展其天才矣。由历史考之,新兴之国族与陈腐之国族遇,陈腐者必败;朝气横溢之生命力与死灰沉滞之生命力遇,死灰沉滞者必败;青春之国民与白首之国民遇,白首者必败。此殆天演公例,莫或能逃者也。支那自黄帝以降,赫赫然树独立之帜于亚东大陆者,四千八百余年于兹矣。历世久远,纵观横览,罕有其伦。稽其民族青春之期,远在有周之世,典章文物,粲然大备。过此以往,渐向衰歇之运,然犹浸衰浸微,扬其余晖,以至于今日者,得不谓为其民族之光欤?夫人寿之永,不过百年;民族之命,垂五千载,斯亦寿之至也。印度为生释迦而兴,故自释迦生而印度死;犹太为生耶稣而立,故自耶稣生而犹太亡;支那为生孔子而建,故自孔子生而支那衰。陵夷至于今日,残骸枯骨,满目黯然，民族之精英，澌灭尽矣，而欲不亡，庸可得乎？吾青年之骤闻斯言者，未有不变色裂眦，怒其侮我之甚也。虽然，勿怒也。吾之国族，已阅长久之历史，而此长久之历史，积尘重压，以桎梏其生命而臻于衰敝者，又宁容讳？然而吾族青年所当信誓旦旦，以昭示于世者，不在龈龈辩证白首中国之不死，乃在汲汲孕育青春中国之再生。吾族今后之能否立足于世界，不在白首中国之苟延残喘，而在青春中国之投胎复活。盖尝闻之，生命者，死与再生之连续也。今后人类之问题、民族之问题，非苟生残存之问题，乃复活更生、回春再造之问题也。与吾并称为老大帝国之土耳其，则青年之政治运动，屡试不一试焉。巴尔干诸邦，则各谋离土自立，而为民族之运动。兵连祸结，干戈频兴，卒以酿今兹世界之大变焉。遥望喜马拉雅山之巅，恍见印度革命之烽烟一缕，引而弥长，是亦欲回其民族之青春也。吾华自辛亥首义，癸丑之役继之，喘息未安，风尘满面颒洞，又复倾动九服，是亦欲再造其神州也。而在是等国族，凡以冲决历史之桎梏，涤荡历史之积秽，新造民族之生命，挽回民族之青春者，固莫不惟其青年是望矣。建国伊始，肇锡嘉名，实维中华。中华之义，果何居乎？中者，宅中位正之谓也。吾辈青年之大任，不仅以于空间能致中华为天下之中而遂足，并当于时间而谛时中之旨也。旷观世界之历史，古往今来，变迁何极。吾人当于今岁之青春，画为中点。中以前之历史，不过如进化论仅于考究太阳、地球、动植各物，乃至人类之如何发生、如何进化者，以纪人类民族国家之如何发生、如何进化也。中以后之历史，则以是为古代史之职，而别以纪人类民族国家之更生回春为其中心之的也。中以前之历史，封闭之历史，焚毁之历史，葬诸坟墓之历史也。中以后之历史，洁白之历史，新装之历史，待施绚绘之历史也。中以前之历史,白首之历史,陈死人之历史也。中以后之历史,青春之历史,活青年之历史也。青年乎!其以中立不倚之精神,肩兹砥柱中流之责任,即由今年今春之今日今刹那为时中之起点,取世界一切白首之历史,一火而摧焚之,而专以发挥青春中华之中,缀其一生之美于中。以后历史之首页,为其职志,而勿逡巡不前。华者,文明开敷之谓也。华与实相为轮回,即开敷与废落相为嬗代。白首中华者,青春中华本以胚孕之实也。青春中华者,白首中华托以再生之华也。白首中华者,渐即废落之中华也。青春中华者,方复开敷之中华也。有渐即废落之中华,所以有方复开敷之中华。有前之废落以供今之开敷,斯有后之开敷以续今之废落。即废落,即开敷;即开敷,即废落,终竟如是废落,终竟如是开敷。宇宙有无尽之青春,斯宇宙有不落之华,而栽之培之灌之溉之赏玩之享受之者,舍青春中华之青年,更谁与归矣?青年乎,勿徒发愿。愿春常在、华常好也;愿华常得青春,青春常在于华也。宜有即华不得青春,青春不在于华,亦必奋其回春再造之努力,使废落者复为开敷,开敷者终不废落。使华不能不得青春,青春不能不在于华之决心也。抑吾闻之化学家焉,土质虽腴,肥料虽多,耕种数载,地力必耗,砂土硬化,无能免也。将欲柔融之,俾再反于丰穰,惟有一种草木为能致之,为其能由空中吸收窒素肥料,注入土中而沃润之也。神州赤县,古称"天府",胡以至今,徒有万木秋声、萧萧落叶之悲。昔时繁华之盛,荒凉废落,至于此极也。毋亦无此种草木为之文柔和润之耳,青年之于社会,殆犹此种草木之于田亩也。从此广植根蒂,深固不可复拔。不数年间,将见青春中华之参天蓊郁,错节盘根,树于世界。而神州之域,还其丰穰,复其膏腴矣。则谓此菁菁茁茁之青年,即此方复开敷之青春中华可也。

顾人之生也，苟不能窥见宇宙有无尽之青春。则自呱呱堕地，迄于老死，觉其间之春光，迅于电波石火，不可淹留，浮生若梦，直菌鹤马蜩之过乎前耳。是以川上尼父，有逝者如斯之嗟，湘水灵均，兴春秋代序之感。其他风骚雅士，或秉烛夜游，勤事劳人，或重惜分寸。而一代帝王，一时豪富，当其垂暮之年，绝诀之际，贪恋幸福，不忍离舍。每为咨嗟太息，尽其权力黄金之用，无能永一瞬之天年，而重留遗憾于长生之无术焉。秦政并吞八荒，统制四海，固一世之雄也。晚年畏死，遍遣羽客，搜觅神仙，求不老之药，卒未能获，一旦魂断，宫车晚出。汉武穷兵，蛮荒慑伏，汉代之英主也，暮年永叹，空有"欢乐极矣衷情多，少壮几时老奈何"之慨。最近美国富豪某，以毕生之奋斗，博得$式之王冠，衰病相催，濒于老死，则抚枕而叹曰："苟能延一月之命，报以千万金弗惜也。"然是又安可得哉。夫人之生也有限，其欲也无穷。以无穷之欲，逐有限之生，坐令似水年华，滔滔东去，红颜难再，白发空悲，其殆人之无奈，天何者欤？涉念及此，灰肠断气，厌世之思，油然而生。贤者仁智俱穷，不肖者流连忘返，而人生之蕲向荒矣，是又岂青年之所宜出哉？人生兹世，更无一刹那不在青春，为其居无尽青春之一部，为无尽青春之过程也。顾青年之人，或不得常享青春之乐者，以其有黄金权力，一切烦忧苦恼机械生活，为青春之累耳。谚云："百金买骏马，千金买美人，万金买爵禄，何处买青春？"岂惟无处购买，邓氏铜山，郭家金穴，愈有以障縶青春之路，俾无由达于其境也。罗马亚布达尔曼帝，位在皇极，富有四海，不可谓不尊矣。临终语其近侍，谓四十年间，真感愉快者，仅有三日。权力之不足福人，以视黄金，又无差等。而以四十年之青春，娱心不过三日，悼心悔憾，宁有穷耶？夫青年安心立命之所，乃在循今日主义以进，以吾人之生，洵如卡莱尔所云,特为时间所执之无限而已。无限现而为我,乃为现在,非为过去与将来也。苟了现在,即了无限矣。昔者圣叹作诗,有"何处谁人玉笛声"之句。释弓年小,窃以玉字为未安,而质之圣叹。圣叹则曰:"彼若说:'我所吹本是铁笛,汝何得用作玉笛?'我便云:'我已用作玉笛,汝何得更吹铁笛?'天生我才,岂为汝铁笛作奴儿婢子来耶?"夫铁字与玉字,有何不可通融更易之处。圣叹顾与之争一字之短长而不惮烦者,亦欲与之争我之现在耳。诗人拜伦,放浪不羁,时人诋之,谓于来世,必当酷受地狱之苦。拜伦答曰:"基督教徒,自苦于现世,而欲祈福于来世。非基督教徒,则于现世,旷逸自遗,来世之苦,非所辞也。"二者相较,但有先后之别,安有分量之差?拜伦此言,固甚矫激,且寓讽刺之旨。以余观之,现世有现世之乐,来世有来世之乐。现世有现世之青春,来世有来世之青春。为贪来世之乐与青春,而迟吾现世之乐与青春,固所不许。而为贪现世之乐与青春,遽弃吾来世之乐与青春,亦所弗应也。人生求乐,何所不可,亦何必妄分先后,区异今来也?耶曼孙曰:"尔若爱千古,当利用现在。昨日不能呼还,明日尚未确实。尔能确有把握者,惟有今日。今日之一日,适当明晨之二日。"斯言足发吾人之深省矣。盖现在者,吾人青春中之青春也。青春做伴以还于大漠之乡,无如而不自得,更何烦忧之有焉。烦忧既解,恐怖奚为?耶比古达士曰:"贫不足恐,流窜不足恐,囹圄不足恐。最可恐者,恐怖其物也。"美之政雄罗斯福氏,解政之后,游猎荒山,奋其铁腕,以与虎豹熊罴相搏战。一日猎白熊,险遭吞噬,自传其事,谓为不以恐怖误其稍纵即逝之机之效,始获免焉。于以知恐怖为物,决不能拯人于危。苟其明日将有大祸临于吾躬,无论如何恐怖,明日之祸,万不能因是而减其毫末。而今日之我,则因是而大损其气力,俾不足以御明日之祸而与之抗也。艰虞万难之境,横于吾前,吾惟有我,有我之现在而足恃。堂堂七尺之躯,徘徊回顾,前不见古人,后不见来者,惟有昂头阔步,独往独来,何待他人之援手。始以遂其生者,更胡为乎念天地之悠悠,独怆然而涕下哉?惟足为累于我之现在及现在之我者,机械生活之重荷,与过去历史之积尘,殆有同一之力焉。今人之赴利禄之途也,如蚁之就膻、蛾之投火。究其所企,克致志得意满之果。而营营扰扰,已逾半生。以孑然之身,强负黄金与权势之重荷以趋,几何不为所重压而僵毙耶?盖其优于权富即其短于青春者也。耶经有云:"富人之欲入天国,犹之骆驼欲潜身于针孔。"此以喻重荷之与青春不并存也。总之,青年之自觉,一在冲决过去历史之网罗,破坏陈腐学说之囹圄,勿令僵尸枯骨,束缚现在活泼泼地之我,进而纵现在青春之我,扑杀过去青春之我,促今日青春之我,禅让明日青春之我。一在脱绝浮世虚伪之机械生活,以特立独行之我,立于行健不息之大机轴。袒裼裸裎,去来无挂,全其优美高尚之天,不仅以今日青春之我,追杀今日白首之我,并宜以今日青春之我,预杀来日白首之我,此固人生唯一之蕲向,青年唯一之责任也矣!拉凯尔曰:"长葆青春,为人生无上之幸福。尔欲享兹幸福,当死于少年之中。"吾愿吾亲爱之青年,生于青春死于青春,生于少年死于少年也。德国史家孟孙氏,评骘锡札曰:"彼由青春之杯,饮人生之水,并泡沫而干之。"吾愿吾亲爱之青年,擎此夜光之杯,举人生之醍醐浆液,一饮而干也。人能如是,方为不役于物,物莫之伤。大浸稽天而不溺,大旱金石流土山焦而不热,是其尘垢秕糠,将犹陶铸尧舜。自我之青春,何能以外界之变动而改易,历史上残骸枯骨之灰,又何能塞蔽青年之聪明也哉?市南宜僚见鲁侯,鲁侯有忧色,市南子乃示以去累除忧之道,有曰:"吾愿君去国捐俗,与道相辅而行。"君曰:"彼其道远而险,又有江山,我无舟车,奈何?"市南子曰:"君无形倨,无留居,以为君车。"君曰:"彼其幽远而无人,吾谁与为邻?吾无粮,我无食,安得而至焉?"市南子曰:"少君之费,寡君之欲,虽无粮而乃足。君其涉于江而浮于海,望之而不见其崖,愈往而不知其所穷,送君者将自崖而反,君自此远矣。"此其谓"道",殆即达于青春之大道。青年循蹈乎此,本其理性,加以努力,进前而勿顾后,背黑暗而向光明,为世界进文明,为人类造幸福。以青春之我,创建青春之家庭,青春之国家,青春之民族,青春之人类,青春之地球,青春之宇宙,资以乐其无涯之生,乘风破浪,迢迢乎远矣,复何无计留春望尘莫及之忧哉?吾文至此,已嫌冗赘。请诵漆园之语,以终斯篇。

(第二卷第一号,一九一六年九月一日)

时局对于青年之教训

王　涅

欧云黯淡,演群雄之剧;滇江澎湃,翻首义之声。战争神圣之谈,遂拓开万古心胸,而破人人之迷梦。我国青年,际此外忧内难纷至沓来,试一闭目沉思,吾国家将来当演成何象？立国于二十世纪者,究以何道而即安？现今世界之思潮何若？欧战之影响如何？吾人立身之道,是否以维持现状,苟偷目前为已足？是五问者,吾知国中多数青年,必为笼统下解,作一极无谓之悲观论曰:"中国必亡无疑。"团体事不易为,徒牺此身,无益于世,不如早自为计。任神州之陆沉,则必虚悬无着,撮拾一二可以自大之语,漫作乐观。谓以吾五千余年之古国,四亿之民众,任今日割五城,明日割十城,去亡之期尚远,且不解亡之苦痛何在,恐报端特甚言之耳。后说之丧心病狂,视前说固相去霄壤。而一细按前说之实质,颓然不复自振,心皇皇然莫知其乡。烦闷萌于兹,坠落肇于兹,其足以吸引全国优秀分子而戕杀之也。害等于洪水猛兽,吾国青年果皆类是,斯真国亡无日。吾为此言,非敢妄凭揣测,厚诬吾最有望之青年诸君也。特居今之世,蒿目时艰,如水益深,如火益热。默念来许,障百川而东之,迴狂澜于既倒,此责微青年,其谁与归？望之深斯责之严。闻有一二眦于上述二说者,不禁隐忧独抱,深惧沦胥,此不佞之用心也。兹请就前问引申其说,以与我青年诸君一商兑焉。

　　吾今不作感情之抽象论,试平心一察吾国家之现状,为鉴往思来之助。以外交言,自前清康熙二十八年《尼布楚条约》,以迄民国四年五月九日之《中日交涉条约》,无一非丧权失地之证明书也。今岁无端召侮,五国警告,且再三而未已矣。以内政言,旋而主张废省,旋而废府存道存省。今则联邦论方腾于国中,此地方行政制度之未确定也。始以自治会宜遍设,则务扩张之,继以人民程度不足,则随省议会以解散。旋又先设京师模范自治会,以资各省取法,此地方自治之未实行也。改保甲之制而编巡警,巡警不能遍设,则议以兵代警,仿俄罗斯警察国之制,此为熊内阁时代之理想。既而国内不靖,则兵自兵,警自警,而巡警惟城厢略具形式,此巡警之无可言也。立国根本,在于教育,教育贵有日新之机。乃经费一再被裁,教员更易无定。教育方针,名与实违。举国学子,不知新学为何用。受教育者锐减,社会之弃材益多,而复古思潮且弥漫于全国,此教育之大可忧也。以云财政,竭泽而渔,犹嗟仰屋!税制之紊乱,外债之滥借,银行兑换券之滥发,饮鸩止渴,祸伊胡底。以云实业,居山野者,农有怨咨。处海滨者,渔难获利。工业不振,商旅苶然,一入市廛,外货充斥。去岁对外贸易,输入超过输出竟达二亿有奇。长此以往,云何能继?以云海陆军,甲午败衄,至今不武。陆军兵数,虽有新式军四十七师团,旧式军八百十一大队,而不足以敌日本之十九师团十旅团。海军如海筹、海容、海琛等,皆不过几千吨,以视日本海军总数达五六十万吨者,已相悬绝,何论英德?总之百不如人,而人之谋我者,方日进而未有已。兴言及此,吾亦几坠于前此悲观论者之所云云,顾吾极力自持,决不作如是观者。以吾国将来应演呈何象,不根于目前之事实,而卜于我青年诸君今日之决心。昔德意志列邦,遭拿破仑一世蹂躏之余,工商疲敝,诸小邦意见纷如。何以师丹之役,一举破法,为天下雄？毛奇将军乃归功于全国小学教员。意大利半岛自罗马亡后,土地隶于教皇,政议归于奥国,奄奄之气,不绝如线。何以光复旧物,统一告成？推其由来,即玛志尼所立之少年意大利会。故决心者,成功之母也。吾国朽腐之积习,当以吾青年心血涤之；尸居之余息,当以吾青年之气培之。诸君有此决心,必可化险为夷,奠国家于磐石。孔子曰："我欲仁,斯仁至矣。"孟子曰："夫天未欲平治天下也。如欲平治天下,当今之世,舍我其谁哉！"凡我青年,皆当以是自任,勿以艰险而生畏阻。吾所为念及国家前途,始自危而窃愿与青年诸君共勉之也。

其次,近世之国家与古代之国家,不特诠义悬殊,即其蕲向亦不一致。国家说之兴也,权舆于神权,次之以权力,再次以契约,又次以实利或有机体说之数者,以诂国家共通之起源,均不无微疵。然语夫改造近世国家之劲能,则契约说之原理,为不可磨。语夫增进近时国家之福祉,则实利说之功用,在所必倡。盖人类意识尚在混沌时代,则国家神造也,帝王神圣也,尊帝王即爱国家也。以一种不求甚解之思想,承数千年相传之习说,已足慑服群众心理。俾各乐天安命以为生,即至疾苦频仍,而既莫明其所以然,则偶语弃市,亦视为其人应得之咎。故以秦之苛暴,胜广辈欲有所起事,非阴借篝火狐鸣之谶,阳托项燕扶苏之名,不足以号召徒众。沿袭既深,世之得位以保其子孙者,亦乐引为神器。自革命者曰"妄希非分",以为久假弗归之谋,国家至是湮其真意久矣。迨人智日开,疑乃滋长,而所谓人生依托之国家者,断非前说所能维持。有贤哲出,本人心积而未达之怀疑,示以迷而必复之真理。人乃恍然国家之由人造，为人生必不得已之要求，其盛衰存亡，视多数组织体程度之何若。已有国家，不能改造之俾进于良，是谓自弃。已有国家，不足以谋最大多数之最大幸福，是谓自画。卢骚曰："民生而自由者也，于其群为平等而皆善。"又曰："自由平等而乐善者，其天赋之权利也，国者基于民约而成也。夫然，故可以创约，亦可以毁约。"吾人于足以代表总意之国家，决无反抗之理由。否则惟有服从己意，不能服从他意，是为人类之自觉。人必如是，始脱本能生活，而受道义之制裁。此十八世纪以后，惟民主义之国家，所以日磅礴涌发，舍是且无以自存也。有国家矣，吾人之需此国家者何在？国家以人为方便乎？抑人以国家为方便乎？由前之说，人当一切供国家之牺牲，而国家万能论以兴；由后之说，国家一切供个人之牺牲，而国家机械说以起。二说均趋于极端，不足以诂立国之精义。实则国家者，立于国民总意之上，以其国之共同福祉为的。合于此的者，则认其权至高无上，绝对无限。而人民之自由权利，国家务为保障或奖励之，不可为非理之干涉要求。德（之）康德、英（之）斯宾塞尔均谓国家须于客观方面，确定个人自由权利，维持法律秩序。人生必乐有其国家，国家必有实利于个人，然后爱国之心油然以生，此实利说之未可厚非者也。吾国国度，而在闭关以前，吾民思想，犹去洪荒未远，斯不必论。如其不然，立国于二十世纪者，当遵何道，思过半矣。

其次，环吾身者不仅国人也，尚有世界之各民族在。近世社会学者定民族优劣之原则三：（一）其周围禀受，至为单纯，而尚调和者，是为最幼稚之民族，居今之世，已难自存；（二）周围禀受，虽甚复杂，而未能融洽无间，或肇分裂，或萌反动，处此民族，亦属危道；（三）错综万变，常能开物成务，各有其时代之精神，相摩相荡，以至无极。斯诚所谓优良民族，可胜人而不为人所胜矣。斯言也，凡以谓民族之进步者，始适于生存。进步于何征之，曰于其思想征之。古今历史一民族竞争之试验场也，若者兴，若者亡，若者盛，若者衰，而迹其原由，皆有其不可以已者存。善应之，则日进而无疆；不善应之，未有不即于危亡者。夫云不可以已，即其思想之表征，历史者思想之结晶。思想利于多端，而病单简，宜于条理，而忌庞杂。世界民族之优劣，实准其思想以为等差。伦敦大学历史教授古蓝氏，由思想变迁上分欧洲近世史为四期：第一期，欧人遗弃现在，执着未来，是谓宗教时代；第二期，破罗马法王之势力，立人间良心之权威，是谓宗教改革时代；第三期，自觉个性之价值，标榜民权之真理，是谓政治革命时代；第四期，知国民的生活之意义，努力于发展完成之，是为民族觉醒时代。前三者为过去之思想。今日最奔腾汹涌横流四溢者，此第四期之思潮也。此思潮之发生，一基于政治的、经济的之发达，一基于国民生活内容之充实。自千八百八十年以来，列强盛倡机会同等，势力平均，实行领土分割。以千百五十万方哩之非洲大陆，残留以遗土人者，不过亚俾亚利亚及奈比利亚两地。太平洋群岛，虽小如珊瑚，非复昔日之无主。亚西亚大陆，近三十年间，殆一变其面目。英国有威海卫、九龙、马来联邦等二十万方哩之支配权；美国亦并菲律宾群岛、布哇等十四万方哩之地；法国于从来所领之柬埔寨及交趾支那外，更掠有安南、老挝、广州湾二十三万方哩之版图；俄国据《瑷珲条约》攫得黑龙江以北之地域，更延长于沿海州及中亚西亚等，约获五十万方哩；德意志号称学术最盛之国，东方占地仅及十万余方哩，利害冲突，遂以酿成今日之战争；日本望尘而奔，踔厉奋发，乘欧洲方醉于内治改革也，一举而奏维新之功。及欧人伸足东亚，均势局成，复乘之以县琉球,割台湾,并高丽,租旅大,肆力于满蒙之野。欧战既作,大有雄视东亚图执牛耳之心,是皆受第四期思想之支配。欧人应运而开之,日人顺流而赴之。吾国人至今尚若鲠在喉,欲茹仍吐者屡矣,是固得失之林也!今更与青年诸君约论欧洲之思想界。

欧洲有自古传来之三思潮,至今犹食其赐者,"自由、平等、博爱",是也。自由思想导源于希腊,希人富于想象力及爱美之精神,艺术科学不因拘于习惯,故能实现人生之新理想。平等思想导源于罗马,罗马文明与希腊异。希腊之文学、美术及哲学,异常发达;罗马则因政治与军事之活动,独于法律、宗教二者,放其异彩。昔人尝谓罗马三度侵服天下,先以兵力,次以法律,又次以宗教。罗马法律,犹为欧洲诸国民法之中心者,则以统御数多习惯、言语不同之民族,能求其通有观念,以作成新法律,不失平等待遇之道也。迨罗马帝政衰,新民族勃兴及人种大移转,东方基督教之文明,深入欧洲人心,博爱思想,遂以普及。中世以降,势力渐坠。文艺复兴、宗教改革之声风靡全欧,结果乃获自由研究与自由信仰。自时以后,自由要求之度益高,其先表现者为政治上及社会上之实生活。政治自由渊源于卢骚之《民约论》,著为事实,则法兰西大革命、北美十三州之独立、各国之宪法运动,皆是也。政治改革,国民之实力增加,于是自由之声又扩入于经济,亚丹斯密浚自由贸易之先河,穆勒继之,更发挥光大其说,以明社会的自由之根柢,其种类分为三:(一)思想及感情之自由,凡言论、出版、信教等属之;(二)趣味及事业之自由,即各人得自由谋合其性格之生活;(三)结社之自由,其中有一至严之界线焉,即以勿妨他人自由为限。穆勒以人类真实之进步,在于自由竞争、自由讨论之中。世无万全之真理,惟适应于开化者。斯具有一部之真理,压迫者进步之拒绝也,其结果自由扫地以尽，国势萎靡，以濒于亡，虽然极端之自由，却有碍于平等。平等思想，远溯罗马，次由基督四海同胞之观念，固已深植其基。近世学术进步，乃知人无论文野，色无论黑白，人类本性，初不悬殊，其间唯有知识程度之差。吾人祖先，亦曾与今之蛮人，营同样之生活，其道德观念之相异，由于社会的生活状态之结果。其肉体上之差别，及色之特异，亦由于食物或光热气候之殊。本此理想，遂扩其从来褊狭态度，渊渊乎有咸与陶成之风。故自由主义昌，个性剧烈发挥，而社会上产业之不平等，资本家之跋扈，劳动者之沉沦，相乘而起，有识之士，怒然忧之。社会主义之思潮，乃磅礴而不可遏。故近世欧洲有一最矛盾之思想焉，即标榜自由之个人主义，与标榜平等之社会本位主义是也。美国社会学者衣真古斯，谓："自由预期博爱，博爱预期平等。"然绝对的自由与绝对的平等，二者实现于社会中，势必互相冲突，演成悲惨之历史。俄国文豪托尔斯泰主张无抵抗主义者也，其具体之运动，为万国平和主义。军备废止问题，国际仲裁条约，数十年来武装平和，幸保无事者，依是之功。一方德哲学者尼采则主张"超人论"，依进化之理法，示人以优胜劣败、适者生存之大原则，谓"平和者，百弊之根源也"。美前总统罗斯福亦心醉其说，谓："战争乃洗人心腐败之良剂也。"要之人类苟如神之万能，则权利不至相侵犯，国家亦无设立之必要。所谓国际间之战斗，可以永蠲。又人类苟如动物之无自觉力，则亦不解成立国家，战争当不加烈。惟人者社会的动物也，有利己心，同时有爱他心。人苟流于孤岛，使营独身生活时，则黄金、名誉与恋，均不足惜。故人固以满足自身为务，而亦认他人之存在也。乌合相集，不能为一定目的之活动，非在国家主权之下，断难向上发展。国家主权，不越一国领土之外，故若他国人类有侵犯己国秩序时，最后必诉诸武力。此平和论者无论如何主张，战争只有时间与实力之问题，必无永远弭兵之事实。夫爱平和者，人之本性也，不堪压迫而必出于战争者，亦人之本性也。人本具此矛盾之两性，各因其时代而表著之。苟偏其一或缺一焉，鲜有能存立于世者。近世哲学家教育家所苦心焦思，亦在调和此两极端之思潮，俾入中庸已耳。

吾述至此，试一反观吾国人之心理，其个人主义昌乎？抑有社会本位之思想乎？以吾推断，敢信二者皆未具也。夫使吾国果个人主义发达，则必尊重人格，崇尚竞争，自我有绝对之价值。我之理性，在于知有我。我之个性，我之自由也；我之力，我之权利也。遇有无理束缚我、抑压我者，必有以抵抗之，如盎格鲁撒逊人种之善于自卫焉，必不至有今日。使吾国果偏重社会本位，则必结合巩固，内力极强。善用之以为民族干城，国家后盾，众志所凝，当之者靡，如日耳曼人种之善于奋斗焉，亦必不至有今日。无如吾国人至今中心尚横障一最大之黑影。由个人等而上之，为此黑影所蒙，不见有国家；由国家等而下之，亦见蔽于此黑影，不知有个人。此黑影者乃如日蚀时，月在日与地之中间；月蚀时，地球复在月与日之中间。由地球上之人见之，固不知为月或地所蒙蔽，以为真乃无日无月也。黑影维何？家族本位之思想是也。家族思想发达之极端，个人无自主权，浸至失意志之能力，一切唯其家长之命是听。家长对其子女，固若有处分之才能，以为凡事未经吾允许者，无论善否，均为大逆不道。而国家思想最为所排斥，谓"苟贡身于国，奈此家何"？窃闻留学生父兄之诏其子弟矣，谓"当安分读书，无论何会何社，均不准入，入则灾必逮身也"。又曰："吾辈辛苦谋一学费，将来学成，衣锦还乡，光耀闾里耳，遑问国家。"嗟夫！国人固不知有个人,不知有国矣,只见有数千万之家族本位。何怪一盘散沙,随风飞扬,而任其消失耶?

其次,欧战何为而作也?政治家之言曰:"德欲雄飞于世界,英掣其肘。故战争之表面,为奥塞肇端,里面为英德争霸。"经济家之言曰:"德人口过剩,每年须移殖海外。世界到处,多为英或其他各国所占有,平和蚕食,势缓不可必得,故德必出于战。"历史家之言曰:"德奥与英俄法各国之开战,民族竞争之结果也。"是数国者,初各标榜其国之中心民族主义,以为吸引扩张之具。两力相抵,致生冲突。自余各家,各本其所据之藩,以为立论之鹄,要亦可得共同之一点焉。惟竞争乃可求生存,惟有学术乃可言竞争,惟其国之政府,有容人意思自由之余地。才各得其用,用各如其量,乃可以言学术。今日欧洲人均曰:"德强矣,是德之科学发达之赐也。"顾德何以至是?岂因威廉二世拥有至高无上之权力,乃奏厥功耶?德之学者尝谓普鲁士为君主立宪国,而德意志联邦为共和国家矣。共和之真精神,一在政府之权有制限,人民之自由权利,得以确实保证;一在国中人民有参政权,其利害情感得以互济而不至于破裂。德意志有然,英法亦有然。但德有不同者,其组织力极强,人智亦异常发达。故受外境之压迫愈甚,而弹性愈增。人谓德今日所处之地位,与百年前拿翁之待英国同。拿翁倡大陆封锁同盟,以苦英国,英不为屈,幸收海外殖民之功。英、法等国初行财政协商,近议经济同盟,亦袭拿翁故智。德持之几二年,无稍逊色,是知国民之富于政治抵抗力者,其对内易于合同,对外长于御侮。彼其平日得于议坛或演坛上,批评社会事事物物,行平和之改革,又能备之有素。人人认国事与家事无殊,或乃过之。以视禽、视鸟息醉生梦死之国民,神经麻痹,手足无措者,固不可同日语矣。吾青年诸君其勿以隔岸观火之态度，视欧洲战争也。世界有病夫国二：一在近东，一在远东。此次战争以解决近东问题，他日战局终息，远东问题即在目前矣。然近东如土耳其者，犹能荷戈执戈，以从战役。达拉尔海峡，英法舰队攻之数月不能下，虽曰德为后援，而土之精兵天险，有足多也。吾国则何有焉？有七十二湾海隘，而实无尺险；有数十万余兵，而实无一人。前岁八月欧事起，吾国甫布中立。不一月，日兵突由山东龙口上陆，侵我中立。我政府仓皇不知所措，商诸日不调，听之。而德、奥又起抗议，不得已从顾问日人有贺长雄之说，宣布局部中立，扩战区焉。青岛陷后，吾国外交以为暂可息肩，而《廿一条约》之书又至。让步重让步，卒乃酿成五月九日之奇耻大辱。呜呼！诸君其慎评欧战短长矣，国人欲求为比利时之一周抵御而不可得。今后政治不即于良，惟民国家，不克实现。则波兰、犹太各为外人前驱以锄同族之惨状，必将演于吾神州之奥区，不知彼时吾民尚能高枕安卧否也？

最终，吾还以叩青年诸君之身矣。诸君遭际，既非耕食凿饮歌衢击壤之时期，又非理乱不知独善其身之行动，其戚戚以终日欤？天下最可怖者，为失望，为烦闷，是自败成功之基也，其汶汶以没世欤？天生我才必有所以为用，我不克完其为我，是谓负天；我不能表彰其为我，是谓负我。负天不可也，负我尤不可也。禹思天下有溺者，由己溺之；稷思天下有饥者，由己饥之。知有我而后能拯人也。颜渊曰："舜人也，予亦人也。有为者亦若是，知我与人初无殊致也。"西谚曰："天助自助者。"又曰："人各立于己所欲立之地。"英人吉林倡自我实现说，法人柏格森立创造进化论，皆求所以善用。夫我者，有我而后有世界。我之乐利，畴则夺之；我之疾苦，谁实贻之？辗转抽译，遂生自觉。自觉之要件有二：一曰奋斗，最大之幸福,必有如何之困难,战胜困难之程度,即其收获幸福之比例差。世间惟懒惰者易托于厌世,惟薄弱者易入于悲观。我身一息尚存,此志不容少懈。摩西经十余战,乃出埃及;哥仑布舟行六十余日,乃达美洲,善于奋斗之赐也。一曰坚忍,奋斗不必尽成功,能坚忍者总有成功之一日。孔子曰:"譬如为山,未成一篑,止吾止也;譬如平地,虽覆一篑,进吾往也。"人世几多之英雄,由失败中培成之者,巴律西之成磁器,维尔德之设海底电线,尤其显著者也。拿破仑曰:"胜负决于最后之五分钟。"吾国中青年诸君乎!宜破世俗之宿命说,持以仁为己任,死而后已之精神,勿作眼前之成败谈。宜有富贵不淫,威武不屈之毅力。今者时局来诏,既已危机迫逼,间不容发,而恃为惟一转捩者,吾青年诸君之心。诸君勿忘其为我,斯能安吾国家?适应世界潮流,有以巧避欧战后种种之危险矣,是在我与诸君。

(第二卷第一号,一九一六年九月一日)

青年与欲望

陈圣任

人何以生,欲望生之也。人何以死,欲望息而有止境也。孩提之童,呱呱求哺,欲望生焉。及其衰老,视一切事似无所有,而仍未能以已者,欲望犹存也。吾人有一日之生命,必有一日之欲望。详言之,人类所以异于草木禽兽者,为其有欲望。有欲望而后有一定之目的而活动,并各具一理想之目的,殚毕生之力以追求之。故欲望者,人生活动之由始,生存意味之由萌也。而德国学者康德氏(Kant)乃主禁欲之说,谓:"一切欲望均为不道德之根源,宜全禁绝之。"此乃大谬不然。欲望禁绝而能实现道德之理想者,未之有也。夫人之于欲望,犹舟之于水,鸟之于气。舟无水不行,鸟无气不翔。人无欲,亦无用其栖栖为,此理之至明。断绝欲望,即谓之死之别名可也。近世欧美各国骎骎日上,而新进之士均有勇往直前百折不挠之概。其志愿之高,希望之大,已足凌驾一切。文明之进步,实欲望之进步为之。我国学者数千年来,均以多欲为戒,以窒欲为无上之美德。而绝圣弃智、清净自娱之思想,弥布于国中。一般青年志气消沉,坠落尤甚,噫其不明人生之意味亦甚矣!人之生也,非为一人而生也。天之生我,不仅为我七尺之躯,谋数十寒暑之衣食而已足,必有所用于我也。吾人之一生一死,固有关于人类之进化，世运之转移，徒以窒欲自高清洁其身者，固非人类生存之本意。欲望之多不足虑也。欲望者，活动之始也。凡人对于目前能自觉不满足者，即为活动之始基。天下唯怠惰之人，最乏欲望，最为刺激，其一生一死与木石同，几不足以齿人类社会。人类社会多数有此缺乏欲望之人，则其老朽之程度，已可自杀其身，自戕其种，遑问立国？故欲药中国今日之青年乎，必自增进欲望始。

予言至此，有不得不为我青年诸君告者。予主张增进欲望，非如尼采氏（Nietzsche）所标之纵欲说也。吾国都会之地，比年号称文明者，究不外奢侈品之增多，性欲之发达，放辟邪侈，无所不为。此其祸我青年，或更甚于窒欲，吾又何敢更扬其波，然吾又极端排斥窒欲说者。则以近来自好之士，鉴于国家多难，庶政淆乱，艰危万状，旁皇无措。父兄之诏其子弟者，惟以不入党会为言。政府之告其人民者，惟以勿生事为戒。青年思想受人束缚，往往陷于悲观。于是吾人前此所抱之理想，所怀之愿望，均若付之流水。世道既无是非，而所谓英雄豪杰、大人君子者，亦不过尔尔。吾生有涯，既不能发挥本能，则相与不谈政事，求得一啖饭地，以安其生。而青年豪壮之气，峥嵘之象，扫地无余。悲夫！此等青年，其躯壳虽存，而无形中已自杀矣。中国所恃者，青年为支柱也。以历史言，虽曰数千年古国，然革命以来，造端伊始，何一不有待于青年。盖自死而之生者，青年；自存而之亡者，亦青年也。深望我辈青年，勿便气馁，增其高尚之欲望，促成向上之志向，以不断之奋斗，为国家争命脉也！

难者曰："人生不能无欲，欲不可纵，尤不可窒，固矣。"然青年为欲望最强盛之时期，所谓肉体欲望、精神欲望，不知几千万亿。兔起鹘落，莫衷一是。吾子果有何道以增其高尚之欲望，而又不失于放纵乎？吾详进言欲望法则。夫欲望者，相竞争而相吞并者也，是曰欲望代用之法则。经济学、伦理学、卫生学诸家均详言之。欲望与世运同一进步，文明愈发达，欲望亦愈增加。凡人一生之欲望，不能一一满足之，因是欲望之选择生焉。有所取必有所舍，有所重必有所轻。孟子曰："鱼我所欲也，熊掌亦我所欲也，二者不可得兼，舍鱼而取熊掌。"此即欲望代用法则之一例也。重鱼则必舍熊掌，重熊掌则必舍鱼。舍云取云，有权衡之作用，非必去其一而并绝其他也。告子曰："食色，性也。圣人亦何尝不谓然。而所以不甚好之者，以有道德之欲望代之，而食色之欲望为所吞并也。"孟子曰："生亦我所欲，所欲有甚于生者。死亦我所恶，所恶有甚于死者。"此皆较量轻重，而以较重之欲望代轻者焉。近世欧美各国有所谓禁酒茶肆之设。盖欲禁饮酒之恶癖，乃设茶肆，养成饮用咖啡之习惯，亦以良欲望代用恶欲望之一实例也。语曰："吉人为善，惟日不足；凶人为不善，亦惟日不足。吉人之于善，凶人之于恶，尽其一生之力，各满足其欲望。而惟日不足，凶人之所以终于恶者，以无良欲望代之耳！"青年之欲望，虽有恶者亦有善者，吾今不求其窒欲，亦不愿其纵欲，惟求有高尚足以代用之欲望。俾其精神有所集注，含弘光大，发为世用，此即增进青年欲望惟一之要道。青年犹春也，春来花不能不开。青年之时，欲望不能不发达，天理之自然，而进化之枢机也。世人不察，动以好大喜功责人，以安分守己勉子弟，而子弟鲜克由礼者卒多。盖欲望抑之于此，必发之于彼，不能乘机而利导之。徒戒其多欲，甚至将其善良之习惯，而亦铲除之。遂使人虽青年，心如死灰。西人谓吾为病夫国，是谁之咎欤？夫予所以主张增欲望者，盖青年非增大其高尚之欲望，恶欲望乃无由而断绝也。兹请述吾国青年，亟宜增大之欲望有二，列之如下：

（一）运动欲。青年为身体发育最强之期，生理上必有活动之欲望，遂生一种运动欲。运动者，青年惟一肉体上之欲望也。我国受老庄思想之遗毒，以静为主。虽在儿童，必使其若木偶焉，故运动极不发达。夫运动之能增进体力，尽人知之。青年之运动，非仅一身体健康也。运动之欲望发达，使青年觉其兴味，能排除各种有害之欲望。英人嘉白尔（Garber）著《现代教育之运动》，其言曰："现代之教育思想重于教科以外之活动，作业与游戏之分明，乃授学生以无限更新发展之活动力。"又曰："青年高尚精神之发育，必受新兴味、新活动之影响，运动尤其影响之最大者。是青年之于运动，为一生立身上必要之任务也。"予谓运动者，能坚强意志，练磨智识，于智育、德育亦有莫大之关系。西哲有言："健康之精神，宿于健康之身体。"青年之运动欲增加，斯国家必有更新之象矣。

（二）名誉欲。名誉者乃人生第一之生命，肉体乃为人生第二之生命也。谚云："兽死留皮，人死留名。"喻躯壳可死，而名誉不可死也。马丁（Marden）著 *Pushing to the Front or Success Under Difficulties* 一书，为逆境青年痛下针砭，教人增大欲望，以名誉为主。其言曰："人也者，名誉之动物，而最进步之动物也。"孟子曰："好名之人，能让千乘之国。"是无论古今东西，均以名誉为人生惟一要务。青年者，名誉欲最盛之时代，不问其学问或行为，均尽其能力，以博他人之称道。社会学者，谓之自己表彰，属于二次的欲望，谓因有社会而始生者。故青年一入社会，社会必有以鼓舞之，使知爱惜名誉，不特禁其为恶，且可奖之为善，此即青年最良之兴奋剂也。我国偷惰之风既成，遇一年少能任事者，则笑其好出风头，百方抑制之，必使彼等颓然若丧而后快。其忌才嫉能之心，即律以杀人之罪，犹不为过。以故遇有国家大事发生，告之者，虽喑口哓音，而闻之者，若熟视无睹。举国人不知名誉为何物，志节为何事，但求一将来可以容身，每月能赚得阿堵若干者，则虽牺牲一切，有所抚恤。夫名誉者，人类进化之阶梯。名誉欲不发达，人生之真价，去其半矣。呜呼！此亦我青年所当加勉者也。

青年所应增大之高尚欲望多矣，而吾独举是二欲者，诚以我国青年对此尤为缺乏。向为我一知半解之理学前辈，芟除殆尽，又无良欲望以代之。浸至发生二现象，不为里巷之青衿，则为市井之恶少。而谨愿者，亦祇困顿抑郁以了其生。以吾二万万方哩之地，而托庇于此轻佻浮薄、畏葸消沉之青年之手。而适当二十世纪磅礴涌发之潮流，云胡有幸。我青年诸君，当以何欲望为最适于今日国家之要求，为个人发展之余地，请澄思之。

（第二卷第一号，一九一六年九月一日）

青年与工具

吴稚晖

坐吾于一室之中,悠然四顾,惟吾此身,与相对之一猫,及窗前之树,为天然品。余则上椽下席,笔砚几案,衣饰袜履,借猫之褥,支树之橛,皆非天然所能有,概称之曰人为品。盖莫不一一皆造自人也。苟其无人,则此椽此席,此笔砚此几案,此衣饰袜履,与夫此褥此橛,皆无从出现。猫则藉草,树则枕石,皆在山川云雾逦迤回荡之中,生活于天造之草昧而已。纵亦有兽窜之穴,鸟筑之巢,蜂成之窠,蚁聚之垤,稍与大造争别异之观,亦止点缀于天然品之间,非能相对为物。有两大之势,有如今日人为品之耸塔于高峰,建市于平原,连樯于巨川,罣轨于大陆,一若山川云雾,必待城郭舟车,共组而为世界也。然则吾人言人事,所可表异于天然之界者,惟此世界相待以为组织成分之人为品而已。

吾决非崇拜物质文明之一人,惟认物质文明为精神文明所由寄之而发挥,则坚信无疑。幸福者果何物乎?幕吾以天,席吾以地,缠藤叶于吾身,坐山石之上,歌声出金石,固何歉乎精神完固之我,而不认为有一种高尚之幸福?但此种幸福,皆在物质备具,充养吾之精神,已使演进而有余。而后偶任吾个体之返本自适,遂有若天地甚宽,其乐反未央耳。若真在藤叶缠身之世,共幕于天,共席于地之同胞,皆苦藤叶之不供。吾缠吾身,怀宝即罪,杀身之惨,可以区区章身之藤叶,安在而能如戒约完具。盗贼屏远之人境,有晏然之山石可坐,即非出于人与人之相害。以藤叶自缠,苟焉生活之人功,岂能使蛇龙兕虎,敛迹深林,而多干净可坐之山石?而且歌则有思,哭则有怀,纵猿人亦自有呜呜之天趣,然安在所谓声出金石者,而望简册不富。缥缃不具之人类,足生吾人代为设想之繁感,是则吾人理想中高尚之幸福,一若全发挥于精神者,亦几几乎实由物质文明伸缩之区域,为其发挥弛张之区域耳。且认识幸福于自身,由慊然不敢备物之天德,觉与物质文明之进退无关。倘推举吾为幸福之制造家,则吾将造蛇龙兕虎交相腾跃之山石,而坐吾同胞于上为尽职乎?抑将张罗设阱,驱蛇龙兕虎而远行,洁灾害不生之山石以坐之乎?循此以推,将使终年露坐于山石之上,与严霜畏日,争烈于朝暮乎?抑将教之编茅伐竹,蔽山石之半,俾可朝坐而暮息,晴出而雨休乎?——备物无休,而物质文明遂与人类幸福相驱而并进,于是幸福中不能不含有巨大成分之物质文明。吾视整然吾椽,洁然吾席,对精良之笔砚,冯坚适之几案,衣饰袜履,莫不周体。慵猫借于褥,瘦树扶于槭,吾草此文于其中。方风雨之潇潇,而吾晏如邻之人力车夫家,大风吹折其树枝,破椽瓦而去。雨水渍床前,坐三足椅上,扶破桌,身着单衣,飒飒寒战。磨金不换于碗底,执大蒜头笔,伸表心纸作书,乞贷乡人。彼此之情状,制造幸福家,厚吾抑厚彼。若谓所予之幸福,果分厚薄,无非备物以贻吾两人者,周与不周耳。是则物质之文明,决未可于人类之幸福,有所蔑视。

物质文明者何?人为品而已。人为品者何?手制品而已。故夫手也者,一切人为品之产母也。生类万物之造作,其工具以角、以口、以足，角与口足之外，更无别种之工具。人之初祖，立其两后足，使能支持其全体，乃以两前足转变为手。自有手而生类最良之工具，因以出世，何也？惟手之为工具，能产生他工具，若角、若口、若足皆不能。攀枝而为杖，拾石而成斧，此产生最初简单之他工具。手能击燧或引日以取火，若角、若口、若足又不能。火之利用溥，杖且倏焉为矛，斧且倏焉有刃，由乎产生之简单他工具，又产生较繁复之他工具，于是网、罟、耒、耜、弓、矢、舟、车，以渐而备。自书契以来，经六千年之演进，于百年前十八世纪之末，尤繁复之工具，所谓蒸汽机者产生焉。蒸汽机既产生，不惟蒸汽机自身为工具，千万倍于手之作用也。即有所谓机转之刨床者焉，他刨所不能刨者，刨床能之；又有所谓机转之钻台焉，他钻所不能钻者，钻台能之；又有所谓机转之锯座焉，他锯所不能锯者，锯座能之。不惟能刨、能钻、能锯，扩张无限之力量而已，而且由刨床、钻台、锯座之所刨且钻且锯者，能得千分万分之一之精密，决非手之所能为功也。此类之刨床、之钻台、之锯座，尽有号为机转，不过有机焉，可手摇足踏，非必尽转以汽机。惟此床、此台、此座能具精密之机件，可手摇足踏，而功用繁富，其所具之机件，固必造自汽机。所以自汽机之产生，汽机自身固突然而为古来未有之工具。由彼产生之刨床、钻台、锯座之类者，亦皆为古来未有之工具。盖由此等工具，皆能产生若斧、若凿、若枢、若栝无数能力皆备之工具，以佐吾手之不能也。

吾今卑之无甚高论，以今东方不能备物之民，与西方备物甚富之民较，固无异由人力车夫家之短垣，以窥吾室，备物周与不周而已。其备物不周之故，推想于物之所以备，即工具短缺是矣。工具短缺之情状，普通皆有觉悟，如所谓主张推广机器制造也，所谓传布实业主义也,所谓注重科学教育也,无非间接直接,亦望增多其工具。虽然,如不能成真正工具之嗜好普及于青年间,则所谓机器制造,所谓实业主义,所谓科学教育,皆如隔云雾而谈天际也。古之青年,负箧于外,略具自治之能力者,其箧中必有小剪,有缝针,有修脚刀,或有铁锤。今之青年则有进于上数者之外,又有裁纸削笔之刀,有开瓶之钻,有起钉之凿,甚而至于有剞孔之螺钻。此人人认为与时辰表、寒暑计、画图规尺,为青年之所必备。嗟呼!此真中国之青年!欲知他国青年之生活,正在梦中。

西国鄙谚,即眼前品物而比较文明野蛮者,以吾所闻凡三:一曰国之文野,可以肥皂店多寡分之;二曰国之文野,可以硫酸制造所多寡分之;三曰国之文野,可以工具发售处多寡分之,三者各有其持论之目的。吾以为工具发售处尤为其母亲。肥皂之厂,硫酸之器,皆从极便利、极精密之工具得保有廉价,保有良果,始能日以发达。正如甲生携有小剪、缝针,方不至足穿裂缝之袜,裾曳垂落之纽;如乙丙各生之去家方远,常露其窘态也。吾国昔年除张小全、王麻子之外,曾否有正式之工具店?大匠之所具,百工之所为备,或专有一匠为特别行业,熔造于隘巷,或就普通锻铁所,由求者口讲手画以指制。所可适市而求者,不出乎小剪、缝针、修脚刀、铁锤而已,间或有裁纸之刀。所谓开瓶之钻,起钉之凿,剞孔之螺钻,必于洋货铺。求他物于洋货铺,吾所不忍提议。惟就洋货铺而得工具,能得其制造之母亲,得之而久之可以不复更得,此正所谓借矛攻盾者也。然中国之洋货铺,能求得机转之刨床否?能求得机转之钻台否?能求得机转之锯座否?吾恐吾之青年既未见其制,或且未闻其名。有之,在上海闹市,方用于广东宁波之工匠者,确有无论何种青年,当备于其家中自修之室,而乃概骇之为机器。不曰工人所用，即曰机匠所需，与社会普通青年无关。有所关涉，亦工科之青年而已。嗟乎！此真中国之青年！欲知他国青年之生活，正在梦中。

幸而世界事业演进之发达，循自然而推暨。年来工具之输入，有所谓五金店者，月推而日盛。苟其吾之青年，能联合全国青年，开一欢迎五金店之大会。而中国青年之生活，必开一新纪元，其故无他。吾所谓机转之刨床者，五金店间可以求之；所谓机转之钻台，机转之锯座，五金店且尽可以求之。节缩青年制裘观剧会食，种种消耗无益之资，先求刨床、求钻台、求锯座，置于家中自修室中。开其手匣，有小剪、缝针、修脚刀、铁锤、裁纸削笔之刀、开瓶之钻、起钉之凿、剜孔之螺钻，无不毕备。扪其衣袋，时辰表、寒暑计、画图尺规，亦无不具。于是烧蒸水之玻璃瓶，蓄电气之积累机，与所谓普通斧凿、若枢、若括之支架，相位置于刨床、钻台、锯座之间，复有六经三史图谱哲像，互相点缀，此等青年方为文明之青年，此正如古人骄养之青年。其父兄夸能永给子孙之轿马，无所用其手足，遂任天生之工具，萎缩而不用。今共知以轿马废其手足，缓急之苦累无穷。所以今日无论家富轿马者，亦主张有相当运动，发展其天所赋予之工具。推而进之，今日开明人类，知欲充吾天然之工具，至于相当者，不必发高论。而普通之所谓机械品，宜人人附于天然工具之一手，皆求而有之，而后充一普通人之能力乃完。故吾不望青年为伟人，仅望青年为普通人，当求刨床、求钻台、求锯座。

吾略据英国之青年为报告，其十二三以下之青年，其自修室中，大部有玩具(Toy)。所谓刨床、钻台、锯座，皆刻以木，或制以马口铁，运动之以火酒，此意焉而已。而寻常之锯钻刨凿，皆由岁时即求备于邻近之五金店。十三四至二十以外之青年，遂有模型

(Model)。模型之为物，则影响大矣。鼓吹此等模型之报，邑有十数；交换此等模型之古物店，市有百数，制造此等模型之工厂，资本达数十百万者，亦以十百数。此等模型之能力，所谓刨床、钻台、锯座之类者，能连接于五六匹马力、十数匹马力之汽机油机马达以动。而广东宁波工匠得之，能设机器巨肆于虹口洋泾浜之间。皆常出现于彼中青年家屋内自修之室也，即借此刨床、钻台、锯座之能力，自制一半匹马力至两三匹马力之汽机油机马达，以自牵其刨床、钻台、锯座，不仅仅倚恃于手足，亦每日下午放假以后，聚议于公园球架之旁，至寻常也。所以去吾邻居之半里，有中校焉，为生徒者七百，其中三百人家中皆有可用机力牵引之刨床，有正式制造小物之能力。自军火立部以来，所谓爱国之青年，皆思出少力以助公家，于是于星（期）六及星（期）日，此三百青年者，各领枪子二百，两日中就其自修室之刨床而竟工焉。盖一中校游戏工具之所助，乃周助六万"必马"，以青年不幸而造杀人之具。此别一问题，自当特别研究。至就作工之本题能力而言，吾青年仅藏小剪、缝针、铁锤而罢者，方如具有工具之人类，与只有若角、若口、若足者相比例矣。然而英之社会，自战事发生以来，犹痛诉其青年，以为工具之教育远不如日耳曼。日耳曼即一车夫之家，皆有一工场（Workshop，惟用 Workshop，表意乃显。译曰工场，嫌太广，曰工作所，又嫌太狭。所谓 Workshop，即种种工具，如牵机之汽机油机马达，作工之刨床钻台锯座等，无不格外具备，工作可以完善）。工场何物？我之青年必对曰："在裘信昌及制造局。"岂曾梦见自修室中有之乎？

故吾决非崇拜物质文明者也，如稍有一毫不能打破备物以为幸福之理论，请吾青年视其手，又视文明之工具，决非工科青年，方当注重于工具者也。

　　吴先生稚晖，笃行好学，老而愈挚，诚国民之模范，吾辈之师资。此文竟于发热剧烈时力疾为之，以践本志之约，其诲不倦重然诺如此。全文无一语非药石，我中国人头脑中得未曾有。望读者诸君珍重读之，勿轻轻放过一行、一句、一字也。

独秀　谨识

（第二卷第二号，一九一六年十月一日）

欧洲战争与青年之觉悟

刘叔雅

千九百九年,英国大政论家脑门言介尔(Norman Angell)著一书曰《大幻想》(The Great Illusion),就列邦之经济关系,力言战争之必不得起,侵略之绝无所利。言氏文辞华妙,论据精确。宇内谈士大爱好之,争先购读,人手一编,有纸贵洛阳之概。记者癸丑之秋,避地日本,始得见之。亦深叹其识见之卓越,论证之翔实,非寻常高谈仁义之平和论可比。私心窃计,以为世界列强之经济关系既如此密切,平和纵难永保。然近数年中,战祸必难遽作,即英德之竞霸争雄,恐亦以经济战争决其胜负,未必遂以干戈相见也。当时除少数深识之士外,与记者同感者实繁有徒。世界和平之梦方酣,美国富人加乃义与言氏辈其代表也。乃未及期年,塞尔维亚一少年奋锥一击,圆舆震动,旬月之间,兵连祸结。古来文人形容战祸之辞,如所谓"伏尸百万""朱殷千里"者,竟成实事。若"兴师十万,日费千金"则曾不足以尽其万一焉。诸交战国执戈之士二千万人,战线延长数千里,死伤战士数达千万,所耗战费至八百余亿圆。鼓角鸣于地中,彤珠流于天上,杀敌百里之外,攻入九渊之下。器械之精巧,战祸之惨烈,真令吾临祸怀佚之民族魂精泄横,心折骨惊。呜呼!今而后,方知战斗乃人生之天职,和平为痴人之迷梦。

处今之世界而妄冀和平不能力战者，真无异群虱处裈中而不知炎丘火流焦邑灭都之祸也。肉食者鄙，吾何望焉？即彼大人先生亦何足与语力征经营之烈？记者一线之希望，在吾亲爱之青年耳。故敢擘肌为纸，刳肝为墨，哀鸣于吾青年之前，促其自觉。青年而能自觉其责任，孟晋自疆，努力奋斗，则吾青年自身之福祉亦邦家无疆之休。青年而苟偷怀佚不能努力奋斗，则邦家覆败，吾青年亦必及身为虏。地球虽大，不能容此卑劣苟贱之民族以贻人类全体羞也。

此度欧洲战争，为书契以来第一大事，吾人所得教训不可胜数。关于特殊事项者，姑置弗论，其足以垂训人类全体，而弱国之民尤当深铭于心。永矢不忘者，厥有数端。记者不敏，敬举于下，愿吾亲爱之青年诸君察焉。

一、和平者痴人之迷梦也。天下事有字书虽载其名，而终古不可得见者，"和平"二字是也。此二字本卑劣怯弱者脑海中一种幻境，绝无实现于世界之一日。东洋民族之衰亡，实此不祥名词为之总因。其害之烈十倍于鼠疫微菌，苟不速拔除之，其民族未有不夷灭者也！盖世界所以不灭，乾坤所以不熄者，实赖此永世不休之战争。大之则为邦国交哄，杀人盈野；小之则为个体相残，流血五步。内则为天人交战，外则为征服自然。举凡国家之兴废，个体之存亡，人之为圣贤，为禽兽，为文明，为野蛮，莫不由于战争之胜负。即小至于一滴水、一微尘，苟细察之，其中战事炽然，与欧洲战场同其剧烈。即近至吾人七尺躯中，白血球与病菌之战，消毒素与毒质之战，其奋斗努力之状，亦不在彼义勇武怒之军人下也。战争者实创造进化之中心，此事一废，世界随灭。若必欲于此世界中强求所谓和平者，则灭亡二字庶乎近之。好和平之民族，即自甘夷灭之民族也。近世史学大家埃密尔·莱希氏往岁在英京伦敦大学讲演之辞，真足发青年之深省。吾衰微不振之东洋民族，尤当谛听。莱希氏之言曰："战败之国民，其所损失虽大，终有恢复之期。其一蹶不振者非战败之国民，乃不战之国民也，奥大利即其例也。人类借永世不休之战争以得进步，与自然界无殊国民而爱和平，即其灭亡之征兆也。"奥大利虽旧邦，犹未遽即衰亡，往日奋斗之迹，史册俱在。即此次战争亦尚能北抗强俄，南支意师，力战不屈，亟摧敌国。莱希氏犹谓其不能奋斗，终将陨颠。吾国民近代对外交涉，无一非屈辱之历史，甚至以泱泱大国受人最后通牒而奉命惟谨。其卑怯无耻，直为世界诸民族之冠，又安怪莱希氏斥为必亡之国耶？呜呼！世界克享所谓和平幸福者但有两种人：一为战胜者征服人者，威无不加，天下莫强，既无敢与敌者，又免被征服之祸，斯真能享和平之福也。一为蒿里中陈死人，一棺附身，万事都已，无论何种惨祸皆不复受，斯亦和平之至也。若夫被征服者，一息尚存者，则除勇猛精进，脱离被征服之惨辱外，欲求和平，但有自裁一途而已。战争之天职与生俱来，对他国而不力战，必为臣虏；在本国而不奋斗，必为凡庸；对己身而不奋斗，必为撒旦所征服而沦为禽兽。吾先民使不为吾侪战争，则今日吾民族犹为革衣石斧之民，与彼野蛮人无异。吾侪而不为子孙战争，则易世之后，必仍还于渔猎游牧时代之状态。无疑，战争者进化之本源也，和平者退化之总因也。好战者美德也，爱和平者罪恶也。欧洲人以德人为最好战，故德意志在欧洲为最强；亚洲人以日人为最好战，故日本在亚洲为最强。世界诸民族中，吾诸华民族最爱和平，故中国亦最弱。此迷梦若不速醒，亡国灭种之祸必无可逃。即能憬然悟和平之不可恃，发奋为雄，力谋自卫，犹不足以救亡，何者？自卫之本义即为克敌，不能破灭敌人,终必不能自卫。此义不待旁征博引,试观自古无不陷要塞可知也。不能征服他人,必为人所征服;不侵略他人,必为人所侵略。攻势虽难必胜,守势则未有不败者。世有意志薄弱者流,谓中国他日兴隆大好,不当侵略他人,但当为世界和平之保障。此盖其脑海中所受"和平"二字之毒,未异涤除故也。试观史册,自来强盛国家,何一不以侵略为事者。近世国家,既臻强盛,因人口经济之膨胀,有不得不事侵略者,非人力所能强制止之也。愿吾青年,人人以并吞四海为志,席卷八荒为心,改造诸华为世界最好战之民族。国家光荣,庶可永保弗坠。吾青年亦得常享战胜者所独有之和平幸福,否则请于蒿里中求之耳。呜呼! 彼龙哈的将军之主战论,吾青年想多见之矣。然彼龙哈的军人也,军人主战,无足异也。至于社会党者,非以和平为标榜,人道为旗帜耶? 而今之战役,法德之社会党乃皆以主战闻,社会党而主战,"和平"二字宁尚有丝毫价值耶?

二、强弱即曲直也。吾国人好言"师直为壮曲为老",而欧洲人有谚曰:"威力即为正义"(Might is right),东西民族之盛衰即此二成语可见矣。若就个人关系言之,记者诚不能认强陵弱众暴寡为正义;然就今日之国际关系言之,则威力诚为正义,强弱诚即曲直,何者? 近世国家之强弱,全在民德之盛衰。其民苟能孟晋自疆,苟能努力奋斗,则其国未有不强者。国家而至于弱,则其民必皆苟偷怀佚,猾诈寡耻无疑。以孟晋自疆之民族,征服苟偷无耻之民族,非正义而何? 强国征服弱国,奴隶其人民,卤掠其重器玉帛,实其民族力征经营所应得之正当报酬。弱国被人征服,人民沦为臣虏,货财为人掠夺,实其民族自伐自侮所应受天讨天诛。盖同有人民,同有土地,何以此强而彼弱? 同此日月,同此霜露,何以此盛而彼衰？彼有土地人民而不能振作，有国家而不思恢弘，蒙弱国之恶名而不知愧耻。有强国焉，其民皆有坚贞刚毅之德，不屈不挠之勇，则此强国本优胜劣败之天理，兼弱攻昧之正义，灭其国而有之，谁曰不宜？德意志人谓德国之兼并世界为合乎公理，谓世界之被德国征服为光荣，语虽近夸，实含至理。彼龙哈的将军之主战论，盖深明此义者也。吾青年当知吾国人近世所造罪恶已至稔恶盈贯之程度，民德之堕落已至零点以下，苟孟子所谓"国必自伐而后人伐之"之说非虚。则彼西方皙种灭吾之国，夷吾之种，实为公理所当然，正义所应尔。吾国人不当怨天，不当尤人，但当自怨自艾耳。倘吾青年不甘为皙人臣虏，深自忏悔，慎修厥德，勉图厥功，使我诸华民德增进，冠冕大地，国家兴盛，天下莫强，则世界诸国当然为我所征服，其民当然为我之奴虏，千百世后有圣人作，不得而非之也。大哲尼采有言："人类纵不德，何至犯一弱字？"弱者实万种罪恶之首，弱国不惟无可怜悯，且堪痛恨，使进化之说不诬。大好世界，皆将为强者所独有，弱者不当有容身之所。盖弱者栖息于大地，食人之粟而不能治人之事，不悉歼灭，是为人类进化之大障碍。

三、黄白人种不两立。黄祸之说，为欧洲人所惯道，亦吾东洋民族所习闻也。倡此说者以德皇维廉二世为最力。近俄国克鲁巴特金将军亦著书极言黄祸之可怖，不特于日本人之武力，深为称许。即吾中国微弱可怜之军队，彼亦不惜辞费，盛加赞美，谓其易世之后，必能电扫欧洲，真令吾人有受宠若惊之慨。彼之所以张大其词、危言耸听者，盖欲联欧西皙种诸民族为一大同盟，并力一心，以歼灭吾黄种而后快也！美国者，素重人道之国也。林肯释奴，光耀简书，排斥异种之事，宜若可以不作。乃加州美人，于吾黄色人种，视之不啻洪水猛兽。吾国衰微，人民之受迫害侮辱，犹有可说。

日本者非所谓一等国耶？非世界列强之一耶？何以日本侨民所受迫害侮辱，乃较吾华民为尤甚。可见晳人绝非以强国排斥弱国，实以晳种而排斥黄种也。然德皇维廉二世好大喜功之君主也，克鲁巴特金军人也，加州之排斥黄人，惧夺其生计也，此皆无足深异。记者所最惊心动魄者，则倭根（R. Eucken）、赫克尔（E. Haeckel）二氏痛斥英人之宣言书，及法人反对招致日本兵之论也。当欧洲大战之初起也，倭根与赫克尔共撰一文，宣告天下，责英人以条顿民族之尊，不应使黄色人种加入战争。又谓俄人为半东洋、半野蛮之民族，英人不当与之联盟以残同种。又德军侵入法境，锋不可当。法政治家比兴氏，主张招致日本兵于西方战场，以资臂助。其说一倡，赞成者虽亦有人，而大多数之舆论大哗，谓借助黄人实欧洲高贵民族之大耻，事遂不行。呜呼！吾亲爱之青年，亦知倭根、赫克尔为何如人乎？倭根者，盖当代大哲学家，赫克尔乃达尔文后生物学界之泰斗，以硕学大师，似不应怀此狭隘之见解。孰知彼所谓"精神生活"，所谓"内的生命之奋斗"，与夫万有皆神之教理，乃皆对于天骄晳种而言。若夫东洋诸民族，则皆与犬羊貉子等视，不齿于世界人类之林。俄国为半东洋，即为半野蛮，此虽敌国丑诋之辞，然其贱视吾东洋，贱视吾黄种亦可概见。呜呼！硕学大师之所见如此，其军人、政治家尚复视东洋人为人类耶？法国招致日本兵之论时，正德军长驱猛进，气吞全法之日。当时法兰西之危急，殆无异师丹梅兹败绩时也。比兴氏所主张能否实行，姑置不论。当时反对党之说，则大都谓东洋人为最猥贱之民族，欧洲诸国兄弟阋墙，不当招奴仆为助。夫人当落井求援之日，但望有人援之以手，宁复计及其人身份之若何？乃法兰西当危急存亡之秋，犹不欲借助黄人，自伤晳种尊严，其平日之贱视吾黄种为何如？他若"亚洲之事当以亚洲人之血解决之","亚洲人固吾人之臣虏",则固时时见于英伦之报纸者。更就各国之待遇俘虏观之,于皙种则遇之甚厚,于有色人种则待若牛马。同为敌人,同为俘虏,而待遇之宽严厚薄,判若天渊。皙种于吾东洋民族,宁复视为人类耶？呜呼！欧美人骄盈者则视吾曹为仆隶臣虏,枭桀者又视吾曹为强对大敌。此次欧洲战争终局以后,即为黄白人种阵师鞠旅以决生死之时期。吾国既为东洋诸民族之领袖,又为皙种诸国所侧目。妖云祲霭,匝地而来,不特吾国之生死存亡责在吾曹青年,即东洋诸族之盛衰兴灭其责任亦全存我躬。欧洲皙种既自觉黄白二种之不能两立,又必并力一心,以死拒捍。克鲁巴特金将军皙种大同盟之说绝非虚语,恐不待易世之后,将见实行。书契以来,任何民族,任何国家,其责任未有如吾曹今日之重者也。吾曹之危险既如此其大,其责任既如此其重,吾曹之努力若不能超过欧洲诸民族近世所费 Energy 之总量,则夷灭之祸,无可幸免。此记者所以泪竭声嘶以求吾青年诸君之自觉也。

四、国家之存亡在科学之精粗。今日之世界,一科学世界也。举凡政治、军事、工业、商业、经济、教育、交通及国家社会之凡百事业,无不唯科学是赖。科学精者其国昌,科学粗者其国亡。精科学者生,不精科学者死。而自然科学尤为国家生存发展上第一要素。盖不能征服自然之民族,必不能征服敌国,终为他人之所征服也。今日欧洲战争,德意志人齐泊林飞艇之功用,潜航艇之精巧,四十余生的巨炮之威力,毒瓦斯之猛烈,此吾青年之所熟知也。其设备之周密,储蓄之丰富,又吾青年之所习闻也。德意志诸邦皆硗确荒寒之地,物产既寡,海岸线复短,论其天时地利,皆远在英法诸国之下。百年以前,全国皆贫乏之荒村。哲学家之外,但有无告之农民而已。拿破仑之铁骑纵横驰突,如入无人之境。普鲁士之君后至于长跪拿破仑之前以乞哀,盖世界最贫弱之国也。即在半世纪以前,其国际位置犹居末座。乃自前世纪末叶以来,兴隆大好,国势日盛,骎骎与英国并驱争先,声名文物,冠冕世界。考其勃兴之原因,则科学而已。天之所废科学能兴之,已覆之邦科学能复之。科学之力,直足以夺造物之巧,非仅与异国争衡已也。德人科学最精,故其器械之巧,工业之盛,亦为举世之最。橡树之皮,本产于热带,为德国诸邦所不生,而其用又至繁,军事上需要尤多。德人精科学,故能以人工造之,虽被封锁,不虞不给。靛与蔗亦热地之特产也,德人精科学,能以人工造之,不惟不仰给他人,且转而供给世界。空气造火药,至骇人听闻之事也,德人精科学,能利用其中窒素以为之,攻战二年,弹药不匮。矿山中盐类,至无用之物也。德人精科学,能以制造毒瓦斯,一瞬之间,杀敌无算。平时则以经济制胜,战时则以利器克敌,皆自然科学昌明之赐也。今之战争,幸协商诸国,科学亦颇精深,较德人稍逊一筹耳。然即以此一筹之稍逊,法则丧师失地,覆败相寻,竭其国力,仅能自守。英则首都常为飞艇所蹂躏,航业日为潜艇所侵扰。加莱阵地,三倍德军而不能进击,潜航商船发明,巨舰八艘而无所用,科学竞争如是其剧烈。国于今之世界,研求自然科学,为有国者第一急务,万事皆可缓图,此则不容稍懈。乃反观吾国青年学子,以法政文学知名者,尚不乏其人,独于自然科学,未闻有能深造者,良可哀也。吾青年当知德人之不即能灭吾种类,特以事势不许耳。他日飞艇东来,则彼以一师之众,数月之间,可以尽歼吾四万万人而有余。言念及此,真令人不寒而栗也。法政诚亦重要,文学非不可宝,苟能精之,又岂恶事?然观于今日欧洲战争,化学工业之功用,实较法政文学为尤重。吾国所需，亦以此为最急。不此之务，则实业军事，两无进步之期。一旦有事，固不啻束手就戮。即在平时，工商竞争，亦必以困乏自毙。吾中国之兴废，在青年之能否务此而已。

（第二卷第二号，一九一六年十月一日）

法国青年团

谢 鸿

一、青年教育偏重军事

青年教育,偏重军事,为世界各国所无,有之自法国始。盖法国自普法之役,蒙割地偿金之耻辱,数十年来,举国上下,复仇之念,一日未尝去怀。其扩张军备,以统计上之人口关系不能凌驾德国,思以个人之精神与体力凌越之。此青年教育之设施,立于国防见地之下之所由来也。距今二十年前,陆军总长皮罗,即主张全国青年,当施以军事教育。嗣后国内之青年团体多按军事组织,凡团内所规定之各项条件,全仿军队之服务,浸渐至于今日。法国青年之风尚,已有军队式之趋向。故法国青年教育之目的,所谓养成义勇青年者,毋宁谓之养成义勇军人也。此等教育宗旨在当时虽有反对之议论,自议会宣言国家兵士,当出自此等青年之中,以后反对之声遂寂无所闻。吾人推原其故,其所以得社会之大多数心理赞同者,无非复仇一念驱之使然,嗟乎!法人爱自由,其独立不羁之精神,于兹益见矣。

二、适任军事证书与射击会

适任军事证书，法国以之奖励青年，其效果各团队因此法而得统一。但青年中能得此证书者颇不易，须经一定考试。其法先检查体格，次验能否耐长时间之运动，又次为体操、打靶、读地图、描地形、测量道路等项，获选者享有特典。未达丁年得提出入伍志愿，及入伍时得任意选入部队，并于停年之最下限，得进上士阶级。此外，在法国青年教育团体之中，有一特殊团体，曰射击会。由政府提倡，分设于各地方，并严令各学校附设此会。据最近之调查，在各地方单独组织者，计二千所，会员达三十万人；附属于小学校者，计三千所；附属于中学者，计百六十所；附属高等专门学校者，计五十所，均受国家监督。因此项教员缺乏之故，特设射击科科目于各学校内，以便养成教员。故射击科学生一经卒业，即予以种种特典，亦政府奖励射击术之意也。

三、军事预习会

军事预习会者，凡小学校卒业学生，未至服兵役之期，利用此时间，使之预习军事也。因此其国内青年，自十七岁至二十岁，约在入伍前二年，不但授以体操，使之强健身体，并仿军队之教授初年兵科目，授以射击术及各种操练。期满，择其优者，给以适任军事证书。会中实习之期，每年始于十月，终于翌年八月或九月。会员定于星期日出操一次，以星期计之，一星期之中约操二次。有时利用夜间，余暇得操三次。其教法虽取严重教育，惟恐积久生厌。于操演后，间为奏乐演艺或游戏。会员中有具将来入骑兵队之志愿者，使练习乘马。有具体操教员之资格者，在兵役中，特授体操科之教育。每年自陆军体操学校出任体操教员者，计二百四十人。故全国之体操教育有统一之状况。现今预习会会务，日益发达，会员中得适任军事证书者甚多。其军事当局对于此会极表满意，非无故也。

四、陆军部令与国民教育会

千九百零八年十一月，法国陆军部，颁部令，大旨以军事预备教育与军事完全教育及体操教育，依下列之三种机关实施之。

一为政府之机关，于官立诸学校之学生会实施之。

二于政府认可之协会实施之，其会员有若干特典。

三于未经政府认可之自由协会实施之，其会员无何等特典。

其属于上列第二项之协会，非赞成协会事业之法国国民不得入会。其会员以未服兵役之青年与现在兵役者，以及服满兵役之地方人士组织之。若附属于学校内之协会与政府认可之协会，其享有特典，毫无差异。此外，仿英国少年团设国民教育会于巴黎，关于军事上之要求，所订科目较多于英国。其考试时，检定会员之成绩均在军事以内。此种青年教育之各团体，在法国受所在地最高军官之监督指导。因团队之请求，每团置将佐一名为顾问，并置下士数名为教官。军器自陆军部发给，子药于预算之范围内，得支给之。至操演团队，准假用该处之军用地。今兹欧战以前，军事预备教育及体育之协会，其总数已达八千五百余所，其内经政府认可者六千余所，会员达九十万人以上。呜呼！盛已！

（第二卷第二号，一九一六年十月一日）

新青年之家庭

李 平

吾师彬夏女士，造"基础之基础"论，有云："予尝著论谓中国街道之污秽，原于家庭之污秽。因家庭为吾人饮食起居之地，最易造养吾人之习惯。试思始落母胎，呱呱坠地，其地即家庭。凡目所先见，耳所先闻，手足所先接触者，为家庭与家庭之事物。其后成长于此，老死于此。则家庭者，此躯壳之所寄存，而灵魂之所依附也，最易造养吾人之习惯。若家庭污秽，吾人即习惯于污秽，无往而不污秽，且莫觉其污秽。谓予不信，试观中国，其街道之污秽如同家庭，无城乡市镇皆臭。即往欧美唐人街，仍黑暗臭秽。而欧美人虽移在吾国，仍清洁整齐，其街道亦平坦阔大。是则家庭之清洁能使人习惯清洁，并将其所至境域，亦变清洁也。"又云："予故曰改良家庭，即整顿社会也，岂专指清洁与污秽而言。家庭于社会之影响，此其一耳。"（俱见《妇女》杂志本年八月号社说第二页）旨哉言乎！家庭与吾人及社会之关系既如此密切，故前此国人之腐败，青年之堕落，要皆恶劣家庭所养成。家庭不良，社会国家斯不良耳。今之谋革新者，独舍家庭而求之社会国家，讵有济乎？欲为新青年筹改造新家庭之准备，因作斯篇。挂一漏万，在所不免，世有同调，幸垂教焉。

一、家庭之组织,仅许一夫一妻,及未婚之子女。

二、家庭之出纳庶务,均由主妇主张之,男子无干涉之权。

三、子女必受同等之教育。

四、男子不置妾,女子不畜婢。

五、亲子之关系,专为义务的而非权利的。亲不得视其子如货物,责以报酬。

六、亲不为其子谋婚嫁。

七、教育、卫生二项,岁为预算之巨额。

八、成年之兄弟姊妹弗同居,财产必独立。

九、主妇宜助理杂役,勿多雇佣仆。

十、子女须具自立之人格,勿妄想父母之遗产。

十一、衣食住三者应用科学的方法,务求合于卫生及经济之原理,且养成子女良好之习惯。

十二、交友不事世俗浮文,以免应酬之劳,节消耗之费。

十三、婚嫁力戒奢侈,择配完全为子女之自由。

十四、丧葬务求简便,实行火葬制。

十五、家庭必陈设精洁,父母必以身作则,以为家庭教育之基础。

十六、常率子女旅行他乡或异国,以广见闻而增阅历。

十七、家中须备运动场、藏书室、屋内游戏具,四壁悬英雄名人像、科学挂图,以谋智力之发展。

十八、男子务为直接生利之职业,以益群众而利生存。

十九、女子必习医理,谙教育学,生产必在医院。

二十、节用贮蓄,以应不时之需。

二十一、采用保险法以免临时危急。

二十二、子女月给另用，不复理其琐事，养成其独立自主之习惯。

二十三、家宅择离市场近学校之地为宜。

二十四、力戒吸烟、饮酒、狎邪、赌博及其他嗜好，以造成健康和乐之家庭。

二十五、人不能离社会而独立，无时无地不与社会相接触。故必于职务家事之余，勉为社会服务。及子女长成，另组家庭，为父母者负担既轻，更当注全力于社会事业。

二十六、国家主义之下，人民均有政治责任。故当成年之后，即宜与闻地方自治选举代议士等事，勿复规避。

作此稿甫竟，勿忆六七年前，吾母校校长黄韧之先生，曾述"理想的家庭"，登载第一年《教育》杂志。然兹篇所述，专为新青年设法，非为老者、壮者与夫比，诸老者、壮者之青年而发也。质之黄先生，以为何如？

（第二卷第二号，一九一六年十月一日）

青年之生死关头

李次山

"死"字之定义何说乎？任询诸何人，必曰食息机能停止之谓也。然食息机能并未停止者，便可谓之生乎？此义唯生理学为然，外此初不尔尔。赞扬死人者，恒曰死且不朽。诋毁生人者，恒曰走肉行尸。此虽出于客观的论评，而下字初非无据。盖生死云云，固可由形神两面分观者也。机能停止者，形之死，形死而神生，斯死且不朽矣。机能不停者，形之生，形生而神死，斯走肉行尸矣。形之生死，本于自然。上寿百年，无不蜕化。神之生死，柄操自我。果欲自生，无得而死之者。吾人之于青年，不能抱死且不朽之奢望。然在机能活动时间，走肉行尸之恶评，固尽人所不乐受者也。况无神之形，不可久存。既已蠢然尸，块然肉，则其行与走，亦刹那间事耳。古人云，死生亦大矣。自然之死生，不得不听之自然。人为之死生，其途径固有分明可辨者。我生气勃勃之青年，其亦乐闻于此乎？

一、享福与刻苦

孟氏子舆谓"人生于忧患，而死于安乐"。其理即已发无余蕴矣。顾人生不能尽于忧患,唯安不忘危者,戒慎恐惧,常若履薄临深。斯日在忧勤惕励之中,不暇置身于安乐,此即刻苦自持之说也。国人于此等教训,已成玩弄光景,充耳不闻,仿佛老生常谈者也。不知人类之堕落,靡不由浪费而来。浪费者,贪图娱乐,惮于刻苦之结果也。浪费时间,为自促其寿命。浪费资财,为自削其能力。譬犹度同一之岁日,人则唯日孜孜,我则无所事事,是在人得岁月之实用,在我与不度无殊。虚度光阴,谓之不生可也。纵寿比彭祖,仍与蟪蛄无择。得同一之资财,人则自活经年,我则到手辄尽。是人已从容逸豫,匮乏无虞。我尚敝敝营营,终无担石。两相比较,谓之生活能力,远逊他人可也。纵日进万金,仍与乞儿无间。寿命等蟪蛄,能力等乞儿,其去死也亦近矣,况其害毒犹不止此。

　　法儒路易普洛耳著《政治罪恶论》,盛称政治腐败,根于奢侈娱乐,征引史证,历历不诬,结论以淡泊质实,为克免败行之唯一良法。大法官罗比塔耳且谓内乱之源,亦基于娱乐侈靡,曾发布节用条例,以矫末流。盖多欲怠荒之人,耗费多而生财寡,出入不相应,必至取求情急检择不遑:手握政柄,则揽暮夜之苞苴;身居闲散,则涎他人之黄白。智取力夺,各因其时,贿赂吞没,劫盗兵戎。其原因一也。最近日本首相大隈重信,于袁前总统病毙后,发布长篇演词(载《新日本》杂志),明示儆觉吾人之意。其中警语,有确为我辈针砭者,摘译如次:

　　……贿赂为华人通病,此种害毒,实于享福主义植其根。盖享福须资财,无资财,则金屋藏娇、羊羔美酒之繁华春梦,杳不可得。求财之道,莫便于入官。以故华人欲望,只在富贵功名。映雪囊萤,初非别有志愿。盖一经腾达,则辇金门下者,源源而至也。取尽锱铢，用若泥沙，苛敛繁征，人民憔悴。少数之享乐，其祸及多数也非一日矣……此弊不除，欲求国运挽回，永世无望……

……西洋宴饮，至久一二时间，足以了事。华人则通常须三四时间。自古名流，好作长夜之饮。其酒池肉林之穷极奢靡，尤不论也。彼等为谋口腹之欲，牺牲时间与财力，岁有几何？巧历莫算。失败死去之袁世凯，特贪恶享乐之一人耳。袁氏著名之夫人凡六，嬖妾不知凡几，嫡庶子女，几三十人，口腹享乐，亦无限量，爱国云乎哉？爱民云乎哉？华人而欲自存者，不可不醒此，享福主义之痴梦……

他山之石，可以攻错。大隈药石之言，吾人所当永志者也。蒿目时流，鲜不荒嬉纵欲。青年学子，亦相率鲜衣美食，甚或抛弃正业，从事蒲樗花柳之行，一如日暮途远。故倒行而逆施者，耗时无论矣，试问与经济能力果相应否？既不相应，则倾家而享用不支，倾家而债负山积，在官不得不削民膏，以填欲壑；在野不得不奔走权贵，冀入宦途。虽卑鄙屈辱，无所避也。再不得志，则作雨兴风，凌法乱纪，以济其穷。其人岂性恶哉？享福主义，有以驱之。言念前途，罔知所届矣。

闻者疑吾言乎？盍观最近之例证，举世唾骂之筹安六君子，固无一非浪费之人也，就中酷嗜鸦片者凡五。首犯杨度，妻妾盈下陈。孙毓筠宫室服御，拟于帝王。严复侈靡，虽略逊孙氏，而吐雾吞云，西餐旨酒，亦日耗巨资。其污我学界之立国精神建议案也，破我国家之君宪救国论也，尽骗取金钱之方法耳。脱彼六人者，能刻苦自励，则无一人有与袁氏谋帝之事。吾人直敢断言，盖孙氏故铲除帝制之革命健儿，严氏亦淹博中西之老成硕学也，乃以纵欲无极之故，不能不败乱法度，祸及身家毒痛全国，夫亦大可哀矣。我亲爱之青年，其速自审所处。

二、诚实与虚伪

忠信笃敬，行于蛮貊，至诚足以感人也。群疑众难，同舟皆敌，作伪心劳日拙也。诚实与正直相倚，宅心纯正，无所避忌，处世接物，自敢披露襟怀，人之相与接触者，亦坦怀以报。虚伪之人，自知其言行之非是，不得不蔽其真相，而以假面示人。其结果则尔诈我虞，举足荆棘矣。故曰虚伪之人，奸邪而兼怯懦，终以是自绝于人，招致苦痛（英儒斯迈尔斯语），且不宁唯是。凡诚意未至者，处事之际，有初鲜终。盖客气所乘，转瞬消阻。较诸精诚一贯，百折不回者，成败之数，不待烛照龟卜也。

海通以来，我国民族以狡诈闻于天下。工败于肆，商败于市，靡不以是为因缘。甚至制度典章，语言文字，他人视之，直同儿戏，否亦粉饰壮观已耳（外人此等言论甚多，不及备述）。呜呼，天下滔滔，谁复能至诚无伪？唯我（国）人世受野蛮政制之熏陶，虚浮作伪之习性实已深入脑底，不可不反躬自省者也。

人心诚伪，证之于言行。心口如一，行必足以副之。言不由衷，斯行不相顾。文字之作，所以传达语言，无远弗届者也。古人不苟言笑，史官记事，虽一字褒贬，死生以之。存信立诚，所关至巨。自晋魏以降，崇尚文词，侵至衡文取士，制为典例。于是秉笔之辈，但冀美观，害意失实，举非所问。称文字之极致者，曰咳唾生珠玉，曰掷地作金石声，合乎情实与否，初不之计，盖已离文字本旨，而以美术视之矣。洎乎明清，以八股牢笼天下，始犹借口代圣贤立言,末俗所届,演为截塔偏全。种种名目,命题即无意义可寻,作者自积字成句,积句成章,大文煌煌,叩其命意所在,陈述何事,罔不哑然失笑。于是所谓文字者,更离去情实,而另成一种工艺品质,供匠人雕琢之具,竟无诚伪可言矣。晚近废除八股,而文人结习。强半未除,任为何种表示,大都满纸琳琅,羌无故实。髫龄黄口,亦学作拟圣齐贤、治国平天下等狂言妄语。不复知天地间有羞耻事,痛矣夫。国人之相率为伪也,口仁义而心盗跖,文人无行习等故常,盖文字与言语,言语与行为,各不相关久矣。习与性成,积非成是,侵至全国上下,无一诚实不欺之人。其人尽不人矣,国复何以为国?

　　黄梨洲之论教育也,谓"时人文集,古文非有师法,语录非有心得,叙事无裨史学者,不许传刻。其时文、小说、词、曲应酬代笔已刻者,追板烧之。士子选场屋之文,及私试策义,蛊惑坊市者,弟子员黜革,见任官落职,致仕官夺告身"。其痛绝虚浮,崇奖真实,诚文学界千古创论。独惜蔽于旧惯,语未透宗,盖拔本塞源。与其凭借威权,禁绝传刻,不如改良文教,禁绝发生之为愈也。况由今之道,无变今之俗。所谓师法,所谓心得,所谓史学,又何一非装点文词之具?经典史乘,久失威权,故事格言,徒供掉弄,于世道人心,宁复有丝毫感化之力。用以饰非文过,自欺欺人已耳。呜呼,文字为人类进化之利器,我得之,乃受病至是,语其详尽,必待专篇。而造成虚伪之积习,已足亡国灭种而有余矣。顾瞻前途,曷胜隐痛,此不能不为我亲手垂涕道之者也。

　　今兹学校教育,士习专科,试场问答,自非昔比。然毒根深远,士林好尚,迄未改移。我青年欲自储实力以立足于竞争场乎,欲屏绝虚浮作伪,以固民族与自身之大信乎,不可不制为自治规律,曰:

"凡非文学专家,而肆力于美文者,与众共弃之","凡虚浮夸诞之文,无裨实用者,不令淆我视听","凡力所不能,心所不欲者,决不出诸言语与文词",果能依律实行,则譬犹昨死今生,易俗移风,指顾间事耳。

三、事业心与侥幸心

贪权乐利,人类之天性也。用术语以明之,则前者为政治上之欲望,后者为经济上之欲望。人无欲望,则万事俱休。其捐弃权利,以恬淡谦退自甘者,必其所得之代价超于现实权利以上(上者,不朽之令名。次者,较大之实利)。否则知现实权利之必不可得,转而他图者也。然权利与义务相倚,片面之权利,举世无之。此法家之常谈,亦自然之理法也。无义务而贪图权利,非法所许,非理所容,尤非事势所可。故真能恃权乐利者,必以义务供其代价。孟子曰:杀人之父者,人亦杀其父;杀人之兄者,人亦杀其兄。又曰:爱人者人恒爱之,敬人者人恒敬之。因果循环,理无幸致。不能造福利于社会,而欲福利之及乎己身,真南辕而北辙也。

吾人之恃权乐利,无以异于恒人。而士子热衷权位,尤非他族可比。权位所至,利禄随之。享用出乎寻常,尊荣超乎庸众也。刘季睹帝室威仪,谓大丈夫亦当如是。对于皇位,犹生问鼎之心,暴骨横尸,无所顾恤,过此以往,更无论矣。近期朝政翻覆,耸身求售者,无虑满谷满坑。今次统一告成,奔集都下者,几二十万。呜呼,若而人者,其尽关心政局,身系安危者乎?其问心将为当世造何种福利者乎?比而出之,不外三种:其一为役于享乐,博得半职一官,便可安坐以徇兽欲。其二为中于虚荣。革命时代,不乏以草茅下士,致身通显,旁观健羡,群起争趋。此外少数,则迫于生计者也。百废不兴,万民失业,一身一口,无地自容。凡此三种,律以理法,皆不能宽其责备。据情定谳,名曰"侥幸存心"。宇宙至广,吾人盘旋之地,宁复有限。日所出入,无不照英人国旗,其人岂好游乎?无亦英伦三岛,不敷展布耳。我乃郁郁东亚一隅,亦何不广。再退一步,谓国力未实,不足以语殖民。而一国以内,应举之事,奚啻千万,旷土之待辟也,交通之待开也,教育之待兴也,宝藏之待启也,任举一事,穷万众之力,犹不足以赴之,得利得名,何虑不各如其分。乃目光专注政治中心,毋亦争名于朝之故智。徒知此现成有数之国帑,争欲坐尝一脔,以遂其惰气欲心已耳。惰气所乘,不思进取。苟自甘淡泊,犹无害也。顾复热衷荣利,冒死不辞,岂非希冀无义务之权利,欲侥幸以成之者乎?世容有侥幸于万一者,若尽人以侥幸为心,则其成功也,享逆天之乐利。其失败也,满怀不逞,危险思想,缘以发生。民族国家,胥受其病。本身堕落,犹细故也。英儒斯迈尔斯有言:"怠惰放逸,而求快乐,乃绝对不能之业。快乐与幸福,唯勤勉与劳动者得之。"又曰:"怠惰二字,足使人之肉体精神与良心归于毁坏没灭。世间之败行与悲运,十九由怠惰而来。"怠惰者,侥幸之原;勤勉者,事业之母也。不自谋事业而仰食于社会,衡诸因果律,当受饿毙之刑,顾欲得逾分之享乐与荣施乎?吾为此寄生虫危矣。

四、自立心与依赖性

造物生人,各赋五官百骸,分司知觉运动,将谓人类得此,可以各适所求也。吾人具此本能,益以祖宗传来之。习练教训,其能力即超乎万般生物以上。此本能与习练教训，在人群中，又大率平等无殊异。于是乎吾人在理法上，对于造物，对于自身，对于人群，有自适所求之职责。否则自拟于藤萝，自侪于狼狈者也。换言之，凡不能自视者，为自瞽其目；不能自听者，为自塞其耳；不能自言者，为自喑其口；不能自动作者，为自毁其肢体；不能自感觉虑思者，为自失其神经脑质。凡此种种，谓之残废，谓之笃疾，谓之人格不具，均无不宜。人格不具而出于天然，虽不能享人类幸福，犹受相当之矜悯。倘竟出于自作，则其丧失人类幸福，乃自招之惩创也，与造物与人何尤？

吾人有忘怀于人类幸福者乎？饥不能无食，寒不能无衣，居处不能无栋宇，此生存之最小愿望。所需于人世者，已若是其伙，况乎愿望之进日无已也。愿望无已，斯相需无已。依主产分配之原则，自本所业以供世用而易所求，人己之间，乃能各得其所。否则人之与人，谁负养人之义务？谁有受养之权利？无权而责养于人，谓之横暴，横暴者，人将嫉恶而诛除之；无权而求养于人，谓之卑鄙，卑鄙者，人必轻贱而役使之。受诛者死，受役者奴。不欲为奴，则人将能除其养，仍困顿以即于死。故不甘为奴而欲自存者，除自养外无他道也。凡自居残废之人，不能不仰他人之给养，其结果，则非死即奴耳。

吾国所谓德教，固有迫人使不得自立者。三纲为德教之根源，为君者奴其臣，为父者奴其子，为夫者奴其妻。臣子与妻，既无自主之余地，而列入奴籍矣。祈庇荫于君父与夫，又自然之法则，盖奴人者，固有庇荫其奴之义务也。谬种流布，迄于今兹。易君主以总统，而家庭组织如故。人民之仰赖父夫与君主化身之总统，一如曩日。不知父人也，夫人也，总统亦人也。人人相倚，举国上下，无一独立自主之人。与他国遇则自为奴国,与他种遇则自为奴种。人主我奴,以奴抗主,败也宜然。呜呼,奴隶德教,不能根本铲除,民族生存,断无望也。

前述状态,为对于特定之人而依赖之,犹得委为德教所诏,非我自奴而人先奴我也。彼不耕而食,不织而衣,不生产而消费者,遍地皆是。其依赖农工与生产社会,宁复有奴主之事实,无亦单纯之蠹虫已耳。人类间有此大蠹,不能悉予诛除,则同归于尽,无或幸也。我新时代新人物之青年,其落奴隶德教窠臼,以自抵于亡乎?其蠹虫自居,以同归于尽乎?抑奋志健斗,以自求多福乎?成败荣辱,一唯自择。

(第三卷第一号,一九一七年三月一日)

青年与老人

李大钊

现代之文明,协力之文明也。贵族与平民协力,资本家与工人协力,地主与佃户协力,老人与青年亦不可不协力。现代之社会,调和之社会也。贵族与平民调和,资本家与工人调和,地主与佃户调和,老人与青年亦不可不调和。唯其协力与调和,而后文明之进步,社会之幸福,乃有可图。

青年贵能自立,尤贵能与老人协力;老人贵能自强,尤贵能与青年调和。盖社会之优美境地,必由青春与白发二种之质色、性能缀配匀称,始能显著而呈鲜明壮丽之观;否则零落消沉,无复生气矣。故青年与老人之于社会,均为其构成之要素,缺一不可。而二者之间,尤宜竭尽其所长,相为助援,以助进社会之美丽、文明之发展。若为青年,则当鼓舞其活泼畅旺之气力,为社会摧除其沉滞之质积;若为老人,则当运用其稳静深沉之体验,为社会整理其善良之秩序。若夫互相轻侮与妄自菲薄者,如老人一闻青年之行动,辄骇为危险;青年一见老人之云为,辄嗤为腐败。此其无当,正与青年之以后进自贬,老人之颓衰自废者无殊。吾人均认为野蛮的,非文明的;专制的,非立宪的。若而青年,若而老人,皆在吾人排斥之列矣。

吾尝论之，群演之道，乃在一方固其秩序，一方促其进步。无秩序则进步难期，无进步则秩序莫保。阐论斯旨最精者莫如弥尔，其言曰："凡于政治或社会之所企，无独关于秩序者，亦无独关于进步者，欲兴其一二者当必共起也……进步之所需，与秩序之所需，其质相同，唯用于进步者视用于秩序者为量较多耳。安巩之所需，与进步之所需，其质亦无异。唯用于安巩者视用于进步者为量较少耳。安巩也，秩序也，进步也，盖同质而异量者也……一群之中，老人与青年之调和，有其自然之域界。老人以名望地位之既获，举动每小心翼翼，谨慎将事；青年以欲获此名望与地位，则易涉于过激。政府有司调和于老人、青年之间，苟得其宜，不妄以人为之力，于天然适当之调和有所损益，则缓激适中，刚柔得体，政治上调和之志达矣。"（一）古里天森氏《论世界观与政治的确信》，谓皆基于二种之执性，即急进与保守是也。亦曰："有一义焉当牢记于心者，即此基于执性之二种世界观，不可相竞以图征服或灭尽其他。盖二者均属必要，同为永存。其竞立对抗乃为并驾齐驱，以保世界之进步也。"（二）准二子之言，益知世界之进化，全为二种观念与确信所驱驰以行，正如车之有两轮，鸟之有双翼，二者缺一，进步必以废止。此等观念，判于人之性质者，即进步与保守；判于人之年龄者，即青年与老人而已矣。

　　轻蔑老人为蛮僿社会之恶风。中央亚非利加之土人，将与他部落战争时，必先食其亲。盖恐战争一经开始，老人易为敌所捕虏，或遭虐遇，甚至虐杀。故为老人者，宁以为己子所食为福；而为之子，亦以食其亲为孝，诚奇闻也。马来群岛之布尔聂伊附近某岛中人，遇达于一定年龄之老人，则穷追之，使登于亭亭大木之颠。部落中之青年，群集于其下，摇其木使之坠地而惨死焉。日本古代亦有姥舍山之语，相传为舍弃老人之地云。此以证老人于未开之群，实无生存之资格。文明进步之结果，老人之价值乃从之日增。现代文明诸国，对于老人之平生卓著劳绩于其社会国家者，且与以养老年金，以为晚年之慰安，而寓报功崇德之意焉。其故一由于社会之进步，争存之道渐由腕力而趋于智力也。蛮人社会上之地位由腕力之强弱而分优劣，文明人社会上之地位，则由智力之深浅而判崇卑。未开时代之老人，以于腕力为弱者，故遭虐待；开明时代之老人，以于智力为优者（西谚有云：白发即知识之意），故蒙敬礼。今日之社会，实厚与老人以与青年竞争之机会。此老人所当益自奋勉，以报答社会之恩宠者也。一由于老人之自强，体力益以健康，智力益以丰富也。老人之体力，虽视青年为衰，而依其不断之修养，亦可减其程度。而其知识与经验，乃足以其长于青年者补其体力之所短。故其为用于社会，亦殊无劣于青年。吾闻欧美老人之活动于社会者，为数之众，使人惊叹不置。今日之老人，实能多助社会文明之进步，此社会所当设立种种制度，以酬慰老人对于社会之勋劳者也。盖夫宇宙之间，森罗万象，莫不有其存在之意义。苟存在于兹世，即有应尽之职分，可为之事业。西谚有云："不劳者无食"（Man that does not work shall not eat）。老人岂得以老人之故，而有坐食之权利耶？吾爱二十四岁为英国内阁总理之比特，吾尤爱以八十四龄之老躯为爱尔兰问题奋战之格兰士顿；吾敬以二十六岁之青年，驱百万雄师，越亚尔白士天险征服意大利之拿破仑，吾尤敬以八十二岁之老翁，驰驱于铁血光中，卒以委骨伏尸于战场之罗巴慈。

吾国现代之老人，以其于青年时代既无相当之修养，一臻耄耋之年，辄皆呻吟辗转于病榻之间，投足举手尚待青年之扶持，其智力之固陋，亦几不识今日之世界为汉唐何代。青年而欲与之协力，与之调和，殊为至难。吾人唯有怜之、惜之，以奉养之，此外无所希望于彼等。吾唯盼吾新中国之新青年，速起而耸起双肩，负此再造国家民族之责任，即由青年以迄耄老，一息尚存，勿怠其努力，勿荒其修养，期于青年时代为一好青年，即老人时代为一好老人，勿令后之青年怜惜今之青年，亦如今之青年怜惜今之老人也。

（一）见 Mill, Consideration on Representative Government. 第二章 The Criterion of a Good Form of Government.

（二）见 Christensen, Politics and Crowd-morality. 第一章 World-View and Political Conviction.

李君此文，引弥尔、古里天森工氏言，以明社会所需进步保守之量，义极精确。劝戒青年不可轻蔑老人，愚亦以为有至理。唯吾青年对于李君之教言，不得不有二种感想：其一则吾国社会，自古保守之量，过于进步。今之立言者，其轻重宜慎所择。其一则此时国人之年龄，与智力为反比例。倘由智力之深浅而判崇卑，则吾国之老人，当敬礼少壮。愚甚望现时诸老人，其勿误会李君立论之旨，真自以为于社会文明之进步，已有何德可崇，何功应报也。质之李君，以为然否？

独秀 识

（第三卷第二号，一九一七年四月一日）

青年之自己教育

朱如一

朱子曰,成己方能成物。苏格拉底曰,欲动世界者,须先动其自身。斯迈尔曰,人所自造,多于被造。上下数千年,东西数万里,圣哲贤俊所见皆同。诚哉,人之不可不自己教育也,而于青年为尤甚。

盖以心理学、生理学言之,人当少年,身心之发达最盛。举凡身体之发育,知能之储蓄,品性之修养,为未来生活之根本者,均必于青年时代植其基础。西哲谓人生最初之二十年,足贮终生之能力,植毕世之根基,殆可当人生之半世,非謷言也。此青年之不可不自己教育者一。

又自生物学论之,有机作之能力为一定,长于此者必拙于彼。人当少年,无室家之累,无社交之繁,正当乘此时机专意修养,举全力以发挥我之良知良能,光大我之特性异禀,使我自成一人物。若玩日愒时,不此之务,一旦置身社会,则即为职业所范围,义务所限制,收入支出,仰事俯畜,营营终日,碌碌穷年,力既不能兼顾,时又无暇及此,虽欲努力,恐亦不及矣。此青年之不可不自己教育者二。或曰我侪自呱呱堕地,以迄弱冠青年,育之者父母也,教之者师长也,故造就我侪者,父母、师长也,是固然也。然愚谓父母师长之教我，其成功终不若我侪自教之速，其效果终不若我侪自教之伟。盖父母师长之教训，外界之刺激与制裁耳，效果仅及于形体之表。而吾侪心内自由活动之精神，则终非父母师长所能赋予。虽有时振奋之力，不得不假之父母师长之教训。然客气难久，有待于外者，终不足恃。刺激既去，怠弛依然。故万事动力之原，不得不属之我。我以外无论何人，皆不能使我之能力实现。我苟不弃我之能力，斯无不能为之善行。不然者，虽父母师长严教厉训，亦徒制其外。一旦离亲辞世，独身涉世，未有能免于放僻邪侈者，非至丧己不已。苟不成己，便为自弃。成己者我，自弃者我，为善为恶，我自为之。吾为此言，非轻视父母师长之教训也。人当幼时，一无所知，意志之方向尚未一定，必有他意志动于其上以规定之。父母师长之教训固不可缺，然父母师长教之而我不能领受则如何，能领受而不能实行则如何，能实行而不知其实行之所以则如何。

一言蔽之，教育无效而已。彼五谷之生也，固恃乎耕耘灌溉，然苟其种子自身无生活力，则必无成长教育之望。青年而不能自己教育，亦终于无成，与无生活力之种子等其结果耳。故吾侪对于本务，未知之前，重在父母师长之教训，既知之后，重在自己之力行。父母师长导其端，而我自收其成者也。呜呼！青年者，将成而未成之人，不于此时自成，更何待乎？

（第三卷第四号，一九一七年六月一日）

说青年早婚之害

郑佩昂

吾侪青年，生兹贫弱之中国，处此竞争之世界，狭而对于国家，广而对于世界，莫不肩有发达国力，促进文明之重大责任。欲完全尽其责任，则非有健全之精神、坚固之身体、丰富之学问、高尚之道德、饶裕之资财不可。而有一事焉足为青年之梗者，其唯早婚乎。夫婚姻者，所以谋后嗣之绵远，种族之繁殖。故于缔婚之始，当以年龄之幼壮，精神之健否，身体之强弱，学问之有无，道德之优劣，资财之贫富（此指个人劳力所得之资财而言）为标准。是以我国古制，男子三十而娶，女子二十而嫁。欧美近世，亦以男子廿五岁以上，女子廿岁以上，为最适宜之婚期。前乎此者，谓之早婚。早婚之风，欧美近渐减少，唯吾国尚盛行之，此国家所以贫弱也。吾国为父母者，以嗣续为重，无后为罪。故多有年未二十之青年男女，即为之成婚，以图早了儿女之孽债，卸家事之权责，而享抱孙之乐，供晚景之娱。夫岂知因一人之谬见，而贻青年莫大之害，种国家无穷之祸耶？兹举其祸之烈者分述于下：

（一）损精神。青年为离儿童期而未入壮年期之时代，其精神未发育，意志未确定，唯强于记忆、富于观念、心雄气盛，宜于究习学问，不宜于结婚。若早成婚，必致斫伤其元气、消耗其精神，变活泼之态度而为萎顿，换旺盛之志气而近颓废，命且不保，遑论学问如何耶？

（二）伤身体。青年之精神固未发育，即身体亦未臻成熟，且自治力弱，不能克制其剧烈之情欲。而使之居室，往往知其可喜而不知其可忧，顾目前之乐而不顾日后之祸。于是恣意纵欲，漫无限制，尽粹全身之能力于媾合一途，驯至发生呼吸器、生殖器、神经系等种种疾病，以伤其身体促其生明者，滔滔皆是。"伤生之事非一，而好色者必死。"苏子之言，不我欺也。

（三）荒学问。凡百学问，非旦夕可几，岁月可成。苟无专一之心，则不能精熟；无勤勉之志，则不能成功；无坚毅之力，则不能持久。而青年之早婚者，有家事萦其虑，儿女系其怀，衣食纷其志，疾病婴其念，其不能专心致志于学问，可知矣。

（四）败道德。人必丰于学问，富于经验，而后道德高尚可为儿孙之模范，社会之信仰。早婚之青年，日溺于欲河，陷于苦海，而不知克制情欲、励志求学，更有何道德可言。

（五）害国计。生之者众，食之者寡，为之者疾，用之者舒，此生财之道，中外所同也。人人如是，能独立自营，不靠人，不累人，而后家丰国富。故人当俟学业修毕后，确执一业，自活之外，量其所入，力足以俯畜妻子、教育儿女，然后可以议婚姻之事。否则其个人尚待食于父母，一旦受室，不数年而儿女成行，不养则为放弃其责任，养之则己躬无治产之能力，势不得不委其责于父母。一家之中，治产者父母一二人，而嗷嗷待哺者数人或至十数人。加以男女居室之日太永，生子愈多则贫愈甚。人而至于贫，则礼义亡、廉耻丧，因之为盗贼、棍骗、乞丐、娼妓者，日见增多。此中国民德所以日偷，国计所以日绌欤。

（六）弱种族。中国民数所以独冠于世界者，受早婚之赐也；中国民力所以独弱于世界者，受早婚之报也。盖早婚者之精神身体俱未发育成熟，故所产儿女多残废疾病、羸弱痴呆、夭亡犯罪者。如是生生不已，递相继续，以愈传愈弱，而至于澌灭。噫，及今不急起改良，恐不十稔，中国民族淘汰尽矣，可不惧乎？

夫青年者，国家之元气，社会之中坚，未来之主人翁也。将来中国之为强为弱，或兴或亡，皆卜于今日之青年。然则吾侪际兹青年时代，岂可妄自菲薄，牺牲其光荣之前途，放弃其重大之责任，而唯早婚是急，以自杀其身，并杀其国家，灭其种族哉？且吾闻之，愈野蛮之人，其婚嫁愈早；愈文明之人，其婚嫁愈迟。由是观之，吾侪青年，愿为文明之人乎，抑为野蛮之人乎？敢以质诸青年诸君。

（第三卷第五号，一九一七年七月一日）

青年学生

北京大学文科学生　罗家伦

国中之青年,惟学生为多。青年而能新者,更非学生莫属。余青年也,亦学生也。居此学生之青年界,以为当有一种"春日载阳""万象昭苏"之概。乃游沪时,颇觉我理想中之青年学生,莫不暮景沉沉,气息奄奄。若医学所谓鬼脉,物理所谓惰性,兵家所谓暮气。及游于京,觉尤甚焉。噫!是社会致之耶?抑学生自为之耶?不揣冒昧,曾取新学生与陈死人相比较著为长篇,(此稿题曰《二十世纪中国之新学生》,登《复旦》杂志第三、第四两期,沪报有数种转载者)冀相砥砺。然秋虫之鸣,不足动人;人亦不乐为之动,遂愤不复语。今读《新青年》,每为神往。及见学生之置《新青年》者多,是知《新青年》且大有影响于学生界也。爰就记忆及理想所及者,拉杂为我青年辈陈之。

一、主义。今日至无主义者,无过我学生也。执大学生、高等学生、中学生而扣以他日欲成何种人才,以效用于国家,则茫然无以应。盖其求学实无主义之求学,今日命之学工,工可也;明日命之学理,理可也;即转而命之学文,文亦可也;其希望者多数年毕业后之位置而已。造此恶习,其故有三:(一)家庭之遣子弟求学也,仿佛一种投机事业,此日培其本,他日必计其利。(二)社会紊乱,不能利用人才，致所学非所用，所用非所学，而学生亦因之失其求学之标准。(三)个人"安富尊荣"之思想太重，若桓荣所谓"车马印绶乃稽古之力"，故急以求学为一种过渡之方。统此三因，其果遂使学者不以所学为致用之目的，而以为求用之手段。学绝道丧，不知伊与胡底也。此而不正，学术诚未易言。

二、结婚。斫丧青年学生之才智，未有若结婚之酷者也。计其祸害，不可胜言。昔就平日所观察者，特立一论题于《二十世纪中国之新学生》，今录之以足斯篇。

学生时代之结婚

今日学生中更有一种流行病焉，曰结婚。是病也，堕壮志，戕生命，败道德，害生计。直使高尚纯洁、志气拿云之新学生，为卑鄙龌龊、颓唐无耻之罗刹鬼，是不特害及其身，且影响及于国家。夫学生之结婚，其意果何居乎？今日何日？独非中国处惊涛骇浪之中，而我学生枕戈待旦之时耶？风雨飘摇，户牖将覆。为学生者，正宜凝神定气，砥砺磨钝，以攫得优胜位置于天演潮流中，固人同此心，心同此理。铜驼埋棘，王导有新亭之泪；胡骑遍野，陆游有跨漠之心。今英德学生，或沙场喋血，或中夜彷徨者，岂有他哉？诚以国难未纾，英雄原无死所。匈奴不灭，男儿何以家为也。乃我辈当此国步艰难、四郊多垒，反似釜鱼酣戏，幕燕嬉翔，是非别有肝肠，即属血凉心死。此迫于公义不可者，一也。宇宙不灭，大地同仁。天下已任，丈夫分内事耳。天下饥溺为己饥溺，故大禹过门不入，孔席不暇暖者，诚能奋其良知，持大仁，视一体，而有众生不成佛，我不成佛之根性也。今我国外患日迫，内忧频仍，川粤湘滇生民之流离者几何？来日大难，众生之不免者几何？设我不谋出至仁以救之，则不免同归于尽。设我谋有以救之，则不能于此预备时代，以室家之累戕我天才，以速不仁不智之罪戾。或曰：如子前之说壮矣，子后之说亦高矣，然世之作此想者，宁复有几？盖动人者，惟其个人之利害，真理不逮也。今子背驰，是恶影而疾走，不亦迂哉！吾于是拓纸以论其关于个人之利害。夫人以求学也，无论其以此为目的为手段，然自立之志，固尽人皆同。无如学生时代之结婚，实任何志愿之大敌。即以此为手段者，亦多因此失其手段焉。盖学生之求学，实如老僧之入定，必须蠲除万虑无丝毫俗务之撄心，乃克有济。设一负室家之累，则寒窗寂坐之心，终不免移于燕语莺啼之际。以乐羊子之大贤，犹不免恋家而弃学，设无其妻之一呵，则乐羊子之为乐羊子，亦殆矣。客岁上海肇和兵舰之役，学校学生之忽整归装者，比比皆是，据余所知，则因心怀畏葸，或家无主持而归，固非无人。然因艳妻方少，久旷思聚者，正大有人在。世无乐羊妻，此学生学业之所以不振也。况天才者，实与妻不两立。此非余之危言，乃欧洲大文豪摆伦所语，而摆伦又平生以艳福闻也。可见情绪之间，移人才志，不期然而然。此加富尔、狄卡儿、奈端、亚当·斯密辈之所以终身独处也。噫！加公辈以命世之才，恢弘之志，犹恐以儿女情累风云气，今我辈学生处求学时代，而反加公辈之戒，以缠绵歌泣斫丧他年发展新萌芽，奈之何其有成哉？此结婚堕落志气之罪也。且人之至爱，莫过于身，而学生时代之结婚，实违背生理学之原理，适有以促其身之速衰。因一人之身实有若葳蕤之质，发育早者凋零亦早。近世医学家证明此说者实多，决非架空之理论也。故各国限制早婚，多有垂为律令者。据英德最近统计，男子三十而婚，既同惯例。今我国青年学生，乃悍然抗此神圣公理。无怪其年未五十,而视茫茫,而发苍苍,而齿牙摇动,龙钟老迈,若承蜩之叟也。(西人年逾七十而健步如飞者实多,我国大都五十以外咸衰颓不可。问西医某曾详察,其因著文论早婚之遗害,虽间有一二矍铄翁,终属例外)况少年血气未定时,男女相悦而夭者,固多见诸载籍耶。嗟夫!为父母者,徒欲早见佳儿佳妇;为子弟者徒贪一时之情欲。近之致夭折之祸,远之受拘挛之苦。此结婚破坏生理之罪也。不特此也。父母之为子弟早婚也,固欲享抱孙之乐。即子弟自身,又孰不欲育宁馨儿以亢其宗?顾早婚之效果,适与此相反。盖经世界医学会之调查,凡多疾者、夭折者、衰颓早者,皆幼年父母所育。则一之家中,又安需此秀而不实之稚子为也?况据天演学家之考证,中国民族,以前实魁梧奇伟:汤九尺,文王十尺,曹交九尺四寸,防风氏骨节专车,巨无霸腰大十围,其尤著者也。今则渐次退化,日趋弱小,且发育不完,江以南尤甚焉。大都风俗,淫靡婚嫁,期早不能不尸。其咎长此不救,每况愈下种族前途,莫可收拾。人种学家已有为之抱隐忧者,此青年学生早婚且有害及种族也。抑其流毒,犹足伤人道而败道德。盖少年虽赋结缡,势不能坐守闺阃,而学生游学,其尤著者也。伯劳飞燕,各自西东。人孰无情,谁能遣此。《随园诗话》载金陵女徐氏,适桐城张某,夫久客不归,寄诗云:"残漏已催明月尽,五更如度五重关。"此足以代表楼头思妇。而庾子山为《上黄侯世子赠妇诗》,亦足以代表天涯荡子也。忧郁之积,思妇之贞婉者,以恋结而伤身。若袁简斋述诗人王次岳妻席氏,以夫久客,于端阳寄诗云:"菖蒲斟玉斝,独泛已三年。"亡何以此夭。此能以诗达其情者也。至不能诗而饮恨无闻者,宁知凡几。稍佻达则成中冓之羞矣。此学生时代结婚伤及人道,且摧残道德之不能免也。更有一事焉,在理论上无讨论之价值,在事实上生莫大之影响,曰生计问题也。夫今日中国社会之贫乏极矣,然推原其故,盖大家族主义盛行,生利之人寡,分利之人众,以数人或数十人,咸仰给一二人也。考其何以能造成若大家族,则因为父母者多乐于为子弟在青年时代结婚。夫青年时代,学生时代也,无论其为中学生、大学生,然求学时期之不能自活,可断言也。顾父母既为之结婚,则势不能不有生育。既娶既生,则绿鬓之妇,黄口之儿,势不能不有以养,有养而不养,势不能不仰仗于父母。为父母者,复一视同仁,一子命之娶焉,他子亦命之娶焉;一子之眷属有养焉,他子之眷属亦有养焉。于是百数十人仰给一人之势成矣。生生不已,则嗷嗷待哺者愈多。待哺者愈多,则父母之担负愈重。积重难返,欲罢不能。余所目击以此破家者数数矣。可不哀哉!况子弟之授室者,以室家累志,俗务撄心,如上所论,则成就实寡。即有成就,亦多限于局部,且有局部之成就未告终,而家已不支者,岂不更可哀哉!此有害于现在之生计也。且其子弟之所生,不但有养,且必有教。责幼稚父母以良善家庭教育,实系难事。稍长势不能不乞灵于学校,而此日学费书籍之资,青年父母既无生利之力,势又不能不转乞灵于其父母。故为父母者,不特须负教子弟之责,且须负教孙曾之责矣。为父母者,何曾不乐以祖父母资格教其孙曾哉?然苟非素封之家,此责实有所难负。素封之家,宁复有几?于是力不从心,而致稚子失学者比比皆是。稍熟中国内情者,当知余言之不谬也。以稚子求学之年,而失其学,致他日陷于一事无成之境,为国之蠹,为民之贼,而家益不振矣。此并害及国家与社会将来之生计也。能不谓之学生时代结婚,侵害生计原则之罪耶?嗟夫!综而观之,颓唐人之志气也,戕及人之生命也,危害将来之种族也,背驰人道而摧残道德也,违背生计原则，而堕落社会生活程度也，皆早婚一事所铸错，致陷我学生人格于不可收拾也。乃我辈混混沌沌，恬不为怪，痛哉！今我学生界之结婚潮，益弥漫澎湃日进无疆矣。据余所知，则高等学生之未婚者，十不三四也，中学生之未婚者，十不五六也，即内地高等小学生之未婚者，亦十不七八也。昔义山《锦瑟》，韩偓《香奁》，其铺张豆蔻春葩、芙蓉秋帐者，淋漓备至。呜呼！孰知所谓豆蔻葩、芙蓉帐，诗人传为佳话者，今又将我新学生界之新空气斫丧殆尽耶！吾辈新学生，果欲以二十世纪主人翁自待乎！滚滚爱河，渺渺情天，其速于此红粉髑髅队中有所振拔！

三、学风。人非至圣或至愚，罔不为社会风尚所左右。今之教者、学者，当以努力造成善良学风，涵养多数青年，使不知不觉间自然赴诸向上之途，此第一要义也。今之青年学生之学风，顾何如乎？有詹詹君者，曾为科举时代学生及学校时代学生之对照表如左(下，见下页)。

	科举时代之学生	学校时代之学生
目的物	官报 旗杆 顶子	毕业文凭
生理	摇头 抖足 近视 弯脊	挺胸 凸肚 摆腰 大踏步
装饰品	玳瑁眼镜 马蹄袖 红缨帽 花翎	夏士莲雪花 吒力克 皮鞋大衣 洋装 香水 绸帕
嗜好品	宓大昌元奇 烟筒 旱烟管 绍兴花雕 八铭课艺	言情小说 淫学宝鉴 纸卷烟 胡琴 算学 演草 威士克
学问	迂腐的 奴隶的	纸的 形式的
头衔	秀才 举人 进士 翰林 状元	博士 硕士 学士
口头禅	孔子曰 圣天子 之乎哉 也 然而	爱国 热心 牺牲 呜呼 同胞

由上观之，其语虽未可概括，然今日学风，大都尽于是矣。故其言曰："观上表则旧日学生为世诟病，固不足责；今之学生，其足当未来中国之主人欤？是一疑问也。"呜呼！詹詹君之作此语，非以诅咒学校也，特以悲今日教校之学风耳。愿吾辈青年学生力振颓风，一洗此耻。

(第四卷第一号，一九一八年一月十五日)

新青年之新道德

陶履恭

　　人心浇薄，世俗窳败，君子道消，小人道长，其他类此之言辞种种，要皆当世之人对于今日社会之批评也。而所谓当世之人，观乎吾群滥污不可收拾之状态，充其极量，亦不过怆焉忧愤，惕然危惧，疾首蹙额，长吁短叹而已。及夷考其行，其能奋发自强，振拔流俗者，吾诚不数数觏。而众生之大多数，固犹攘攘熙熙，醉生梦死，日惟沉湎于吃喝嫖赌之中，征逐于功名利禄之场。即其嘲骂社会，睥睨群氓，要亦不过述人云亦云之口头禅而已。

　　社会非他，不外个人与个人之关系，总括而成。此旨吾已殚述。（见本志第三卷内）于今无俟复赘。故社会之腐败，要在个人与个人之关系。有所未当，个人不得辞其咎。风俗之浇漓，端在个人与个人之交涉，有失其正，个人未能卸其责。凡社会状态之所呈，吾人可以善恶、良窳、进退、文野诸形容词加之者，莫不肇端于个人之行为，原因于个人之努力。吾兹所谓个人，非谓自身以外之个人，即吾亦在其中；非谓莫须有之个人，凡吾人日常所直接间接接触者，亦莫不在其中。而深考社会情状，则人既同居于地球之上，不问男女老幼之别，未有不直接间接相接触者也。先贤以修身为群治之大本，谓"身修而后家齐，家齐而后国治，国治而后天下平"，与兹所说，其理正同。今人不察，以为一己之行为，无所重轻，而独超然脱离于社会之外之上，肆为谩骂批评。不自省察，果否无咎于人群，无辜于国体，而竟臧否社会。不思克己修身，而惟社会之是责，他人之是谤。则其诋评社会，又何以异于诋评一己？如斯之人，耶教之所谓伪君子伪信者 Hypocrite 也，则其口头禅之批评，夫复奚贵。

然则吾人苟有所不满于今之社会，移风易俗，化弊为良，其责任端在吾各人之身。吾人之行为举动，凡有影响于吾以外之人者，莫非多少有移化社会之势力。故必慎必戒，谨恪将事，以期无负于人，无罪于社会，然后更进而抉社会之弊害，除社会之积毒。兹数语者，绝似老生常谈，尽人能道之。然吾谓必明乎新道德之性质者，乃足以语此；必明乎新道德之势力者，乃能深信此语而不疑；必履行新道德者，乃能识此语之真价值。

一、新道德乃创造的

新道德，所以别乎旧道德而言。范围畴广，包括人生活动之各方面。若语其详，则绝非此短篇所能罄述。然新道德最要之一特点，即为创造的，而非已成就的。吾人每日之行为，皆前之所无。前之所未现，以吾之种种运动，然后出现者也。如此文本昔之所无，以吾之凝思运笔而使之有；吾之演说，本昔之所不闻，以吾之发作声浪而使之闻，更撮录成文而使之存。由是观之。吾人之活动种种，凡可以发诸外者，无往而非创造的。吾人一生直迄于最末之一息，实创造不绝者也。特以吾人惯于创造，遂不自觉为创造耳。人生斯世，既假以创造之机会，其责任之艰巨为何如？举手投足，发言为文,苟触及于吾以外之人,咸有无穷之影响,岂可以苟且出之?世人动辄苛于责人而薄于责己:一己有过,则以为无足重轻,掩饰其非;他人有过,则以为众所观听,盛言其罪。吾以为自新道德之方面观之,则每种行为,尽属创造,初不必问其出自谁某。贩夫走卒,学士大夫,其为创造一也。其所负道德上之责任,初不问其身份性别而有所轩轾也。奈何轻视一己。而不审慎思行,以期创造大善乎?

二、新道德乃进取的

吾人之行为,既属创造的,同时必且为积极的进取的。人之修炼德行,戒恶习,却癖好,洁身持己,无损于人,表面上固已善矣。昔学究先生修养功夫,多能达此程度。然此与木雕木塑之偶像又何以异?居今日之世界,人绝不能仅止于不为恶,必且进至于使罪恶灭杀;绝不能止于修养一己,必且更进于修养己以外之人;不特止于己所不欲勿施于人,必更进至施己之所欲于己以外之人。盖创造之精神,即寓进取之意也。且社会之成,既成于个人与个人之关系,则社会之进善,岂可仅止于无关系?必且创造关系,特创造良善之关系。学究先生以为洁身自好,即世上少一恶人,而对于罪恶之猖獗,凶暴之横行,惟有咨嗟太息,悲叹世运之衰而已。未闻有崛起而锄恶驱暴者也,未闻有自退缩之地位,而思积极进取者也。此吾所以不满意于学究先生之道德。以为充其极,不过为静止的、消极的、乏生命的。其所成就,不过道德生命之半途,犹未能企及其最重要之部分也。王阳明之知行合一,基督之道德进取,咸存新道德之精神,而新青年所当取法者也。

三、新道德需用知识

道德之行为,视作者之知识程度如何,可大别为二种:或知其为善而为之,或不知其为善而为之。村氓无知,不罹法纲,不造罪恶,是不知善而为之也。都市之民,智巧远胜于村氓,而犹能安分守己,谋公利,进公善,是知善而为之也。二者之中,吾取后者。吾以为将来之国家,将来之社会,必尽使人民知善而为之,乃能成完善之社会、完善之国家。盖行为其物,原有俟于其人之知识。知识低,则其所见者迩,所见者狭,不能审察其行为各方面之影响结果。即使所行为善,要亦不过为盲目之行动,机械地模范他人、模拟社会而已,要亦无足大贵。然试察社会之中,蚩蚩之民,孰非被社会之暗示,局于礼,迫于法,然后有所不为有所不敢为耶?教育高,知识富,则人之所见者远而阔,能周瞩情势,详审利害。故其行为为自觉的,为自动的,不以社会习俗为准绳,不为腐旧礼法所拘囿。道德之进化,社会之革新,端赖此类之人。易言以明之,知识可以为道德之方法。世固有假新获得之知识以争权夺利,戕贼同胞者矣,无他,其方法用之未得其正也。近世欧美之进步,若民政政治,劳动保护,工业革新,何莫非利用新知识以进道德,采取新知识以救济社会上政治上经济上诸般固有之罪恶耶?

附注 吾国讲因果报应者,谓有心为善,虽善不赏。此说之是非,要视"有心"二字作如何解释。若谓"有心"为希冀死后来生之幸福,则其行为为洁一己之利,不能称为道德的。此犹耶教徒之有所畏于地狱之火焰,而不敢悖上帝之意旨也。若谓有心为善,为知善而为之,则其行为可称为道德的。总之道德的行为,必据一己之知识心思,以为裁夺,然后行之。而又绝不能以一己之利害为前提者也。

元旦后五日稿

(第四卷第二号,一九一八年二月十五日)

文学革新与青年救济(通信)

邓萃英　钱玄同

玄同兄:我前信一面说要扫除腐烂口调;一面露出丑相,用那"千虑一得……"等不通套语。前日偶然想那书信,觉得前后自相矛盾。且中国语言文字中包含数字的成语,大半不合论理(西文亦如是,然较少),我屡以此为本校生徒戒,今竟自犯,可笑可笑。我们自信中毒未深者还如是,可见那老先生们除腐烂不通的口调外,实说不出话来。他们若肯老老实实吃一碗闲饭,我们自必谅其苦情(此因并不是他们做的,他们特收其恶果耳),不必与他为难。无奈他们执迷不悟,不但以此自诩,并欲以此陶铸青年,所以我们为"人道"计,不得不与之宣战。宣战之目的,实在于是。现在,兄等既张宣战之旗帜了,亦既揭破他们之劣迹了,唯对于他们之罪状,尚未明白宣告。故我甚望兄等于此长驱直入之顷,再注意及此,使世人知兄等之挑战,非有意与彼为难,亦非因他们之自诩而反动,实为表扬真正文学,保护中国青年起见,迫于良知不得已而出此。此义若大明,则兄等破坏之功可告一段落,然后赶紧谋建设。至建设之道,兄等亦已着着进行,毋庸我局外人妄参末议。但我所欲忠告于兄者,乃在速谋所以救济青年之道。盖全国中小学生,现仍在倒悬之状态中，若不速救，则数年之后，浅则如我者，深则如老先生者，又将产生数十万个，彼时再谋营救，恐事倍功半。我虽屡以口舌略尽天职，为力究有限，故不能不求援于兄等若再注意及此，则诚教育前途之大幸也。最后我再结束数语，反复申明如下：

一、老先生之罪，不在"不通"，不在"自诩"，实在"戕贼青年"，犯精神的杀人罪。

二、我们目的，不在"与彼为难"，不在"攻其不通"，实在"救济青年"，并"表扬文学"。

兄以为何如？

邓萃英（四月十九日）

芝园兄：来信所说的话，实在痛切得很。中国自经一八九四年，及一九〇〇年两次打败在外国人手里以后，偶然有几个人讲了几句变法革新的话，于是政府和社会两方面为遮羞计，勉强开了几个不伦不类的学堂。还有极少数的人说，文章也该革命，于是才有了一种所设"报馆体"的文章（从《时报》起，才把那些《西政原于周官说》的论文题目，"祝融肇祸""瀛眷北上""京华冠盖""羊城异俗"等等四个字的纪事题目变换）。其实，于革新的根本上还没有讲到，不料一九一一年革命以后，上有袁皇帝，下有一班死不尽的遗老、遗少（什么叫做"遗少"呢？现在有一班二三十岁的少年人，或学老前辈的样子，做什么书的"考证"，什么书的"札记"，或则想做大文豪，学蒲松龄的滥调文，王次回的肉麻诗。这两种人的文章里，照例用干支纪年，阴历纪月日，籍贯必须写满清时代的旧地名，神圣曾、左而尽贼洪、杨，追念满廷而咒诅民国。他的年纪"少"而未"老"，他的资格本不配"遗"而妄欲自命为"遗"，这便叫做"遗少"),大倡"复古"之论:说什么"世衰道微,人心不古,非昌明圣教,遵修旧文,不足以挽将丧之斯文,回既倒之狂澜"。于是一班做投机事业的新书店,赶紧印什么"诗话""文集",一班剪了辫子的半边和尚,趁这机会混到中小学校里去教国文。其效果,竟至有堂堂中华民国的中学校学生,听见人家称伦理学为 Ethics,会大大的生气,骂人家不爱国。老兄!你说"全国中小学生现仍在倒悬之状态中",我看那班老不死的废物拿青年来"倒悬",青年不但不觉得不舒服,遇到我们要想去解他下来,他还用嘴咬我们的腿,用脚踢我们的手,大骂我们不该头向天,脚踏地,说非倒立不可呢!唉!老兄!你想这有什么办法呢?你是一位大教育家,对于这种现状有什么法子想呢?《新青年》同人不过目睹青年界之消沉,本一己之良心,讲几句极和平的劝告话,即以文学革命而论,不过略略说了几句旧文学的劣点。然而已经招了一班略读几篇唐宋古文,全不懂得旧学的青年反对了,说:"照这样讲法,非将数千年的文学完全打消不可,这还了得吗?"老兄!你想这班暮气甚深,呻吟垂毙的青年,该用什么法去救济他?——但是悲观的话,也不用说。我的思想,认定中华民国的一切政治、教育、文艺、科学,都该完全学人家的好样子,断不可回顾七年前的"死帝国"。不好的老样子,虽然行了数十年,也该毅然决然的扑灭他;合理的新法,虽然一天没有行,也该毅然决然的振兴他。"相砺书"上的老例,和旧戏里的"脸谱"一样,断断没有采用的价值。所以我的意思,以为既然觉悟汉文不合论理,不宜新学,就该用全力来推翻他,用别种较文明的文字为中民华国的国语(此意详《新青年》四卷四号我给独秀君的通信里)。总期中华民国的国民,做一个二十世纪时代的文明人,不做那清朝、唐朝、汉朝、周朝、五帝、三皇、无怀葛天时代的野蛮人。

《新青年》同人抱定这个目的立论,愿老兄也出其研究新教育之心得,来救济这班暮气甚深、呻吟垂毙的青年。

钱玄同　1, July, 1918.

(第五卷第一号,一九一八年七月十五日)

告青年

郭仁林

尝谓青年为人生最好时期,亦人生最危险时期。以情识不深,行为易陷迷谬,稍一不慎,堕落随之,所谓"一失足成千古恨,再回头已百年身",岂不悲哉!为此文者,特堕落之一青年,数稔已往,曾以忧思构奇疾,受尽折磨,几濒于死。今者疾虽已,而神志消损殆尽,自顾残生,几成一半废之人,不复能有所建立矣。是以痛定思痛,抚今忆昔,每不胜其于邑忏悔之思,尝欲就所体验者,辑为"过来人语"一书,久久未就。兹姑就近日札记所识,略举数则,借为一般青年告。唯愿读者审知其为一种老实话,非漫取浮谈以相眩者。略一寻味,或亦不无微末芥子之得也矣。

兹举所欲告者有数事:

一曰尽其在我。此为安身立命第一义,辨之不可不早。因我尝见一般人心怀悲愤,动曰"人之无良,天下之大事不可为",如何如何,因其尝抱此种观念,愤世之极,不期转入厌世,其终也,遂多至于自暴自弃,乃至于自杀。此就近数年来所见所闻者,已绝非一二数也。其实据我看来,也不必说人之无良,也不必叹天下之大事不可为,第一要当回光返照,把自己这个人先做得他妥妥当当、完完全全的,是第一切己的事,亦第一有把握的事。质言之,即人诚无良，而吾个人所待改良之处亦甚多。吾今不必预计天下事当如何改革，改革之使成若何之局面，唯当预计吾个人当如何改革，改革之使成若何之人格而已。盖即以天下国家论，亦无非此个人分子之积，未有分子不良而群体能健旺者。此理易明，则试想吾国数十年来，亦尝昌言改革矣，亦既经过改革矣，而卒也收效如是。是否即此分子不良问题，有以致之，是故吾侪青年，生于今日，正不必因天下事收拾不易，遽尔灰心，只须抱定一个完成个人的宗旨，切实从自己一方面做起，其着手既易为力，其期望亦不难得达。究之，自渡者可以渡人，成己者可以成物。果真人人如此，天下事亦不难于转移也。脱不出此，而但空怀一种忧世救世之心，心诚有余，力则不足，吾恐言政治而政治益以紊乱，言教育而教育日以堕落。即使不涉仕途，潦倒以终，而要可自白于天下者，亦只此空空一个忧世救世之心愿而已，庸有济乎？凡吾青年，于此等处不可不一深长思也。

　　其次曰务正其心。此与上文所述，可互发明，亦不外尽其在我的意思，不过易一解以言之，进一解以言之耳。为何单单要提出这"正心"二字，因为吾侪生于今日，这时局总是纷纷扰扰，没有一个定体的，所以闹得一般人的心里也是纷纷扰扰，没有一个定体。心里既是没有定体，要想做事有恒、有秩序、有进步，是很难的。况且青年人血气未定，神经易受刺激，往往小有波动，便至惶惑不安，所以今日一般青年人的心里，愈是慌不可问。若不于此等处先求一安顿之法，恐是蹉跎蹉跎，即此荒荒扰扰之中，已几错过一生，岂不可惧！我尝抱定一个老主意，就是即事论事，随时论时。换言之，就是事情自有事情在，到什么时候说什么话。比如我现在干这一桩事，便要死心塌地地把全副精神注重在此，任他外界闹至哪种田地也不理会。盖徒事皇皇,于实际一无所裨,而先已自丧其神守,殊不值也,亦无谓也。昔者宋儒讲学,动曰"汝须把心放在你的腔子里",此最警切之言。刘十功之言曰:"世乱无主,吾心讵无主。"此语尤可为当代人痛下一针砭。吾兹所欲明者无他,亦要人把心放在腔子里,不要因世局的乱酿成心里的乱,且预防因心里的乱愈以酿成世局的乱而已。

其三曰戒虚荣。在青年人,虚荣心过甚,最为立身之累。余尝谓求学时代与做事时代不同,切不必滥讲社交。纵曰今日求学,即为他日做事之准备,故应有尽有。(求学是否即为做事之预备,尚为另一问题。兹姑取如是说。)然所预备者,亦只应在学力一方面去讲求,至于学成德就,果真有问世的能力了,然后去讲社交、讲联络,自然声应气求,同志不期而集。所谓"有朋自远方来,不亦乐乎",此未可以侥幸求,亦未可以侥幸得者也。奈何今之学者多不知此,尽日驰心外骛,做些不相干的事体。或则弄几篇无聊文字在报上出出风头;或则发起几个有名无实的党会,也显着在人群活动;或者结识几个有名位的大人先生,也常常来往几次,便觉着自己的身份也了不得了。凡此种种,其行为既日趋浮薄,其志趣亦日以卑劣,都非抗志前修、勉成远器者之所为。所愿吾侪,亦以是为戒忌也。

其四曰戒权诈。昔人谓踝虫三百,人为最劣。爪牙皮革,不足自雄,唯以诈伪迭相、恣其嚼啮云云,其言绝趣,亦绝痛。世习至今,险恶愈益厉矣。我闻人言,居今为人,其入世第一方法,唯在要干练滑头。以今日世界,已完成一个滑头世界。做事而不滑头,即不足以成事;为人而不滑头,直不可以为人。微论自社会之习染言之,已具有种种夹持、种种刺激,教人不能不日趋于滑头之一途;即就个人之利害关系言之，人皆滑头，而我独否，即吃亏亦将吃不起也。此等言说，我审闻之，亦尝审思之。我今有一言，正告于我最纯洁之青年曰：君诚纯洁，唯宜坚定其步趋，平居为学，所以自许者何如？何者为真诚？何者为操守？何者为不失本色、不丧人格？我不尝以矫正社会自矢乎？则当此沧海横流之日，正吾侪中流作砥之时，空气愈恶，则吾所用以自矢者愈益厉。纵曰大势所趋，非少数人之熏化所能挽，然吾行吾之素而已，纵使人尽坏了，我还要把住我自己这个人不教他坏了。吾安肯苟苟且且，向那种鬼窟里觅生活，冀得赢润，以自滋益其膏肤乎？且也吾侪做事，固不可不首具有一种牺牲之精神，有时利害当前，牺牲身命且不惜，何况小小吃点眼前亏。一点眼前亏都吃不过，更何论及其他，即此一义思之，亦可以省矣。

其五曰耐吃苦。苦非人情之所甘，教人吃苦，毋乃拂人之性，曰是不然，苦非人情之所甘，而要非人生之所可避，无论何人，不能常保一生处安乐。即不能一生无忧患，乐天主义，固吾侪所主张而奖导之者，然若不察世相之真际，而漫欲以"乐天"二字抹杀一切。此种人只可谓其毫无阅历，盖就实际之所征察，世间苦量，实过多于乐量。吾人于此，若非具有一种战胜忧患的能力，直是不能挺立于世间，乃至不能存在于世间，此等处，固全由于锻炼，非徒事口舌者所能说。然提醒意志，亦是一最简当之方法。如何提醒意志？其第一观念，唯在认定吾人所处世间，是一个多缺憾多苦恼的世间，没有那些可心可意的事。纵曰最后目的，终期有尽善尽美之一境，而目前所遭，要不可不有许多委曲、许多迁就处。苦趣既非所可避矣，便顶好把这"爱苦"二字认做我生一种应有之担负、应尽之义务。果真处处作如是观，则虽外围遭境，不无荆棘之感，而内顾神明,究多慰藉之地矣。此以言其概念也,至于平日之间,一切动定,要在随时锻炼。凡事忍得住,吃得过,方算好汉子。我又尝说:一个人总须爱惜自己,然却不可娇惯自己。以娇惯自己,即是不爱惜自己也。此亦不可不知。

上所举义凡五则,大抵收敛之意多,而发展之意少。盖纯为针对时症起见,故立论多陷于偏锋,是在读者分别观之耳。余有剩义,当俟后说。

(第五卷第一号,一九一八年七月十五日)

敬告新的青年

朱希祖

世界是时时进化的,时时变换的。把旧的、不适用的变换做新的、适用的,就叫作革命。所以新的都是由革命而来,新的青年是最富于革命精神的。

我所以要告诉新的青年,有两句最要紧的话:(一)革命须从万恶丛集的地方革起;(二)革命须从自己革起。

万恶丛集在什么地方呢?就是传子孙的遗产。传子孙的遗产,为世界一切罪恶的源泉。家的思想,国的思想,甚至战争的思想,都是由此而起。简单说,都是所谓为子孙计而已。据进化的学理讲来,子孙的学问、见识、才力,总比祖、父要进步。要是把遗产给子孙,使子孙坐享幸福,不求自立进取的学问,是轻视子孙必不如我,是强使人类退化。这就是弥天的大罪恶。现在的文武官僚、豪富商贾,一人占据财产至百万、千万、万万的,为什么呢?若为自己,一生享用不尽,要这许多做什么呢?他们的意,必以为"传之子孙,世世永保",所以愈多愈好。

巧取豪夺,比盗贼还可怕,比虎狼还凶猛。只知自己得财产,不管他人性命。所以国也可以卖的,赃也可以贪的,地皮也可以刮的,军饷也可以扣的,鸦片、吗啡也可以偷贩的,娼妓、婢妾也可以贸易的。一切最有财产的人，就是最多罪恶的人。他们何苦要这许多呢？他死了又不能带去，原来不过是为遗产。

这家的遗产为祸已这样可怕，国的遗产为祸更加可怕。古来的天子，少有不为"家天下"之计的，诸侯世袭，卿大夫世禄。后来秦始皇出来，把诸侯、卿大夫的世袭制度，尽根铲除，然而他自己却又为子孙帝王万世之计。

幸而我们中华民族奴隶根性不深，所以秦打破封建制度统一全国以后，只有二世，已革了命了。自汉以后，虽然仍为君主世袭，公侯亦有世禄，不到数百年，必然有几次革命。到了现在，总算把君主世袭的制度打破了，就是把国的遗产打破了。这也算我们中华民族的光荣。西洋各国，也没有子孙万世为帝王的，也常常要革命。只有奴隶根性最深的民族，或有万世一姓的君主。我们以子孙帝王万世为可恨的事，人家却以君主万世一姓为可喜的事。就把这件事来说，我们到底不愧为文明先进的民族了。以国为遗产的民族，最喜夺他国的土地，劫他国的财产，虐杀他国的人民。始终要扩张他的遗产，巩固他的遗产。战争这件事，所以视为神圣的。杀人流血，动辄数百万。所以说国的遗产，比家的遗产更加可怕。

战争是最危险的，最残酷的，他们为什么视为神圣呢？就是为子孙。我们中国春秋时代季氏将伐颛臾，孔子问何以要伐他呢？冉求说："今夫颛臾，固而近于费。今不取，后世必（为）子孙忧。"古今中外战争的心理，大都不过如此。

为了遗产这件事，家与家争，国与国争，闹得来没有安宁的时候，没有太平的地方。富贵的人为保全家产而设攻守，贫贱的人为迫于饥寒而疲奔走。人生一世，忧患的时多，欢乐的时少，种种困苦，种种不平，无非为这遗产酿出来的。

若使人对于子女，只尽教育成才的义务，不负留传遗产的义务，则子女既受完全的教育，成了有用的人才，自能发挥能力，突过先辈。为人父母的，既无须遗产留遗子孙，则负担既轻，赡足亦易，亦可出其余力，为人间立伟大的功业，成高深的学术，或则优游于山水、艺术之间，以消除劫夺杀戮的戾气。所积的余财，养老送死之外，都捐与人类公共教育及有益的事业。（我们中国有句俗谚说道："儿孙自有儿孙福，莫为儿孙做牛马。"很有意思。）世界的人都如此，则家界、国界自然消灭，战争亦无自而生。人人都有发挥能力的机会，互相扶助，以进于和平康乐的境界。如此，则个人不失自由，社会亦渐渐平等了。

遗产传子孙，就是万恶丛集的地方，不可不革命，既已说过。现在却要说到革命须从自己革起。

遗产不传子孙（遗产传子孙这句话，是我国的旧习惯语。为什么呢？因为遗产只传子，不传女，男女不平等极了。既只传子，所以必传于孙），为父母的，或则也有愿意。可是他的子女，大都不愿意把这现成家产送给别人，所以这种阻力，全在青年的子女。为父母的明白了以上所说的道理，何以也有愿意把遗产捐与公共有益的事业呢？例如我们中国的人，家有二千万财产的，亦不下三四十人。二千万的财产，年得五厘利息，也有一百万。我们北京大学常年经费，不过六十万。他就可以独力设一大学。北京农业、工业各高等学校常年经费，不过十三四万。他就可以独力设高等学校七所。

若中等学校常年经费，不过二万。他就可以独力设中等学校五十所。国民学校常年经费，不过二千。每校学生约百六十人。

他就独力可以设国民学校五百所,教学生八万人。假使有了三四万财产的人家,把这种遗产捐为国民学校的基本金,就可开一国民学校,年年造就百数十学生。再降下去,假如有数百、数千遗产的,积聚起来,亦可合开一国民学校。如此,乃真可以教育普及。

不过为子女的看见父母把百千万财产赠为学校基本金,他们虽然受了完全教育,成了有用人才,恐也不能割舍的。

所以我说革命须从自己革起。靠父母的遗产度日,是最无志气、最可羞耻的;靠自己的本领度日,方是有志气、可尊敬的。父母的财产,父母愿意捐为公共事业,子女固当乐从;就是父母不愿意,为子女的等到父母百年之后,也应代为捐做公共事业。(我们中国又有一句俗谚,说道:"好男不吃分家饭。"也很有意思。)

享受父母遗产的纨绔子女,不但不肯尽心学术,毫无能力,而且追欢逐乐,俾昼作夜,促寿短命,不一二代而绝的很不少!或则家产荡尽,善的为乞丐,为奴婢;恶的为盗贼,为娼优。试观古今来富贵的人家,能有几代绵延下来!所以父母传遗产于子女,可称为绝尾巴的药;子女受父母遗产,也可称为绝命根的汤。

现在我国男女不平等,讲妇女问题的,要主张男女平分祖父遗产。这话虽然是公平,然我以为不如主张男女平等受完全教育,使男女都成有用的人才,都能自立,将来结婚以后,都能自食其力,出其余资以教养子女。(我们浙江的妇人有句俗谚,说道:"穿老官,吃老官,灶里无柴烧老官。"言穿衣、吃饭、烧柴,都靠老官。老官,就是夫。这就可以代表妇女依赖男子的劣根性。所以非教育女子与男子成平等的学业不可以救此弊。)如此积累下去,男女真可以平等,女子不必靠父母及丈夫的财产了。合全世界的男女都成了生产的人,然后可以达到真正和平康乐的境界。

遗产的弊病，使子女成为废物而不生产，既如上边：假使青年子女，预先有一种毫无恒产的心理，觉得父母、丈夫都不能靠，非靠自己的学业，不能生活成立，不知不觉就对于学业要努力精进，把心思、才力尽量开展，向着进化这条路走。则一两世后，世界必全然改观了。

　　我们东洋的人有一种普通缺点，所有生计，总是要战胜人，不是要战胜天然物。做出来的事业，无非欺骗他人财产，或劫夺他人财产。人对于人，家对于家，国对于国，都是如此。我们新的青年，以后须改变方针！生计须从天然物这边开展，不要对于人转移。对于未曾有的地方扩张，不要对于已经有的地方劫夺。官吏、军阀、资本家、奴隶、盗贼、娼妓，只能劫夺、移转人的财产，不能开展、扩张天然的财产。我愿新的有志青年，把这六种事业，看得一样重轻。生存固不免要战争的，我愿新的有志青年，只要对于天然物战胜，不愿对于人类战胜。

　　我这篇文章是极粗浅的，没有学术上的见解，不过我本良心上、直觉上说一说而已。世界上要革命的事很多，我以为新的青年，志趣总要放得大，脚跟总要踏得实。与其零零碎革命，不如从根本上革命；与其革他人的命，不如对于自己先革命。对于自己不能革命，要想对于社会上做革命的事业，总是空谈，不能发生实力的。

八年十二月二十日

（第七卷第三号，一九二〇年二月一日）

关于妇女

欧洲七女杰

陈独秀

居恒以为男子轻视女流，每借口于女子智能之薄弱，犹之政府蹂躏民权，每借口于人民程之不足。此皆蔽于一时之幻象，而未尝深求其本质也。其本质于何证之？欧洲记载所传女流之事业，吾侪须眉对之，能毋汗颜乎？爰录其脍炙人口者七人，以为吾青年女同胞之观感焉。

奈廷格尔（Florence Nightingale，生于一八二〇年，卒于一九一一年），英人也。儿时即好取偶人做卧病状，戏为医治，长不适人，习医术。且一意看护病人之法，且游学德意志半年，复赴法京，学于某看护院，尽得其术。归英后，即于伦敦组织看护妇会。一八五四年，俄土战起，奈氏遂率同志女流三十七人，赴黑海任看护伤兵之役，活英法战士无算。时年三十有四，积劳致疾，众促作归计，氏不纳，治事如初。战罢回京，迎者空巷，相与醵金，创立军医讲习院及军用看护会。自黑海之役，奈氏创阵前看护之法。其后战役，辄仿行之，氏恒与焉。一八六四年，美国红十字会因以成立，今日规模浩大。开其基者，一英年独身女流奈廷格尔也。

苏非亚（Sophie Perovkasa，生于一八五三年，卒于一八八一年），俄罗斯虚无党人也。年十七，接交虚无党某，父怒禁之，出逃求学,益坚其为人类牺牲之信念。任小学校教师,充看护人,无往而不以鼓吹革命为己任,祸福非所计也。一八七三年,被捕旋释,然自此遂为警吏所监察。后五年,以党案入狱,判流罪,脱于中途。一八七九年,谋炸俄帝于莫斯科,未遂。又一年,以炸毙俄帝亚历山大二世被戮,时年二十有九。

贞德(Jeanne d'Arc,生于一四一二年,卒于一四三一年),法兰西爱国者也。幼时,英法方事战争,贞德即怀爱国之志。托神意,谓见空中明光,有神人告之曰:"贞德往救王,恢复其国土。"遂自负奉神命,备刀马。偕数人见王,以解奥良城围自任。久困之法军得此惊奋,乘英兵骄懈,一击溃之,连下数城。后坠马被擒,英军生焚之。年犹未及笄也。

居礼(Marie Curie,生于一八六〇年),法兰西人也,曾卒业于巴黎大学物理科。年二十九,于归居博士,共肄力于"类电母"之发明。"类电母"者,坚质不灭之光,能彻物体,如X光然。以此被举为女博士。一九〇六年,夫亡,氏遂代为巴黎大学类电母科教授。女子为大学教授者,自居氏始。

罗月(Clemence Royer,生于一八〇三年,卒于一九〇二年),法兰西人也。幼习博物哲学于瑞士。年三十,为瑞士某女学论理学及哲学教授,又任某《经济学报》记者。其著作《论税》《天文史》《道德公例》《哲学概略》诸书,盛为学界所推重。

米雪儿(Louise Michel,生于一八三六年,卒于一九〇六年),初为小学教员,后研求社会问题,以政治犯被放于澳洲。一八八〇年,归巴黎,鼓吹极端社会主义甚烈,以率众威胁政府,禁锢二年。释后布其道于亚耳白山中,严冬以寒疾终。其著述有《民女》《公民》《困苦》《新年》《被侮者》《人类之微生物》数种行世。

罗兰夫人（Madame Roland，生于一七五四年，卒于一七九三年），少好学，喜读卢梭之书，遂抱澄清之志。年二十一，适罗氏，少其夫二十岁。其时法国革命风潮渐剧，罗氏夫妇相携由里昂至巴黎。民党知名之士，多会其家，商榷国计。明年，罗氏亲任内务大臣，颇得夫人内助。民党旋分温和、激急二派，罗氏为温和党首，与激急之山岳党不相能。共和告成，山岳党逞其狂热，悉锄王党，并及温和党人，罗氏被刺毙。夫人两次入狱，卒以通谋叛徒之伪证，宣告死罪。临刑，仰见断头台上自由神像，叹曰："自由自由，汝为人假借以行恶也！"此言传诵于今。西俗行刑，后男先女，虑其怯惧也。罗兰夫人，见同刑男子，多有畏色，请易其次，虽临难犹不改其常度也。

（第一卷第三号，一九一五年十一月十五日）

女性与科学

〔日本〕 医学士 小酒井光次 作 孟 明 译

欲以科学解释人生社会问题,有二种方法:其一,即系统发生;其二,即个体发生之研究也。系统发生之研究者,生物现今所见之形状、性质,乃经如何之顺序而成,即就各种属之异同、生人存在之历史,广搜而博证之谓也。个体发生之研究者,探求各个生体,其状态随时变化,以至其完成个体之谓也。故研究男女二性二者孰胜,抑或二者并行,皆世之一问题也。阿斯加休尔谒氏等曰:两性之人类学的研究,宁取个体发生之研究,即胎生学之研究足矣。以此参照生后之发育史,可断论矣。

斯退特生夫人曰:女性原为全部,男性乃附属之一部分。乃引蜜蜂及波乃利亚之雄者,寄生于雌者以为证。复有多人主张原始之民族,男女同等从事剧烈之劳动,较今之文明妇人,其力量必远过之。现今之妇人,受男子压迫,而至失其自由者,因文明及社会事情相逼而退化者也。然实际果如此乎? 尚未能断言也。

斯退特生夫人之证例,蜜蜂及波乃利亚是矣。二者之中,蜂为人所恒知,兹特述波乃利亚之生活史。波乃利亚(Bonellia viridis),其躯干长约八米里米达,绿色圆筒状,节节有绉文之蠕虫类也,表面全部蔽以小疣,躯干前端伸出等于象鼻之突物,约半米达长,突物有纵沟一条,围以毡毛,其前端分为两枝,其根处有口,躯干之后端有肛门。此动物生于坎拿大海岸及其他海中,以突物运动,避日光,黎明时出游,大概居海岸五寸以下砂砾中,故虽海滨之民多未知者,为波乃利氏所发现,即其人之名名之,对于人类无用无害之动物也。

以上所言,乃波乃利亚雌虫之状态也。雄虫体极小,蔽以毡毛,似涡虫类形,泳回于海中,近雌虫之突物,则固着其上。一定时间来往于纵沟之内,滞留颇久,自雌虫口中入食道内求食,有时一雌虫寄生十数雄虫。由食道出寻雌虫之生殖器,集附其处恒亦有十数。

与波乃利亚不同,而为同样雌雄之关系者,若属于虾蟹类蔓足类(Cirrihepio)之种属是也。由卵生,额眼一,以三对足游泳海中,为西洋黎子状,分泌石炭质,制壳以护其身,坚附他种物体,以营生活。此类多雌雄同体(Hermaphroditism),其中仅 Cryptophialus 与 Alcippe,分为两性,而雄较雌小,身体构造亦异。自由游泳于海,二个乃至三个寄生于雌虫之外膜腔,名曰补缺雄(Komplementaere Maeunchen)。总之,蔓足类也,波乃利亚也,蜜蜂也,其生活状态,皆为下等动物,未可与语人间之生活。直据以论女人问题,宁有当哉?讨论女人之生活,当以其个体。易词言之,观察女人当视为一有机体。吾固以阿斯加休尔谒等之研究方法为适当也。有名之瓦尔戴谒尔氏,其论男女之区别曰:现今所见男女区别之大端,决不认为男子压迫女子所致。盖人类形态之持续性(Dualism),有种种之点,可见其真。故吾人不得不由人类学,解剖学之见地以为女人观察之始也,兹于各内部脏腑骨骼,限于篇幅,不能详举就中姿势形态之关系,头脑发育之程度。多数内脏诸机关言之,女子较男子近于小儿,此事实未有能否认者也。然以近于小儿之词,遂涉思女子之形态不完全者,则大谬也。所谓小儿者,正女子之美之艳柔之表象也。或曰女子之乳房及骨盘,不较男子为发达乎?是乃女子生理必然之义。故知女子之观察,应以生理为要点也。然以女子比诸男子为近小儿,决非武断之言。盖因女子十三岁乃至十六岁,月经即来,每二十八日一次,每次三日乃至六日间,流弃最尊贵之血液一百乃至二百格拉姆,即失去身体上营养发育之液体,故其生活机能,不得不一时中止。猿以外之哺乳动物,亦一年一次乃至二次,同此事实,然而不可与人同日语也。此种生理的妨碍,影响于精神肉体者甚大。叶里斯氏曰:男子之生活,行乎平面。女子之生活,行乎波面。月经之前,生活机能最高。月经行中,顿然下降。月经之后,渐次上升。故女子每月中之生活状态,可以曲线示之也。米利坚之女医亚柯比氏曰:月经中罹痛苦者,百人中居四十之多。此天然缺憾存诸女子之身者,数千年于兹矣,此其弱于男子之故也。彼野蛮人之女子能堪男子之同等劳役者,不外无理强行之习惯耳。

月经云者,是为受精之准备,此不待言者也。图子孙之繁衍,期种族之保存,此乃必要之条件,人类之天职也。故性的生活,占女人重大之部分。月经之际,破裂之子宫粘膜渐合,无何,而对于次回月经之准备,已在粘膜内行之矣。月经出血虽月只一次,而子宫粘膜殆无休息。巴尔特耳斯氏及瓦尔戴谒尔氏曰:妇人第一使命,在输灌家庭以文明良妻贤母,世所尊重者也。对于妇人个人生活及其自身发展之要求,根本上虽无以反抗,而由人类学生理学之见地观之,妇人之性的生活为最要,且合乎自然之事理焉。

(第一卷第四号,一九一五年十二月十五日)

贤母氏与中国前途之关系

陈钱爱琛

天赋自由，人类平等，此世界最正大之公例也。不期吾侪中国女子，屈伏于黑暗之域久矣。盖自古之学说，无不主张女内男外，更不许其有文字之智识，与国家世界之思想，以三步不出闺门为女德。呜呼！是何异于朽木耶？其不作一般男子之附属物也几希矣。

吾侪女子同是黄帝之裔也，同是圆颅方指也，同具数磅之脑筋也，何乃不平等若是，可悲孰甚！其不可解也又孰有甚于此。读者乎，抑知此乃阻东半球各国发达之莫大原因也。试以中国、日本、印度、埃及为例，乃世界有史时已为文明之国，读上古史者更知为人类发源之地。当此之时，欧美澳诸洲，尚为蛮夷未化之野。洎乎近世纪，而欧美之文化竟加中、印诸国而上之，且有望尘不及之势。吁何其异也！辩者谓皆由于科学日发达，物质日进于文明耳。予曰："然，但其最大之原因莫非由于男女均受平等之教育耳。"一国文明之进化，以国民之智识高下为标准。但国民者，女子亦居半数，此造物主之巧妙也。今者中国二万万之女子，其中多为愚昧无学之辈，此无可深讳者也。然则欲与列强争长，其可乎？或曰，国中之男女有学识则足矣。盖彼辈有柄政权，执于戈卫社稷之能，则女子何用嚣嚣为？予曰，否！否！今吾之目的所在者，非争政权与执干戈之役也。所论者其在女子之教育问题，与养成贤母氏，从而振起我中华民国耳。

今日身为女子，孰不知他日而为人之妻乎？又孰不知而为人之母氏乎？又试问于我国民孰无母氏乎？又谁不爱其母乎？溯人类自呱呱坠地，以至长大，无日不依倚于慈母之膝。然则世界上最亲密者，又孰有逾于母氏乎？自心理学言之，凡事愈亲密，其感化力愈大。古人所谓"近朱者赤，近墨者黑"是也。然则良母氏出产优秀国民，可无疑义。故母氏又可比于陶人，盖磁土性柔，可随意操撅。可为碗碟，亦可为盆砭，是在陶人之手耳。然则母氏在所操纵一国之权，大总统莫之与京也。

吾观于欧美文明国之母氏，而有感焉。盖与吾国异也。彼等具普通之智识，能轨其子女于正道，且能相其夫。有男子堕于酒色之欲者，恒为其妻所感化，而改正。无怪其国家日进于文明也。更考古今中外之伟人，亦多出于贤母之家者。试观于孟母之断机择邻，而孟轲终成亚圣；以一慈祥善教之母，养成华盛顿为美利坚开国元勋；又亨利 Patrick Henry 之母，乃一高谈鸿辩之妇人，故亨利为美国善言之士，"不自由毋宁死""Give me liberty or give me death"即其遗谚也；又罗马帝尼罗 Nero，其母乃凶手也，无怪当罗母京被焚时，而尼罗尚鼓琴自乐。此可见家庭中之母氏，乃国民陶冶之炉也。

我国自海禁开后，欧美之风东渐。我国不完全之社会，一与外物相触接，优劣遂立判。吾人知国势日危，非速法泰东西各强邻不可。故学者之论纷纷，救国之道万绪千端。或曰改良政治，或曰开办矿务，或曰兴教育。曾试以种种方法，而老大之中华民国亦如故，何也。予曰："是不得其救国之要道耳。"善医者究其病之本源，然后施以疗治之方，其效始显也。当时曾有人问于法帝拿破仑曰："法国目下最急需者为何物乎？"彼答曰："贤母氏也。"夫以穷兵善战之魔王如拿破仑者，尚不以兵械金钱为重，而以贤母氏为宝，何也？盖彼知良母可出产未来之新法兰西耳。其眼光之远大，岂庸人所可及乎！今者我中华民国，丁此外忧内患纷纷之日。其国势之危，有孤舟泛重涛遭旋风之状。非有优秀伟大之国民为后盾，其能立足于二十世纪之地球乎。故徒曰开矿办实业兴工艺，严国防者，实一时治标之策耳。然则贤母氏为我国今日最急之物，可毋疑义。

或曰，我国自欧风东渐后，女学渐兴。女子得受普通教育也，已不乏人。然则中国既有贤母，而竟不振。何也？吁！子过矣！夫亦知贤母为何物乎？非今日一般女学生稍受科学之教育，略点缀欧美之皮毛，便诩诩然谓人曰，吾女中之志士也。察其品行，则逾闲放荡，国人见之则睨视，父母亦不敢送其女入学。此近年来各省女学之所以有退而无进也。予非故自贬女界，不过有不能忍而言之耳。吾不禁为中国之女学前途悲！此等女子，将来岂可作贤母乎！何谓贤母氏？曰，有道德、有学问、有经济之女子是也。三者缺其一亦不可。盖予之所谓道德者，非我邦之旧俗屈制女子之谓也。易而言之，则真道德，真学问，真经济是也。故吾侪女界，当入学时，宜抱定一最纯正之宗旨，以自养成为贤母氏，方不负己之责任，与国民之希望也。至于吾国一般无道德之自由女，实不足道者。予深望我最亲爱之女子，勿以此自污污人也。

今日欧美之女子程度日高，乃起而与男子争参政权。我国趋时之女子，亦闻风而起矣。吁！当此女子智识方萌芽之日，而骤起与男子争政权,实非祥物也。至于其详,他日有暇再与读者论焉。以予之管见,则谓中国今日女子之急务,乃当洁身自爱,以期养成真道德、学问与经济之女,而作中华民国之贤母氏。岂非幸福哉!

(第二卷第六号,一九一七年二月一日)

女子教育

梁华兰

吾国无所谓女子教育问题也。兴学三十年以来，近顷女学始稍见萌芽，仍无所谓女子教育问题也。顽固者流，犹谓男子教育尚未普及，遑论吾辈女子。其有教育之责者，对于女子教育，无通盘筹算之方针，仅具补苴罅漏之条文以号令天下。所谓某种女学者，不过为一种学校耳，岂有最后最大之目的存乎其间？则甚矣，吾国女子教育尚未成问题也。然吾视东西各国，其女子教育问题，或已解决，或将解决。教育状况，无不蒸蒸日上。吾国不欲立国则已，否则此后大问题，女子教育必其一，可断言也。

女子教育应与男子教育平等也。女子无教育，或限制其教育，皆由轻视女子而生也。世界女子无受教育之机会者，以吾国为特甚，盖吾国轻视女子为特甚也。英国百年前，女子无受大学教育之权利。以后事势所趋，卒不能不许之，然无领受学位之权利。晚近四十年，女权发达，潮流所冲突，亦不得不破其成例，行学位之授予。然女子能得最高之学位，不过硕士而已，博士尚无予也。日本明治以前，亦无女子教育之可言。自明治维新以后，设立各种学校，至今四十年间事耳，女子遍国中，下至娼妓佣工，无不知书识字，其受高等教育及大学教育者，虽属少数，然女子已有此权利，自必日起有功。夫日本后进国也,其国政多仿效欧美。然于女子教育,实有不能不仿效之势。又视美国,自脱离羁绊三百年间事耳,其女子教育,实为最善。多数大学校中,男女同堂同学,领受学位,男女无异。女博士女硕士,社会中数见不鲜,盖美国女权号称最发达也。夫就三国观之,女权愈发达,其教育愈趋于平等。将来之鹄的,必至两相平等而后止,此趋势可见者也。然所谓男女教育平等者,非教育种类之平等,乃教育人格之平等也。男子能受大学教育,女子亦能受大学教育;男子能受学位,女子亦能受同等之学位;男子能受教育上之尊荣及权利,女子亦能受同等之尊荣及权利,此所谓教育平等也。至教育种类繁多,有适于男子而不适于女子者,有适于女子而不适于男子者,此何能矫揉造作,强而同之?大抵女子宜于文,男子宜于质,此因生理关系无可如何者也。故女子习美术者多,学理科者少,而研究工科者,前此殆无人焉。近顷欧美女子,不认生理之微弱,颇事工艺之活动(如美国史天逊女士学航空术,最近来上海演飞机),从事工科者亦略有其人,然吾恐终不能大盛。盖所谓教育平等者,非此之谓也。吾国尚无女子教育问题,然亦不能不揭橥平等之义,为吾辈运动之指归。且正以不成问题之故,不得不急急揭橥之,急起直追,而跻于平等。夫吾国今日女子所受最高之教育,普通教育而已,过此则无有矣。吾以为出洋留学返国之女学生,当群集设法以自办女子大学也,或要求政府设立女子大学也,或要求政府令各专门大学招收女生也(近顷上海某学院招收女生二名,习高等文学,有人非之,此实男女同校之先声。某学院长留学美国,博通文哲,其眼光不似议者之狭)。舍此女子无受高等教育之望,亦即无教育平等之望。

女子教育应以贤母良妻为主义也。女子治内,男子治外,吾国无论已。欧美女子职业发达，女权伸张，女子要求参政权之风甚炽。且美国女子既有参与政事者，然于斯二语，大都不欲，多所攻击。多数稳健派尤力持斯义，以尽其内助之功。夫效力国家，其道多端，非必躬登政坛而后可也。女子者人类之母也，相夫教子，持家处世，其所贡献于国家者既多。吾闻英国妇人，家庭琐细，必躬亲之。日本亦然。法国妇人，则恶劳苦，好逸乐，避妊之风甚炽，至政府奖励生子，实为人道之大苦。至美国妇人，本甚勤劳，近有一班女子，效习法国，此风不可长耳。吾国女子以数千年之压制，服从既成为第二天性。然正可利用其服从之性，尊之以良好教育，终成世界第一等女子。夫教育之义，教之育之至于至善而已。吾固有之善，必当保存之，不可见异思迁，事事仿效他人也。窃谓科学艺术，吾国无有者，固当取法于人。而良法美风，为吾国所固有者，亦当斟酌时宜，不能因之而尽弃。盖立身行己之道，各国有历史之遗传，因有特异之点，非比科学艺术之公于万国者也。吾国兴学之初，事事皆仿效日本，以为艺术优于我，教化亦优于我。一班留学生，更为之助焰，几几乎无不日本矣。近者又转趋西洋，轻视日本，迹其用心而异往昔，是谓无本之教育甚矣。为之立鹄，使有所趋，实为刻不容缓之事也。或谓贤母良妻主义，其所需之教育，养成贤母耳，良妻耳，无与于高深，是不与教育平等之义相违背乎？曰未也。夫贤母良妻，乃教育之指归，而教育自身，则为其途术。固未有受高深教育，不能为贤母良妻者也。且正以受高深教育之故，思想高超，见解精确，益以知贤母良妻为人类之所急耳。不揣简陋，聊陈管见，愿国人教正之。

(第三卷第一号，一九一七年三月一日)

女子问题之大解决

高素素

中国文明在吾东亚,有如太阳系之于太阳,具宗渊代表之资格,世所公认,无俟喋喋。观海通以还,欧风东渐,势如破竹,所向披靡。社会状态,日易月迁。闭关时代之旧思想,不足应时势要求。新思想之输入,虽欲严绝,有所不可。二十年以来,新旧相竞,一消一长,一进一退。稍稍观察,足见其趋势所在,竞争之剧烈。就中女子问题,尤其显著者。

我国旧时,有所谓"女子无才便是德"之谬论,与现代时潮,固属水火。即揆诸事理,亦为扞格。自教育之声高而女校林立,国人对于女子,未尝不鉴于时力要求,力求改善。惜乎旧思想之惰力犹存,潜势骤发,女子之激而逾越过甚者亦时有所闻。逮乎今日,女子教育,敷衍纷饰,未尝脱幼稚之域。女子问题,琐碎支离,未尝有根本之大解决也。

西谚曰,罗马之为罗马不成自一日。吾国旧思想之蕴结盖亦久矣。自汉以来,尊崇孔氏,罢斥百家。女子问题,所受影响,决非轻鲜。比来尊孔定教之说,喧呶国中。果见诸实行,是无异恐惰力之速灭,故助而长之。是无异恐逾越者之不多,故激而生之也。孔氏学说,剖击辩辟,非本论之旨,故止不述。就其入女子问题范围者,略辞辟之如下。

（一）男尊女卑

狉獉时代,专尚腕力,视女子如物资,作掳掠之目的,多多益善,主人益严,尊乃如天帝。及进而为家族,求一族之统一,不能不定尊卑之位,而仍之如故。此所以男尊女卑者,人类进化必经之阶,不特异于吾国。孔氏者袭斯旧习,立为说耳。《易》曰："天尊地卑,而乾坤定。乾道成男,坤道成女。"此种学说,离乎旧时习惯,直无成立之望,无揩击之价值者也。视女子如物资,不认其人格；视女子如附属品,不认其完全资格,于是三从之说兴,七出之义生。要皆家族主义之所毓成,保家族统一之策耳。

三从之说,一曰从父母。未达成年之期,固所当然,非漫然无限制也。二曰从夫。三曰从子。揆诸事理,皆不词而破。读吾论下节,了如指掌,照如观火,兹弗庸辩。

七出之说,曰不顺父母者出,无子者出,淫者出,妒者出,恶疾者出,多言者出,窃盗者出。为此说者,何责人深而恕己厚耶？男子之淫（多妻即淫）者,恶疾者,多言者,窃盗者,女子果不蒙其害乎？何不闻女子之出之耶？且也,七者之中,揆诸事理,复多违例。无子者,生理问题也,责不专系乎女子。彼妻妾满堂,终至无后者,时有所闻矣。当医学未进之际,既未足明证,贸然归罪,谓非荒谬,不可得也。况夫人也者,介乎神物之间。夫妇之道,乃基于神的爱,而不专系乎物的遗种,视物的遗种为结婚之唯一目的者,不异自侪于禽兽；视女子为制儿机械,则其婚媾如犬马之野合耳,流于本能,去神格趋物格也。妒者,爱之所生。一方面爱之专一,一方面爱之不专,于是而妒生。爱能专一,妒何自生？以妒为恶,黑白颠倒。（妒之极,足以扰秩序,自非佳象。然妒之所由来,必非恶也。世之究恋爱心理者，当首肯吾言。）己之爱人也不专，而责人之爱自专一，何不平之甚？妒者出，淫者出，乃与男子之多妻不相并立者。己淫矣，而禁人之淫，己所弗欲，强施于人，又何不通之甚耶？吾国夫妇间，爱情薄弱。揆其主因，禁妒之反动，多妻之结果耳。积势所至，女子亦矫情自诩，有听男子作狎邪游，自为贤善者，真不堪闻问矣。多言者，人之性情，不涉及道德。列七出之中，益知其视女子之轻有如器物，便则置之，否则弃之。以此轻故，可作出妻条件，益知其婚媾仅物的野合，未尝有神的爱存也。三从七出之说，仅于家族主义之下勉强成立。视彼狉榛时代，以女子为物质，转相房掠，女子之生死存亡，一视主人之喜怒，相处一间耳。孔子曰，唯女子与小人为难养也。近之则不孙，远之则怨。曰养，曰不孙，与小人同论。孔子不认女子有人格，是其明证，不仅吾之推测謷语已也。

（二）男女严别

儒之别男女也，甚为严重。曰男女授受不亲。曰七岁不共席。群性者，人之通性。必划鸿沟，将使之索然离群以孤立，不亦慎乎？问其起因，则己之多淫，爱人不专。畏人他爱，禁女之妒之淫，便己之多淫耳。否认女子之人格，以为一与男子遇即生淫乱，在昔未尝不视为美德，保秩序于消极。时至今日，顽梗者犹以自诩，是不啻告人以吾国之男女善淫，而自以为荣也。试更自实际利害言之，男女之交际既无，恋爱两字可自字典铲削，其结婚也，皆流于物的野合，不复有神的爱存。就职不能，社会事业必待于女子者，皆废而不举。吾国医学专门学校附设之医院，竟不得看护妇，外人传为笑柄。创设病院，看护妇乃远求诸日本。试闭目一思，是何景象？丁兹生存竞争时代，各国国民方尽其全力。吾国乃有半数无人格之废人,男子之功,不能代女子之责。所余半数,又皆因以为不具者矣。以此欲求竞争于二十世纪大舞台上,尚望有立锥地可容足乎?不宁唯是,男女之相恋,乃自然天性,非人力足阻。譬诸水之就下,因其为患,有能扬流而逆行之者乎?治河者不知浚瀹利导,唯以堤堰障之者,可苟安于旦夕?壅之愈甚,溃也愈烈。一旦泛滥,祸且莫抗。吾国水患,何一不因于此。察物情以知人事,何其昧耶。吾国之淫杀案,殆占世界各国之第一位,可以思之过半矣。近来新思潮澎湃,堤堰将倾之象也,女子有逾越范围者,泛滥开始之兆也。不速浚导之,终且大决。谁使之然,推厥祸首,儒家之严防男女也。谓余不信,不观彼欧西举国成风,秩序井然,较吾国之强施压力,反事半而功倍者,何耶?察物情以揆人事既如彼,觇他国以自省又如此,有心人当亦知堤堰须早拆,浚瀹利导之不可缓矣。

(三)蓄妾弊风

多妻制度,渊源于掠夺。考诸各民族史,莫不皆然,吾国何逃斯例。穆罕默德规定以人当四妻,为其极小限。吾国儒家虽未尝积极规定,天子之一后、三夫人、九嫔、八十一御妻,固其承认为正当者。"一夫一妇,庶人之职",是明明谓非庶人者可多妻矣。故谓其为消极之主张殆无不可。逮乎今日,蓄妾成风。民国更兴,未尝明禁。积势所至,禁亦不易。睹其成效,弊害之多,论者众矣,不俟多赘。

(四)节孝名教

节孝者,吾国之所谓名教也。问其根源,野蛮时代之家法耳,否则野蛮时代之遗蜕耳。际此真理渐明时代,个人者非家族之私有,女子者非男子之私有。曰父没三年,无改其志。曰父在不远行。曰从一而终(孔子不认女子有人格,故其言举父而不及母。以母者，父之所有，是不啻以一部分之男子专属于一人，以全部分之女子分配于男子个人也）。其主义所在，不外蔑视一部分男子之人格，蔑视全部分女子之人格也。人虽下愚，决不欲以无人格自居，愿为他人所有。而防范劫持之邪说生，节孝是也。迄乎今日，此风不杀。男子之受害如何，非本论范围，可不具论。壮年女子，不幸早寡，受精神上之苦痛，物质上之挟迫，以壮健有为之身，陷于病废，浸且丧生者，何可限量。语曰未亡人，待亡者，岂其当然耶？恋爱之中坚，本为牺牲性质。男女能本此性质，不再醮再娶者，固天下之至洁至高。然人非神也，健忘乃其特性。虚悬久保，可一遇于非常人，而不可求之于常人。况乎由儒家之道，婚媾既取物的野合，降人格为物格矣。待其死后，乃欲女子自物格骤升神格，谓非丧心病狂者，不当作此矛盾之思想也。

役事翁姑无所不至，甚且加以酷遇，犹必忍受。忍之无可忍，因以戕生于有形无形。普天下女子遭斯厄运者，又何限量。语曰，娶妻以事父母。岂女子者其责任所在仅代人事父母、作婢仆而已耶？嗟乎！男女者，同人类也，人格相同，乃有此不平，使吾女子受厄，足以助男子于成，则犹可言。试一探吾国积弱之因，堕落之源，推厥祸首，何一非名教为魁，尊男卑女，梏禁女子之所致耶。呜呼！家族主义一日不破，中国永无复兴之望。故今日欲解决女子问题，吾敢冒大不韪，昌言曰：请自破名教始，请自破习俗始。破坏之后，方有建设余地。兹事非易言也，略举所见及者，述之如下。

（五）教育问题

考欧美教育史，其呈发达现象者，亦不过近代而已。六七十年前，"女子受高等教育者，对上帝为罪，对政府为罪"之谬论尚现英伦，可想见其黑暗，或不亚于吾国。去腊，日人上田万年氏晋谒大总统,论及女子教育,其辞曰:"贵国女子教育取何方针,将固守旧习欤,将创行欧化欤,将取折中主义欤,关系至巨,必组织委员会研究确立之。"黎氏首肯其说,唯未闻实行耳。局不乏洞明世界潮流者,吾人似可不越俎代谋。然不得不一言告之,女子者,国民之一,国家所有,非家族所私有,非男子私人所有,具完全人格者也。故所受教育方针,当为女子自身计,当为国家前途计,非以供男子私人之役使也。良妻贤母之说,盛唱于日本,吾国近日亦稍稍有其趋势。日本贱视女子,较吾国尤甚,本不足怪。依其教育方针,达其极峰,不过造成一多知识之顺婢良仆,供男子之驱策耳。有良妻贤母之名,无良妻贤母之实。果以封锁女子于家庭,听男子指挥为贤良模范者,吾国村妪,类能道之,旧说足矣。何事纷扰,多此设学之举耶。当局者,望其三致意于此。

(六)结婚问题

吾前不云乎,人也者,介乎神物之间。高尚理想,如威廉克女士所述"恋爱中心之结婚论",恐弗克实现,普及一般。恋爱为结婚之第一要素,则毫无疑义。举世滔滔,所谓结婚者,皆金钱肉欲、卑污野心、物的苟合耳,不现些微之神的爱。女子仅为男子之牺牲,甚焉者,男女同为家族主义之牺牲。故所组成之家庭,无生气无精神,傀儡之扮演场;交谪交讦,相诈相虞,恶魔之黑暗狱耳,幸福两字,非所梦见。故无爱之结婚,不如其已。由吾之论,则结婚当始于男女之恋爱。人非神也,物的关系入焉,一方当听于父母。前《大中华》杂志论之详矣,颇中肯要,故不再赘。

(七)职业问题

由吾前论,女子当具职业,理固昭然,故反对者呶呶。今试辟之,其持论虽有异同,要其言不过曰:女子于家庭责任重大,系于国家盛衰。女子就职,日增月盛,至其极,必置家庭于不顾,所谓 Sweet home 者必破坏无余。此盖男主外女主内之瞽言也。初闻之,未尝不言之成理。加以推究,则知二五不知一十之陋说耳。吾非不承认有斯倾向,然两害相权取其轻,两利相权取其重。试言其弊:方今物质文明锐进之际,生活程度日趋日高。八口之家,其负担之巨,男子营之。女子乃困守家中,寄生住处,仰食于人,累及男子,亦非爱夫之道。吾前既主张女子为国民矣,非男子私人所有。欲不遗半数废人于国家,则舍就职供役社会,他道何由?不观乎欧战乎,凡百事业,女子皆代男子矣。甚者战地负担,女子与焉,非其明证耶。谓女子之有职业,遂失家庭乐趣,亦仅见及皮毛。闭女子以役事男子,男子言乐,或且有然。设身处地为吾女子一思,心所计及,不出米盐之外;目所见者,不出斗室之外;耳所闻者,不出闺阃之外,将何以堪?男子之乐,仅以女子无知,足供其役使为乐者,乐亦卑矣。更进论之,家庭负担全恃男子。不幸男子失职,则一筹莫展,牛衣相泣者,将谓之乐耶悲耶?更不幸男子中道殂丧,贫无立锥,或竟沦落,即女子不足惜,死者之亲戚故旧对于死者将谓之乐耶悲耶?世之主张女子治内,不须职业,方嚣然张甚。呜呼!吾欲无言。

总上所述,解决女子问题,有两前峰,曰破名教,曰破习俗。有两中坚,曰确立女子之人格,曰解脱家族主义之桎梏。有两后殿,曰扩充女子之职业范围,曰高举社会上公认的女子之位置。

女子问题者,大问题也。吾之此论,所辖甚广,皆未克详。他日有暇,当秉如椽巨笔,扫旧布新,与诸姊妹相见。海内女士,不乏贤明,望加以指导。女子问题,不仅系于女子。吾之此论,非作愤怒之不平鸣。海内男子,能平心静气,着真理匡翼不逮,则尤所盼也。

(第三卷第三号,一九一七年五月一日)

论中国女子婚姻与育儿问题

陈华珍

呜呼，天生人类，无论男女，同为圆颅方趾。而男尊女卑，岂非人间大不平之事哉？征之各国，男女平等，无异视之习，独中国为然？吾侪生而为中国妇人，其不幸为何如耶？

吾国妇女缠足穿耳，以为美观。终日枯坐，不问外事，不啻日处于樊笼地狱。以视欧美妇女，在于学校，则练体操。在于家庭，天气晴朗之时，未嫁者伴其父母兄弟，已嫁者携其丈夫儿女，遨游郊外，散步公园，领略新鲜空气。意象之活泼，以我恹恹若病之妇女比之，相去不啻天壤也。迩年来，西洋文明挟太平洋之潮流输入中土。有志之士，知旧法之不足株守，世界以优胜劣败为公例，天演难逃，不可不力图富强。故中国人口号称四万万，而残弱之女子居其半。男子之中，顽固者又居多数。其健良完全之国民，可供国家之役者，百不得一。故国势日益浸弱，致外人有病夫之讥。今日中国，竞言改良，提倡农业，振顿工商，而无健全之国民以任之，吾恐仍空言而无补也。然则若之何而可也？吾可断言曰，非培植健良完全之国民，以任国家之事不为功。顾欲培植健良完全之国民，舍从女界上进行，其谁属哉？然则普及女子教育，改良婚姻与育儿问题，岂非今日之第一急务哉？

女子之结婚，乃终身最大之问题也。毕生之幸福，胥在于是。而我国人于婚姻一事，多轻忽而怠于注意，唯任父母之相攸耳。只知计家产之多寡，学问与性质不顾也。一旦不幸而所适之夫为有病不良者（如素有结核、梅毒等病因者），因之累及妻子。健强之身，变为弱质，失生人之快乐，终身陷于悲境。此皆我国不自由结婚之弊也。欧西各国，无不崇尚自由结婚者，而于身体之健强与否亦极注意。故所生儿女，鲜羸弱夭折者。近日中国女界亦有抱自由思想者，奈程度幼稚，往往反陷于野蛮，良可慨也。迩年来，中国仍盛行早婚，男子年未弱冠，女子年甫十六，而父母急欲为其结婚。以致心身均不能完全发育，所生儿女不克强壮，甚有夭折畸形者，贻祸子孙，为害不浅。试观印度女子，年方十二三时已有抱子者。年未三十，即呈衰老之相，故卒致罹灭国之祸。今中国若不打破此风，长此以往，恐不免履印度之辙矣。泰西各国早婚之禁，载于民法。我国早婚陋习已牢不可破，非由国家严行取缔，决不能达革除之目的也。

　　吾国女界于育儿问题，素不讲求。夫长江九曲，流必有源。高木千寻，伐当求本。女子非国民之母乎？盖小儿由襁褓以及成童，凡哺乳、衣服、沐浴、运动、眠食、教育等事，一举一动，无不依赖母氏，而受其感化。试观孟母断机择邻，孟子卒成亚圣。夫小儿之心地，无先入之言为之主，无偏僻之见蔽其明，如水之澄清，如纸之洁白，其天赋之良心，未遭戕贼也。然近朱者赤，近墨者黑，凡家庭之习惯，邻里之陶冶，俱足影响以及于小儿。而尤赖母氏指教，以轨入正道。他日之为英雄、为盗跖，其基础实出于幼年时代母氏之手。中国妇女教育儿童，每施以柔弱保育，以过度之慈爱，养成儿童软弱之体质。例如冬日风雪交加，为亲者恐其子之受寒，裹以重裘，围以火炉。使之任意食过量之食物，如酒类香料等，有刺激性者皆不之禁。事事悖理，无怪国势不振，国多病夫矣。东西各国于教育儿童最为注意，广设产科生育等专门学校。即普通之女学校，亦多注意及之。故外国妇女无不具育儿知识者。吾愿吾国女界入校读书者，宜竭力注意，以养成他日为国民贤母良妻之资格。二万万女同胞，其各勉之。

稿将脱手，为兄德明见之，谓余曰，迩年来中国妇女有主张独身生活者，此问题甚难解决。考女子思想变更之由来，约有二端。一以女子程度日高，其知识范围扩充，遂觉旧道德之内容未能餍意，而反抗男子之心自起。一以女子有相当之职业，经济上稍可独立，遂欲脱离男子之束缚。然从生理心理上观察之，大有所不能者。盖女子之脑力与体质，其发育不如男子，而近似小儿。且女子任分娩育儿等事，已负绝大之责任，若复欲与男子享同等之地位权利，势所不能也。况以中国程度之幼稚，早婚之习尚未打破，遑论他乎？余为女界计，不如一志力求道德学问，以养成他日国民之贤母良妻。余深然其言，故志之，为吾女同胞告。

（第三卷第三号，一九一七年五月一日）

女权评议

吴曾兰

　　欧洲自卢梭、福禄、持尔、穆勒·约翰、斯宾塞尔诸鸿哲提倡女权，男女渐归平等。美洲男女同校，自小学至于大学，学科一律。女子之成绩，反优于男子。立法、司法、行政，女子皆得为之。纽约一府，女子之为官吏者，且数千人。而发明家尤以妇女居其多数，美洲人至有"男子末路"之叹。此次大战争，妇女起而同男子服务于国家社会者，尤卓著于世界。其运动参政权风潮之激烈，更非吾国议员所敢几其毫末。报章所载，昭布耳目，非空言也。夫谓吾国女子二千年来受儒教之毒，压抑束缚，蔽聪塞明，无学问，无能力，现在不可与欧美并论，即起而行使无意识之女权，尚可言也。若漫不加察，指主张女权者为谰言，而必谓女子学问不可造，能力不可复，则妄矣。今谓革命二字，唯政治与种族上可言，家庭与道德上则不可言，而言女权革命为尤甚。吾试问家庭不可改革，则今之家族主义，能永久保持不改入个人主义乎？今之大家庭主义，能永久保持不改入小家庭主义乎？恐言者不敢坚也。道德不可改革，则历史忠臣之义，不见于共和。一夫一妻之制，特著于《新刑律》，言者又将何以解。按《革卦疏》云："革者，改变之名也。此卦名改制革命，故名革。已日乃孚者，夫民情可与习常，难与适变；可与乐成,难与虑始。故革命之初,人未信服,所以即日不孚,已日乃孚也。"然则革者,改变之名,非必断脰流血而后可谓之革命。吾国人拘墟囿教,则古称先,已成天性。语以适变虑始之事,则适然而惊。故观于赵武灵王、商君、李斯之议变法,可知反对者多,笼统而无当。《革卦疏》又云:"计王者相承,改正易服,皆有变革,而独举汤武者,盖舜、禹禅让,犹或因循,汤武干戈,极其损益,故取相变甚者以明人革。"是知变革之道,不贵因循,取其变甚。政治如此,余可推知。证诸欧美潮流,日异月新,更无不合。夫事之是非,学之优劣,苟无比较,曷明得失?故欧美为学之方,皆以比较为重。若既不深知欧美之俗,而仅举古义为言,一隅之见,宁有当哉?

言者谓吾国男女之权,实未有天然之阶级,何革命之足云?不过分为内治、外治而已。外与内相对抗,不平云乎哉?按《易坤卦》云:"阴虽有美,含之以从王事,弗敢成也。"地道也,妻道也,臣道也。《疏》云:"地道、妻道、臣道也者,欲坤道处卑,待倡乃和,皆卑应于尊,下应于上。"《系辞》曰:"天尊地卑,乾坤定矣。卑高以陈,贵贱位矣。"又曰:"乾道成男,坤道成女。"《说卦》曰:"乾为天,为君,为父;坤为地,为母。"《繁露基义》曰:"天为君而覆露之,地为臣而持载之;阳为夫而生之,阴为妇而助之;春为父而生之,夏为子而养之。王道之三纲,可求于天也。"《白虎通》论三纲之义曰:"君臣、父子、夫妇,六人也,所以称三纲何?一阴一阳之谓道(易系辞传文)。阳得阴而成,阴得阳而序,刚柔相配,故六人为三纲。"据《易》之文,与董、班之说,以坤为地道、妻道、臣道,为女、为母、为卑、为贱、为下;以乾为天、为君、为父、为尊、为贵、为上。又以阳刚为君、父、夫;阴柔为臣、子、妇。尊卑、贵贱、上下之义,皆由《易》确定其天然之阶级。董仲舒、班孟坚不过本《易》之理申明之。陈硕甫曰:

"为学当从西汉入。东汉人名物象数,言之非不精确,然西汉人无意流露一二语,已胜东汉人千百言。"此即微言大义也。故就中学言中学,不能据东汉许氏解字之书,以反驳西汉董氏之微言,及班氏所录十四博士之大义,谓孔氏之书未尝明言三纲,遂归狱董、班也。《大戴礼·本命》曰:"夫者,扶也。"《白虎通·嫁娶》曰:"夫者,扶也,扶以人道者也。"而《曲礼》曰:"庶人曰妻。"《释名·释亲属》曰:"士庶人曰妻。妻者,齐也。夫贱不足以尊称,故齐等言也。"《大戴礼·本命》曰:"妇人者,伏于人者也。"《白虎通·三纲六纪》曰:"妇者,服也,服于家事,事人者也。"是夫之于妻,仅著有扶佐之义。而妻之于夫,则当服之、事之。其训齐者,乃夫贱不足以尊称,始言齐等。齐等于贱,非齐等于夫。其所谓治内,即服事人耳。《易·家人》卦曰:"无攸遂,在中馈。"《疏》云:"妇人之道,巽顺为常,无所必遂。其所职主,在于家中馈食供祭而已。"《诗·斯干》曰:"无非无仪,唯酒食是议。"《笺》云:妇人无专于家事,有非,非妇人也。有善,非妇人也。妇人之事,唯议酒食尔。《白虎通》论妇人之赘曰:"妇人无专制之义,御众之任、交接辞让之礼,职在供养馈食之间。"此则妇人治内,于供养馈食之外,不但御众交接辞让之事不能预闻,且有非有善,皆所深戒。其视妇人不啻机械玩物,卑贱屈服,达于极点。尚谓内与外可相对抗,男与女可称平等,真所谓违心之论,非愚即诬也。

言者又谓:古代男女权或不平,女权重,故姓字从女生。男权优,故以女子为产业、为货财。此又当考社会之起源,进化之次第,乃可以明其说。盖原人时代,男女皆平等。女子亦以个人自视,扶阳抑阴之风,一无所有。亦以斯时之妇人,绝无依赖男子之心,有以致之。至于姓字从女生,则《曲礼》曰:"姓之言生也。"《左昭四年传》释文曰:"女生曰姓。"有贺长雄曰:当族制未发生之世,无所谓夫,无所谓妻。人即有名,唯以明其人与地之区别。而其父母之血统,与他血统之区别,初无称号。故此期间,只有个人之名,而姓尚未起。及部落争斗之事起,而掠夺外女之习生,人皆以掠外女为荣,婚同姓为辱,于是异族相婚之例出。迨时移世易,异族同化本族,乃不得已以外来女子之子孙,作为异族之人,而与之结婚。特以一称号加诸其子孙,使不与他血统相混,以避误与同姓结婚之事,是即姓之所由起也。未开化之世,只知有母子之血缘,而不知父子之血缘。如使原人父子有亲密之血缘犹如母子,则姓之一字,必难起于天地之间。因原人之始皆以女为姓故也。试观古代之姓,皆多"女"字连合者,如姬、姜、嬴、姒、妫、姞之类皆是。证以《白虎通·论姓》曰:"人所以有姓者,所以纪世别类,使生相爱,死相哀,同姓不得相娶。"又《论字》曰:"妇人姓以配字何?明不娶同姓也。"希腊历史家巴罗多他斯曰:"利其安人为子者,只继母姓,不继父姓。若人问以血统,则答以母系之称。"并曰:"某女之某代孙。"北美曷德顺江近傍,有印度土人居之,呼子以其母之姓。问其故,则曰:子之生于父,无形,目不能见。若母之出也,人皆见之,人皆知之。身体发肤,全由母胎来,非母之赐而何?其信确实无一毫假借,故姓不如从母。由是观之,无论洋之东西,种之各色,要皆以母族为姓。苟其姓同,则禁互婚。《说文》云:"姓,人所生。古之神母感天而生子,故称'天子',因以从'女'。"由不识进化之理,遂妄为臆说。盖姓之从女生,一由于禁同姓相婚之习惯。二由于原人不知生殖之理。三由于原人之婚姻不定。四由于一夫多妻之故。至父子之情薄弱,故姓从女生。人从母姓,原因复杂,非仅以女权之重而然。而同姓不婚,尤非吾国之所独擅也。若夫由女姓进而为男姓，则美因罗博、摩尔干、马克勒兰李白耳诸氏之书已多发明，而以斯宾塞尔之说为可信。其略曰：原人舍女姓法而采男姓法者，在废渔猎之生活，而营耕牧之时代。盖原人当渔猎之世，孤立营生，既不为猛兽所毙、强敌所侵，而其得衣食不定，故子孙繁殖颇难。及耕牧事起，其情形大变。此际必人人率其眷属，出乎其族，自成一队，以营生于外。开垦之术未明，耕牧唯求便地。然此适宜之地，非随处皆有。山南川北，大小散处，求如可曼德人全族聚居非常广阔之地，时或狩猎，时或牧畜，不必远求者，殊不易得也。当此之时，一人之男，率其家眷牛羊及耕具，远辱他地，左右睥睨，不见异族外人。于是妻若生子，则不特知其母，即孰为其父，亦不难辨。而异族外人见之，皆曰："此某男之群，此某男之子。"初则互以此为记号相呼，渐则以此冠其族，而男姓法由是起矣。

　　由渔猎生活之平等夫妻时代，入于耕牧生活之专制夫妻时代，则妇女失其自由，为男子之财产，为男子之奴隶矣。西人沈文林曰："有身躯无动机者，谓之木偶。有身躯有动机而无自由者，谓之牲畜。"专制时代之妇女出则听命于夫，入则听命于翁姑。幽闭闺阃，不能自主，一无所知，一无所能，与六畜无异，只知饮食，只知养子。以此辈无知无能之人为群男之母，则举国男子当幼稚之时，不受其害者鲜矣。以此辈禽兽之人为群男之妻，则举国男子当既壮以后，不受其害者鲜矣。担拿马人以一牛换一妻，径打人以双鞋换一妻，六针易一妇，则视妇女如货财之说也。拉丁购买妇女之名词曰"满灯林"，希腊购买妇女之名词曰"哑华"。今西人授戒指之礼，犹是此俗之遗积。据轩利勉所考，凡妇女被擒逼而为妻者，头上须戴一簪，如箭形，以示驯服之意。今世妇女之插簪，犹是此俗之遗积，则视妇女为奴隶之证也。是故女权之重，男权之优，乃自有其先后，而非同时见其优重。进化之迹，不可诬也。吾国儒教，素主宗法社会之阶级制度，故尊卑、贵贱、上下之义，由《易》发其凡。文字具存，勿能深讳。即言者所引《家人卦》考之，曰，"女正乎内，男正乎外；男女正，天地之大义也。家人有严君焉，父母之谓也。"《疏》云："男女正，天地之大义也者，因正位之言，广明家人之义，乃道尊二仪，非唯人事而已。家人则女正于内，男正于外。二仪则天尊在上，地卑在下，同于男女正位，故曰天地之大义。家人有严君焉，父母之谓者，上明义均于天地，此又言道齐家邦。父母一家之主，家人尊事同于国君。"据《易》之义，则女内男外，同于天尊地卑。男尊在上，女卑在下，无所谓平等。其曰，家人有严君父母之谓，则以父母为一家之主，家人当尊事之。犹国君为一国之主，国人当尊事，乃明下对于上，卑对于尊之义，非夫对于妻之义。儒教恒以君比父，化家为国，此亦其一端，不得皆指为汉儒之瞽说。再证以《诗·斯干》曰："乃生男子，载寝之床。乃生女子，载寝之地。"《笺》云："男子生而卧于床，尊之也。女子生而卧于地，卑之也。"《礼·丧服》曰："妇人有三从之义，无专用之道。故未嫁从父，既嫁从夫，夫死从子。"《古梁·隐二年》传曰："妇人在家制于父，既嫁制于夫，夫死从长子。妇人不专行，必有从也。"此则《诗》《礼》《春秋》皆源于《易》，董、班、郑、孔悉本于《经》。学有所从出，说有所自始。推之《唐律》十恶之条，八曰不睦。注曰：殴告夫。《疏·议》曰："依礼，夫者妇之天。"又云："妻者，齐也。恐不同尊长，故别言夫。"此《唐律》以夫同于尊长也。又"诸殴伤妻者，减凡人二等，死者，以凡人论"。《疏·议》曰："妻之言齐，与夫敌体，议同于幼，故得减凡人二等。"此《唐律》以妻同于卑幼也。又，"诸妻殴夫徒一年，若殴伤重者，加凡斗伤三等"。在妻之于夫，则视同尊长。夫之于妻，则视同凡人。论刑,则妻独加重三等,夫独减轻二等。责之极重,视之极轻。《新刑律》杀伤罪理由曰,杀人者死,虽为古今不易之常经,'然以中律而观,妻之于夫,与夫之于妻,其间轻重悬绝。推而至于尊长卑幼良贱,亦复如此区别。(满清律例于夫妻之科刑,更不平等,试考之。)重男轻女,刑礼同然。夫父子、夫妻,伦理上之名分不同,法律上之人格则一。刑法上之性质,止论其人之行为,究应科刑与否,而个人身份地位,于犯罪之成立及科刑之加重减轻,本无何等之关系。此文明国家法律之所同,所谓法律上之平等也。吾国专重家族制度,重名分而轻人道,蔑视国家之体制,道德法律并为一谈。此西人所由讥吾为三等国,而领事裁判权卒不能收回,贻国家莫大无穷之耻也。故考礼刑之所出,其义悉根本于儒教。况孔氏常以女与小人并称,安能认为主张男女平等之人?且吾人所争平等,为法律上之平等;所争自由,为法律内之自由;非无范围之平等,无界限之自由。而天尊、地卑,扶阳、抑阴,贵贱上下之阶级,三从七出之谬谈,其于人道主义,皆为大不敬,当一扫而空之,正不必曲为之说也。

言者又曰,我国男女之权,无精确之考察。有奴视其妻者,亦有奴蓄其夫者。不知女权之轻重,当以世界所标者为准,法律所与者为衡。奴视其夫,苟裁之以法,妻必无幸,奴蓄其妻者则不然。此观于古代汉武之诛句弋,元魏之立太子辄诛生母,臧洪、张巡杀妾以享士卒,及近日人口之买卖,子女之抛弃诸事,实多男子尊长操其权,可以恍然矣。《抱朴子》曰:"西施有所恶而不能减其美者,美多也;嫫母有所善而不能救其丑者,丑笃也。"吾亦曰,吾国女子,非尽无权,特无权者众;而有权者,又非礼经法律所明与,乃偶有而非确定也。原人时代,男女虽平权,无意识之平权也。立宪时代,女子当平权,有意识之平权也,是即法律所许国民平等自由之权。吾女子当琢磨其道德,勉强其学问,增进其能力,以冀终得享有其权之一日,同男子奋斗于国家主义之中,追踪于今日英德之妇女。而固非与现在不顾国家之政客议员,较量其得失于一朝也。呜呼!良妻贤母固为妇女天职之一端,而生今之世界,则殊非以良妻贤母为究竟。吾读欧美人所著新伦理学,以欧美妇女之趋势,证吾国家庭之现象,诚有不忍言者。夫报章为输入文明之具,而非拥护顽梗之符。语曰:"知今不知古,谓之聋瞽;知古不知今,谓之陆沉。"愿通达古今之君子,览世界之大势,勿徒吟咏咀嚼二千年以上之陈言,甘以国家殉古之圣人于荒冢。以其为祸之烈,不独在吾女子也。

此文作者吴女士即又陵吴先生之夫人也

记者　识

(第三卷第四号,一九一七年六月一日)

改良家庭与国家有密切之关系

孙鸣琪

余曩者游学美国，见彼国于通都大邑之间，皆有一种特别审判厅，名曰关系家庭宫院，审理一切夫妇间不愉快之事，每岁案以数千百计。经法庭审查，不愉快之原因，其故有三：

（一）男子与女子成亲之前，相识未久，遽订婚约。在女子一方面，不知男之家世如何，职业如何，其力量能否供给家室之费用。男子一方面，亦不研究女之学问如何，情性如何，有否为母之资格。或为容貌之爱恋，或为金钱之媒合，一时间不暇细究，草草成婚。异日色衰爱弛，下堂求去，纷纷呈诉，请求离婚，此其不愉快之原因一。

（二）男子与女子，均属愚蠢之流，对于夫妇之责任与其重要，茫然不知。平日未尝学问，缺乏教育。于供给与支持家庭之事务，或男子不愿以劳苦之资财供给家用，女子亦不知保守良好家庭。当关系家庭宫院初立之时，对簿公庭者，工业中人居其多数。或女子在工场做工，辛苦终年，不能享家庭快乐，或男子又不愿以工资供给家用。女子亦无识成立一清洁人家，又不知卫生之道，家居什物不合卫生，致使男子放工回家，又要料理家事。或女子专喜讲究衣饰，搔首弄姿，竭男子终岁所入，不足以供给女子挥霍之需。要皆由双方缺乏家庭教育之故。以上种种,不一而足,此其不愉快之原因二。

(三)工业中人,工钱所入,不敷赡家,又无才学,不能另营他业。夫妇之间,时闻诟谇,绝少家庭快乐之趣。甚或袱被他乡,归期莫卜。此其不愉快之原因三。

以上三端,皆余游学美国时所见闻者。考之西文著述中,大略相同。然皆欧美习尚使然,而非所论于中国女子者也。余更为中国女子进一说焉。中国女子界之黑暗,匪伊朝夕。欲改良如以上家庭之恶感,其策有二,特详述之：

(一)应解除男女早婚之事。何以言之？盖男女当十余岁妙龄时,童心未化,科学不知,一旦使之成家,微特不识爱情为何物,娇痴性成,不能操持家政。如此欲其成立良好家庭,不戛戛乎其难之哉。夫男子三十而娶,女子二十而嫁,古有明训。女子当十岁时,宜令就学。科学中以家政科,保姆科必要,以养成他年嫁为人妇之预备。男子亦宜早入学堂,俾习各种学科,略知家庭之道。男子对于女子之职任与家政,一一练习于平时,庶不致流荡忘反。夫唱妇随,自有天然乐趣。至于订婚之时,不宜偏信冰人之言,必其人学问职业家世,博访周咨而无遗。为父母者慎毋草率从事,致贻种种之恶感。此亦改良家庭之必要,愿世人其三致意焉。

(二)男女宜知生命之要旨。亦宜教授高尚之生命与思想,盖男子必须有职业。卫生之学,亦应研究。公益之事,不可漠视。为父母者,各宜教导男儿以爱国齐家之道,更当教女儿为妇治家之要务。必先有好家庭,然后可成强国。语云,欲治其国者,先齐其家,欲齐其家者,先修其身。此之谓也。

总之一切关系家庭之问题,要皆关系国度。国之强弱,视家庭之良否以为断。故端正之士,能成立一清洁快乐之家庭,而后方能于社会上谋公益。齐家治国之道,息息相通。余故曰,改良家庭与国家有密切之关系。

(第三卷第四号,一九一七年六月一日)

结婚与恋爱

〔美国〕 高曼女士 著　震　瀛 译

世之论婚姻与爱情也,以为二者同其意义,同其源流,同为人类不可须臾离者。若是,谓为世俗之迷妄则可,谓为事实则不可也。

婚姻与爱情,二者无丝毫关系,其处于绝对不能相容之地位,犹南极之与北极也。虽有结婚后而爱情甚笃者,然不得谓爱情必由于婚姻也。不过世人不能超脱乎社会之陋习耳,乃今日多数男女之婚姻,皆随波逐流,阿尚时好。以记者视之,无异一滑稽短剧而已。总之,婚姻以爱情而配合者有之矣,而以爱情相终始者,亦有之矣,然与婚姻无涉,不得谓爱情由婚姻而致也。

准斯而谈,谓爱情为婚姻之结果,乃大谬不然也。夫妇之爱情,生于既婚之后,若凤毛麟角不可多觏。即或不然,若深察之,其能免矫情之讥者鲜矣。夫相处既久,热度渐下,色衰爱弛,利尽情疏等弊,于焉以生。此夫妇之道所由苦也。

婚姻之原意,如一保险合同,乃经济上之支配耳。唯其苛刻束缚,较寻常之保险合同为尤酷,其利息亦较普通之投资为更劣。若以保险政策相提并论,则保险所出者唯金钱,犹有自由继续付款之余地。而婚姻则不然。女子以其夫婿为保险费,其名誉、生命、幸福、自尊之种种观念,一概委于其夫之手,诚有之死靡他之慨。不唯此也,以若斯婚姻之保险合同,且判定其一生之倚赖,为寄生虫,为一完全废物,不唯无益于个人,且贻祸于社会。男子之范围较广,其限制不若女子之甚,然不免有纳税之义务。故于经济方面察之,其束缚尤有难言者。

Dante 格言曰:"其入是者,一生之希望绝矣。"其用于 Inferno 人谓其确当,若用之以比婚姻,则亦甚妙也。

婚姻乃人生之不幸事,已不能为讳。其否认此说,非愚则妄。试观离婚之统计表,乃知婚姻失败之痛苦为如何矣。而顽固之辈,反谓离婚律例之不严,致女子渐习于放荡,岂不诬乎？离婚之统计表如下:

一、普通每十二人之已结婚者,则有一人离婚。

二、自千八百七十年起,每十万中,其离婚者,由二十八人增至七十三人。

三、自千八百六十七年起,离婚媒介之奸淫案,每百人增至二百七十零八分。

四、抛弃而私奔者,每百人增至三百六十九零八分。

除上列之可惊可骇一统计表外,其文章剧曲之详细讨论此问题者更不可胜算。如 Robert Herrick 之 *Together*,Pinero 之 *Mid-Channel*,Eugene Walter 之 *Paid in Full*,及其他之文人,著作其评论婚姻者何止千百。然此以为无意识之举动,不允当之作为,没趣卑鄙,有若留声机焉。

故凡理想活泼之学生,咸不满意于此现象。稔悉婚姻之苦痛,此思想深印脑海中,而不能拔,故脱俗之行为,所以时见也。

Edward Carpenter 曰,男女一生之命运,可由其结婚与否而觇之。其性情之水火者,名虽夫妇,实则路人也。以今日万恶社会为之魔障,婚姻之知识,决无进步;婚姻之结果,定乏美满,审是曾何庄重之足云乎?Henrik Ibsen者,证明此真谛之第一人。其对于社会之各种制度,皆深恶痛绝之。其评Nora也,非若荒谬评论家之所为。盖Nora之所以弃其夫,乃苦其责任之重,又或忆其女子主权之重要。觉其与一不相识之人,同居八载,且为之诞子焉。夫以两不相识之人,终身相处,其屈辱忍痛,孰有过于是者耶?今日之女子,举凡各事,皆委于其夫之手,乃谓悦己者容,故于修饰之外,非所计也。若是,适足以保存男子权利耳。是以吾人对于前人之窠臼,须破除之。若神道学之野史,谓女子只适为男子之附属品,因其感情思想之不高尚。即以男子之体格而论,可为天之骄子。其体魄魁梧,虽觑其影犹不能无惧焉。

女子之应居下流,或以物质之未尽文明而致之耶。若以女子之思想感情为不高尚,然则女子所具者何耶?且也,女子思想感情之愈不高尚,其为男子之玩具必矣。其所恃以图存者,舍其夫婿莫属。男子之尊贵,有若神怪,而甘为奴隶之服从,此婚姻制度所以保存不败也。际兹女子之大梦已醒,所谓夫权者,乃束缚自由之具,今不再受其愚矣。于是世俗所谓神怪婚姻制度,亦居于摈斥之列,势无挽回之希望也。

世之女子,其自幼即教以婚姻为人生之要点。故其教育学问皆趋向是途,其希望与蠢豕之致肥而待屠者无异。然尤有可笑者,乃其对于为妻母之道,懵然不悉,非若美术家之专心致志从事其业也。以庄严之女子,只关心于婚姻卑鄙之事,其可耻孰甚。噫,婚姻之无足重视,人所易知。而从未有敢纠正其谬误,以实行我神圣之恋爱者。然今日之所谓维持婚姻者,亦无声无臭。女子以期望为人妻母之念,致于不知不觉之间,牺牲一切以为代价,而堕入此竞争场中。所谓竞争场者,果何物耶？男女之界线是也。故男女有界线之分,而女子乃终身堕入男子之牢笼,受男子之压制,脱辐之占,亦难免矣。岂非作茧自缚,求荣反辱乎？记者敢大声疾呼于我同胞之前曰,今日世人重视之男女界线,一日不破除,则人类多数之困苦,与夫婚姻精神上之痛楚,一日不能免。虽千百之家庭,终无完美之望,非伪言也。

若夫女子不凭国家或教会之奖励,而得以自由发展,以求男女之玄理,吾决知其必为世人所唾骂,谓其不合为"正"士之妻。然其所谓"正"士者,乃大腹便便,胸无点墨者也。以活泼多情,完美长成之女子,乃反乎天然之要求,遏抑一己之希望,捐弃其康健精神,收缩其眼光经验,诛锄其男女之玄理及幸福,而待世所谓"正"士者,攫为己有,名之曰妻。其倒行逆施,孰有甚于此者耶？婚姻之意义,正复类是。其配合若是之腐败,祸害何可胜言？此婚姻制度所以远不及自由恋爱之为愈也。

今何时乎？非一实行之时期乎？当 Romeo 与 Juliet 彼此钟情,虽各处其父盛怒之下,亦冒死而不顾。又如 Fretchen 之钟情于邻氏子,种种故事,今已亡矣。若乎青年男女之纵情于稗官野史,乐而忘倦,而又受其尊长之训练摧残,其能不受此荼毒者鲜矣。此今日少年所以无自觉心者也。

女子之脑根既受旧道德之熏染,故于男子未尝用其爱情。即或然矣,其所有者几何乎？美人一生之要义,则以"其人能自立乎"？"其有供给妻儿之能力乎？"其所质证婚姻在,如是而已。故女子之思想,久为其融化。对于婚姻,其幻想者乃万恶之金钱,非月下花前携手接吻之事。此思想之卑劣,精神之痛苦,皆婚姻制度之遗毒也。此国家与教会所以为祸不浅者也。

　　今之人必仍有以为金钱对于爱情不足以施其伎俩。然金钱之罪恶，已驱若辈于自私之途矣。将来女子位置，必大变更。自若辈之加入工业竞争场中，其时间虽甚短促，亦可谓非常之变动也。一以六百万之女子劳动家，其公权与男子等，俱置身于图利之场，亲行劫夺之事。同盟罢工，发现于女子，饥寒亦不能免，众目所共睹。不宁唯是，此六百万之劳动家，于人生事业范围中，劳心劳力，侦探、警察、开矿、筑路无不有女子焉。其自由得以完全恢复，斯诚然哉。

　　如上所论，仍未已也。此数百万之女子劳动家，其视此为常业者不可多睹。其志趣与男子无异，唯男子虽处老病之年，仍有独立自给之必要。虽然，举世之人谁不知寄生虫之可耻，其真能自立不为金钱所驱迫而执贱役者谁乎？故女子之视其职业，咸存五日京兆之心。若婚姻之期既至，则弃之如敝屣。此女子所以较男子为难于联络也。是以女子之恒言曰："吾将结婚而家道成矣。吾何所望于党会乎？"此岂非今日社会之习尚，视为女子最后之职业耶？既嫁矣，其家庭之中，坚墙厚壁，虽不若工厂之广大，然无殊牢狱也。出入既不自由，事务较为烦苦，不亦大可哀乎？

　　据委员会最近工人及工资之统计表，纽约城之劳动家，其已结婚者十分之一耳。且其执此贱役仍如故也，其处境既足悲，况加以家庭之辛苦乎。所谓家庭之庇护与家庭之幸福，果何在耶？概自男女之阶级分，虽中流社会之女子，无论其有唱随之乐与否，均不能言为自己之家庭。吾更欲有所证明者，则婚姻能否为女子家庭之保证，与其丈夫能否垂怜耳。其处家庭之中，终岁劳苦，及至身世凋零，黯然消魂之候，其境遇尚可问乎？虽家庭诟谇至于不可忍受地步，而欲其逐夫于家庭之外，亦无所措其手足也。之东不能，之西不可，其时乃知世界已无吾之生路矣。不宁唯是，婚姻既成，则凡事皆受制于男子。交际场中，无容足地。若夫颜色渐衰，举止濡滞，果决心亡，而依赖心起，明察之机能为之怯懦矣。如是，必启男子轻视之心，虽欲不为男子之赘疣而不可得，岂非作茧自缚乎？

然则所产之婴儿，非婚姻而谁保养之乎？此讵非一最重要问题耶？噫，为此言者，非欺骗之徒即伪君子也。婚姻真足以保卫婴儿耶？何育婴院与青年改良公所之多也，而社会之设立以禁止儿童之虐待。终日惶惶，以救卫为其亲爱之父母所虐待者，而 Gerry 会之所以立，此亦不过欲置此等无苦之儿童于乐境耳。嘻，其说之不当，于此可以觇之矣。婚姻之为力（足以生子而不足以养子）足以使马至于水傍，而不能使之饮水也。法律足以逮捕监禁其父母，使儿童之免为饿殍乎？若其亲不事工作，或不近乎人情，则婚姻又何足以施其技乎？以婚姻之故，而致触犯禁例，乃置之于法囚之于狱，其所做之苦工，非所以养其子女也，但供国家之用度耳。且其所遗传于子女者，必为一种恶劣性根。盖其父曾于严刑峻法之下，身无完肤，其种嗣焉有良善之望乎？

至若论及女子之保障，婚姻乃为其祸水也。不唯不能为正当之保护，其真相竟绝对相反。以若是之侮辱，倒行逆施，人类之幸福，摧残已尽，所以不能不归咎于此寄生虫之婚姻制度也。

其更有与此相类者，资本制度是也。其剥夺他人之公权，摧残他人之生机，涂毒他人之身躯，使之不知不觉促之以贫乏，起其倚赖之心，后复兴善举以救济之。则世人之自重心，以此泯灭殆尽矣。

婚姻制度，使女子为寄生虫，极端倚赖，减其生存竞争之能力，灭其对于社会之感情，而断绝其理想，诡谓为正当之保护，其实乃一陷阱耳。自人类性情言之，殆若涂改陈文以资戏谑也。

若以孕育为女子最高之天职，而欲保存婚姻制度，则世间无一不在保存之列矣。其如自由恋爱何？婚姻乃为倒行逆施之事，遏抑女子之发展。而其对女子皆曰，汝当从我，不然者，汝之生机绝矣。是岂非欲置之于死地耶？若女子不允其所求，则横逆侮辱之来，必难免矣。今世婚姻，岂非独为保存孕育计耶？鄙夷之，强迫之，犹未已也。若夫孕育为出乎自主，发乎至情，自由恋爱，其荣幸何异以帝王之冕加于平民之首。而乃以血书镌其碑铭曰，私生子，以鄙夷之。岂各种德行，俱应为婚姻所责骂乎？而反对孕育，即永不能登爱情之极乐国乎？

爱情者，人生最要之元素也，极自由之模范也，希望愉乐之所由创作，人类命运之所由铸造。安可以局促卑鄙之国家宗教，及矫揉造作之婚姻，而代我可宝可贵之自由恋爱哉？

自由恋爱乎？恋爱无他，自由而已。男子可买他人之脑髓，而不能买他人之爱情，其失败者以千万计。男子又可克服他人之肉体，而不能克服他人之爱情，男子更足以攻取敌国，而不能攻取他人之爱情。男子足以折抑他人之性情，而于爱情乃不足施其技矣。贵为天子，富有四海，若爱情不属于己，终难免离索之苦也。若爱情之我属，则如冰天雪地，忽现阳春；瓮牖绳枢，骤登大宝。是以爱情之魔力，足以使乞丐变为天上人。诚哉，自由恋爱之不可不实行也。

自由者，一完全发展光明磊落之事。一旦爱根既固，虽宪法之条文，世界国家之法庭，俱不能转移之。故婚姻如硗瘠之土地，无良好之结果，事势使然也。

爱情须能自卫，无待他人之保护也。生命延长一日，则爱情亦存在一日。所产之儿，亦不致饥寒交迫，流离失所，此诚然矣。吾知女子得生育之自由者，必为其男子所钟情。至于成年之儿女，而亦得其爱护者，则属罕闻。唯热心自由恋爱之人，差堪语此耳。

秉国钧者，唯恐自由产养之发达，将来无人肯为彼辈之奴隶，以执兵役，以充库财。警察狱吏，谁肯为之哉？若自由恋爱之实行，种族阶级，势将不保。于是君主也、总统也、资本家也、牧师也，咸大声疾呼曰：种界！种界！吾人虽贱视女子为制造人类之机械，然种界不可不保，而婚姻制度不可不存。此婚姻制度，乃独一无二之万全政策，以抵抗女子之醒悟、男子平等之真理也。此狂谬之行为，保存拘囚女子之现象，然终无效也。甚如宗教之诱导无益也，君主之横逆无益也，其他如法律也、警察也，皆无足以施其技矣。女子不愿久为一生产之机械，以其所产者柔弱不武之人，不能溃决奴隶贫穷之藩篱。而欲以少数良美优秀之子女代之，其必出自自由恋爱，非如婚姻之出于强迫而后可近。曰伪道德家亦觉悟其对于儿女之责任，而自由恋爱之足以警醒女界之迷梦矣。若以女子为人母之责任，较之颠沛流离尤为惨酷。及其既为人母，则必竭其心力，得善良之人格，以遗传其子女。至若从子之格言，彼既知之。如是，果足以造成正当男女之人格乎？

Ibsen 描写 Alving 夫人也，其考察甚属精微，必早有自由恋爱之观念。Alving 为一理想恋爱之人，经过婚姻之种种恐慌，因彼曾破除婚姻之羁绊，得精神上之自由。高飞遐举，而归真于完善之人格，振刷其精神，底于革新强固之域。其对于 Oswald，卒不能达其终身愉乐之目的，良足悲也。然彼决知自由恋爱为人生独一无二之良好景象。其他如 Alving 夫人者，尚不乏其人，然俱以血泪为之代价，始获精神上之醒悟。而否认婚姻，视若丧心病狂，徒供他人之嘲笑，毫无意识，彼辈所知者，唯制造一新种族、一新社会之基础而已。

处今日之偏促国家之中，多数人民未悉爱情之作用。至若爱情发生于不可思议之时，反从而遏抑之，其凋谢必易。盖其纯良之质，不能受其终日之摧残也。近日社会构造之不良，而爱情之心思，复杂太甚，难于整饬矣。人类乏爱情而不自觉，则爱情将无力以唤醒世人之迷梦也。

男女奋兴之日，达于极端地位，造成一伟大强固之社会，以享受此可宝可贵之爱情，人类之幸福。虽诗歌异能，理想遥远，亦难预言其真境。若世人能破除婚姻之陋习，结纯粹之团体，人类之和谐，必皆以爱情为之根源矣。

高曼女士者 Miss Goldman，美洲著名之无政府党员也。其先本俄属之波兰人，善雄辩，著书极富，主张激烈。凡聆其言论者，莫不感动。其一生之革命运动，勇往无伦，曾以是入狱数次。其罢工之运动，今为尤甚。现任美国纽约之《大地》Mother Earth 杂志之编辑。又设星期讲演会，极力鼓吹无政府主义。其著述有《近代戏曲之社会意趣》《无政府主义》《政治暴动之心理》《工会主义》《祖国主义》《道德之牺牲与耶教之失败》等。此篇《结婚与恋爱》Marriage and Love 亦女士之杰作，凡我男女青年不可不读也。

译者　识

（第三卷第五号，一九一七年七月一日）

婚制之过去、现在、未来

刘延陵

吾国文人,每论及婚姻,辄有数种陈言,点缀其文。譬如"天地之道,肇端阴阳;人伦之始,起于夫妇""《诗》始《关雎》,《易》首《乾坤》"是也。然此等古说,虽经人人引用,至于如通衢之石,因万人磨足,而销损磨灭,其所含之真理,岂不能见。而引用之者,为延长篇幅计,照例抄述,以明婚姻关于社会者大。而其关系何在,又不能言。然而二者非无涉也。依进化学者之说,生物必需之机官能力,虽无亦生(譬如猬本无刺,而因足短口小,无术自保,故遂生刺。犬之嗅觉本非甚锐,而因其口不择食,不能辨毒,则不能自保,故嗅觉变锐)。其不必需者,虽生亦灭(譬如人猿本皆有尾,而因上肢能及全身,尾遂缩灭。人类本能猱木,而因其后保身之术既多,食料又丰,不必登高,故遂不能猱木)。由此推论,人而无求于婚姻,则性觉(男女之欲)当已早绝。然自古及今婚制虽屡变,而人鲜恶婚,则人类果何求于婚姻哉?吾文主旨在答此问题。但人类有求于婚姻之故,因时不同。已往之事实,可以寻史而知。未来之现象,非恃推考莫明。吾述已往之事实,俾世明其进化之史。吾求未来之正轨,俾世知其趋向之道。

一　婚制之过去与现在

社会学者或分人类之进化为三期，曰：原人社会、宗法社会、文明社会。而婚制之进化，即随人群之进化而变。原人社会与宗法社会之初期，男女之交，全生于天然之性觉，不含其他目的，故可称为无目的之婚姻。此期婚姻之形式，论者异辞。罗伯氏 Lubbock 谓妇人为人人之妻，所谓公妻 Communism。巴哥分 Bachofen 谓其事杂乱无制 General Promiscuity。毛根氏 Morgan 则谓兄弟姊妹为婚 Consan-guine Family。此三说者，皆由观察一群一族之事例而得，不可谓人类祖先尽然。人类祖先之婚姻，多数学者，皆认为短期一夫一妻制。人之得妻，或取自本族，或取自异族。娶自本族者，夫妇大抵平等，唯其结合不久，男子或弃妻他适，或与人易妻。娶自异族者，又有二种不同之式。一曰摆那 Beena，一曰劫妻。相邻之两族若相亲善，则一族之男可妻他族之女，而即随妻族而居，男子不能自主，事事受制外家，儿女亦尽归之。若欲弃妻他适，则一芥半勺之微，皆归妻族。锡兰岛土人及几尼亚之亚拉瓦克人 Arawaks of Guinia、鲍尼阿之蒂克人 Dyakes of Borneo 今日犹守此制。而一八九一年，美国副将比来 Peary 探险绿岛之时，曾目击之，绿岛土人，皆依妻族而居。有时弃之而别赘于他族，数年以后，复还寻故剑。是为摆那。劫妻之事，多行于相邻而相仇之两族。此则妻受制于夫，离婚亦甚速。离异之后，妻与子女或仍为夫族之人，或归外家。前者如泰斯摩尼人 Tasmanians，行之后者今犹见于卡力勃种人 Caribs。由此言之，最古婚制共有三式：一为同族婚配，一为摆那式之异族为婚，一为劫妻式之异族为婚。同族为婚，夫妇平等，于社会制度无所变迁。摆那制中,夫弱妻强,子取母姓,故血统为女统。其在劫妻之制,离婚之后,若妻与子女归于妻族,其结果与摆那制同。若留夫族,则子从父姓,而血统为男统。最古之时,婚制与社会之关系此数言尽之矣。然女统社会演为男统社会之际,社会之中有二种现象与男统制度汇合,由无目的之婚姻一变而为嗣宗继业之婚姻。所谓二种现象者:

一、为财产之积聚。劫妻制中,妇既从夫,夫妇遂有分工。盖上古之生活,战争之生活也。妇人因妊娠之故,不利用武,故男子独任战斗,妇人就其力之所及者为之。内则烹食、葺巢、织席、制网,外则输食、负重、济夫于战场。因有此种分工,故家室之中经济的生活以生、物用亦既阜矣。而当女统社会之变为男统也,人类亦由渔猎而游牧而稼穑。渔猎之时,一日所得仅支一日、数日之食。游牧稼穑之时,牲畜米谷积而人有贮蓄之产。《史记》言,胡人计富,驱羊于谷而算其数。《汉书》言,乌孙富人,皆贷其谷于贫家,而来年受二倍之偿。当时既有天然之积蓄,又有男女之分工,故财物益聚,而人身后有遗业。夫初,民日事仇杀,异族不相亲,故有遗产之人,莫不愿有子以承之。唯其如此,故当时男女之交,不仅为满足其自然之欲,而亦为生子。

二、为祖先之奉祀。初民愚昧,以为世界之中,有无数灵魂。而灵魂者,可寄于山川、草木、鸟兽以为生。故于日月、星辰、风雨、雷电之外,并崇拜多种之生物、非生物,以为神祇。然初民又恒以生物、非生物命名者也,由是而若其俗拜鹰,某人之名亦为鹰,则鹰受其人之崇拜,为其人之图腾 Totem。迨至男统社会,父之名为子之姓,故父之图腾亦为子之图腾。以图腾为其姓元祖,世世事之。而男子身操大权,死后亦受崇戴,其子若孙以为其神常陟降左右,而佑其宗也，乃为之祠庙，为之报享焉。是为祀先之制。因人人注意身后，欲有子孙祀享，故绝嗣之事，往时或为福祉，今则以为大戚。子文之忧其宗，首以若敖之鬼冻馁为念。惠公之请亡晋，必以秦将祀吾为言。孟子以舜盲从父命为孝，而于其逆父娶妻，亦以为孝。可知祀先之制既生，则婚姻视为大典，人之娶妻，不仅为满其自然之兽欲，而亦含有宗教的意味。

有此二因，前期无目的之男女结合，遂变为嗣宗继业之结合。其结果视男女婚媾，不为个人之事，而为全族之事。不定于男女自身之意见，而定于父母之命，媒妁之言，亲族之意。他不远证，吾国三千年来之习俗即其写照也。

嗣宗继业之婚姻，见于宗法社会之末期与国家社会之初期。国家社会之中期，人民自由思潮发生，既破专制之政治以后，遂破专制之家族制度。以婚姻非一族神圣之典礼，乃个人法律上之契约。其目的不在延续血胤，而在致男女自身之快乐。故当定于男女相对之恋爱，不当定于他人之意思。于是嗣宗继业之婚姻遂一变为恋爱的婚姻。然恋爱的婚姻，恒有趋于极端之倾向。极端之恋爱婚姻，其弊乃不可胜言。人人耽于逸乐，不受缚于德义，故夫妇微有不和，则断绝离异，唯恐不速。且不以生育为对于社会应尽之职，故杀胎溺儿，习见不鲜。*Jay's a Report on marriage and Divorce in Europe and U. S. A.* 一书中(145页)有统计表，记各名都每百人中离婚之数。

地名	一八八五年	一九〇〇年	一九〇五年	一九一〇年
巴黎	二六	三六・五	三六	三七
柏林	二〇	二九・三	三一	三一
纽约	二四	二九・一	三二	三四
伦敦	二一	二九	二九・九	三〇
布鲁塞尔	二五・四	二五	二三	二七
巴维利亚	一四	一四	二五	二五・五
华盛顿	一二・三	二三	二〇	二二
维也纳	二三	二〇	一四	一七

由上表观之，自一八八五年至一九一〇年之间，各国离婚者之数，大抵日增，而尤以巴黎为最甚。离婚之事，道德法律，皆不绝对禁止，然至于十人之中必有小半数离异，则男女之间，只知有欲与乐，而不知有义务可知也。又夫妇耽于逸乐，以生子为累，乃有堕胎溺儿之事，其事亦以巴黎为最甚。故各国人口之增虽缓，而法国则人口日减。去年（一九一六年），其政府竟发凡生一子给四百法郎之令。凡此皆今日恋爱之现象。欧洲有识之士，莫不痛心疾首，思有以改革之。然而亚洲人士，则方且随波逐流而追之。吾国无统计。日本每百人中离婚之数，明治二十五年为三二・五，二十六年为三二・六，二十七年为三一・七，二十八年为三〇・三，三十年为三四，平均为三二・二，几欲与法京相抗（商务译本，横生雅男著《统计通论》三七二页）。

统而言之，舍最古无目的之结合不论，嗣宗继业之家庭，为血种之传续,牺牲个人之自由;恋爱的结合,为个人之自由,牺牲血族之传续。已往如此,未来如何?其将由极端之恋爱结合,而灭绝人类耶?抑将返为嗣宗继业之结合,而行古于今耶?此则今日社会一大问题,而不佞所欲贡其一,得于吾国之青年者也。

二 婚制之未来

吾以为天下有一至理焉,即过与不及,皆非事之正轨,唯中庸唯可行。孔子他种学说之偏正,非所欲论,唯其所谓中庸,则吾以为不易。亚里士多德于其伦理学中亦云,德者,二极端之中点。其一端为过,他端为不及(Every ethical virtue is a mean between two vices, on the one side of excess and on the other side of defect. Nic Eth. Bk. ii chs. 6—9)。英国亦有成语曰 Golden Mean,即谓中道金制之道。征以私人道德,则勇为怯与暴之中点,俭为奢与啬之中点。征以群事,则专制与无治之间有民政,社会政策与自由政策恒不独行而相和。读者忆物理学中之锤秤乎,悬球于线而向右纵之,则球先右荡而后左旋,动力既消,乃静止于两点之中。嗣宗继业之婚姻,专顾血种之传续,如球之右荡。极端之恋爱婚姻,专顾个人之自由,则如其左旋。今左旋之事将完,未来之婚姻,必为以前两种制度之调和。是即学者理想的婚姻,亦可谓为伦理的婚姻。伦理的婚姻,不使人种绝灭,亦不侵害个人合理之自由,兼以前两种制度之利,而祛其弊。

虽然,伦理的婚姻,既如此诠释,则欲依逻辑法理,证其适当,则应证明二点:(一)个人合理之自由不当侵。(二)血种之传续不当忽。当此自由思潮澎湃未艾之时,第一点之理,人人知之,毋庸赘述。故以下但就第二点稍为解说，以明极端之恋爱结合未为正，独身主义之学说未必当，而社会各种制度之演进，亦自有其不易之轨道与终止。

古今学者，或信有主宰万物之上帝，或不信之，而皆认有所谓"自然"。自然 Nature 者，即万物已定之状态，及其应守之规则 The established order and rules of, and for things in the universe。譬如吾有目，有目而能见，即可谓为目之自然。吾有耳，有耳而能听，即可谓为耳之自然。学者于公认自然之外，又多数承认一理，曰："顺自然者善"，"逆自然者恶"。此理为吾以下立论之前提，谨先引诸家之说以明之。

（一）吾国学者之信此理者，首推老子。其疏证此理之言，散见于其全书。

（二）次有亚里士多德。故勃龙 Browe 之序其《伦理学》一书也，曰，亚氏伦理学说，全以人之心理为基础，全书筑于人间自然之性之上。The foundation of Aristotle's system of Ethics is deeply laid in a psychological system. Upon the nature of human soul the whole fabric is built and depend for its support. —Browe's Analystical Introduction to Nic Eth.

（三）俞鲍尾 Ueberweg 之著《哲学史》也，称无觉派 Stoics 之学说，亦以顺从自然为本。曰："生活之最后目的，在符于自然之道。故伦理的极峰，醉诺释为'行为之合于人之自然'。克兰司以之为'合于万物之自然'。克里息白则综合其说以之为'行为之合于人之自然与万物之自然'。并谓人之自然即万物之自然之一部。其格言曰，'依汝所得于自然之经验而生'。此理，后世无觉派学者犹守之勿失。故克兰司曰，'人生最后之目的，在于人身之自然组织无忤而已'。"The supreme end of life is a life conformed to nature. Zeno defines the ethical end to be harmony with nature; Cleanthes, with the nature of universe; Chrysippus, with one's own nature and that of the universe together, our nature being but a part of universal nature. The Formula of Chrysippus is κατ' ἐμπειρίαν τῶν φύσει συμβαινόντων. This Anthropological conception of the principle of moral was adhered to by the later Stoics, as in the following dictum of Clement of Alexandria, one of the lats: τέλος εἶναι τὸ ζῆν ἀκολούθως κατασκευῇ. Ueberweg, History of Philosophy. ⸹55

（四）哲学者包尔生于其《哲学》绪言中言曰，道德的命令，即自然的命令。自然的命令，人或尊之，或卑之。然因其能决定人之健康与幸福，故为人之自然的法律。凡个人与国家，顺之者昌，逆之者亡。Moral laws are natural laws. We may assign to them a transcendental significance or not; They are, first of all & at all events, natural laws of human life in the sense of being the conditions of its health & welfare. According to the natural course of events, their transgression will bring upon nation's as well as individuals misfortune and destruction. While their observance is accompanied with welfare and peace. — Paulsen's Int. toPhi. BK. ich. 1 § 3.

（五）群学者吉丁斯之《论人类社会之目的》也亦曰，所谓合于自然者，科学的解释为"于互相影响之万物之中，保其固有之职守"。故其狭义的解释为"与使之生存之势力全然相合"。凡不合于自然者，非支离破碎即斩除消灭。In its absolute scientific sense, the natural in that which exists in virtue of its part in a cosmic system of mutually determining activities; Hence, in a relative and narrower sense, it is that, which is, on the whole, in harmony with the conditions of its existence. —Giddings' Principles of sociology p. 419.

诸家之言如此，而于事实非为无证。例以明之，信实所以为善，欺诈所以为恶，因吾望人信，人亦望吾信，乃人人之自然（自然之性）。信实之人，顺己之自然亦顺人之自然，故善；欺诈之人，但顾己之自然，不顾人之自然。不顾人之自然，即违背自然，故恶。节欲之人，使己之各种机官能力，得其自然之用，故善；纵欲之人，失其自然之用，绝欲之人，禁其自然之用，故恶。由此类推而证（凡依循自然为善，逆之为恶），学者盖无异辞。由是言之，男女之欲，为自然之性欤，非自然之性欤。动物之中，上自人类，下及极微之 Amaeba，或雌雄各别，或同体而具两性。植物之中，高者花蕊有雌雄，低者根分阴阳。总而言之，凡为生物，皆有生殖传殖之能，是盖自然界最普遍之自然现象矣。极端之恋爱结合，唾弃传殖，而但顾男女个人之乐，何异有耳不听，而但淫之于声（悦耳之声）？有目不观，而但淫之于色（悦目之色）？独身主义，塞绝性觉，则更同于挖目割耳。天下而有违逆自然之事，则违逆自然，孰愈于此。违逆自然，而为不善不德，则不善不德，孰甚于是。

（自然）以外，尤有（个人对于社会之义务）为吾立说之基。社会者，如一有机物，而各个个人，则同组成此有机物之细胞。一个人之得生，分析言之，赖其他无数个人之助。总合言之，赖社会全体之力。正如一生物之中某个细胞之得生，分析言之，赖其他诸细胞之通力合作，综括言之，则赖此生物之未死也。譬如吾无衣不得生，而使我得有衣者谁乎，自其最易见者。言之，无农夫之耕种，食无从出；无商贩之转运，食无从至。进一步言，无前人相传之法，农不知耕。无制造耒耜之人，农不能耕。无制造舟车之人，商不能运。无圜币交易之制,商不乐运。更进一步言之,稼穑之法、耒耜之制、舟车之造、圜币之制,又非少数人为之,而由无数之人辗转承递相辅相助而为之。故我之得食,非受惠于数人,乃受惠于无数人。饮食如此,教化亦然。吾何由而得受教育乎,使吾得受教育者,非仅吾之师与著书者数人之力,乃历来制造文字、制造思想、制纸、制笔等等无数人,及创造教育学说、教育制度与管理教育行政、兴办教育事业等等无数人之力也。饮食教化如此,其他居住饮食、各种营生之道、娱乐之法亦无不如此。故质而言之,一人之得生,众人生之。个体之得生,全体生之。人人施惠于我,我受惠于人人。人人为我之债权者,我为人人之债务者。但有惠利,即有义务。个人既受惠于社会,则不能无以报答社会。而因其所受之惠利至重且厚,故其所负之义务亦至厚且重,虽竭一生之力,尽瘁于社会,亦不足以报其万万分之一。然而于此有一最善之法,使一人虽死,而其未尽之义务,有人代负;其所受于群之无涯之恩惠,有人代报者,则生殖之事也。某生物中,一个旧细胞殂谢,而无新细胞代之,则此旧细胞为负此生物及此生物中其余各细胞。何则?少一个细胞,即吐旧纳新、通力合作少一分之力,而全体少一分之利。一个人既死,而无子以继之,则此个人负社会与其他各人。何则?社会少一人,即保守矩范,开展文明少一分之力,而其他各人少得一分之利。细胞无知,且必得代工者而后殂,人为万物之灵,能无代替报答社会之人而死乎?

尤有进者,吾人身为社会之一员,凡为一事,不当仅计吾一人为之,其结果如何,当计人人为之,其结果如何。盖人人皆处同等之地位,凡吾能为者,人人能为之,人人效吾而因以害社会,吾罪固不赦,即使无人效我,而一效我即足以致弊,则吾对社会亦为有罪。

何则？报答社会之道不一，而以善行为群众之表率其一也。若以恶率众，则社会之道德即于无形之中，破于吾手，而吾即为其罪人。（杀人之人虽治以律，无补于死者，然而法不宥者，盖法之主旨非仅以惩杀人之人，亦所以戒效尤故。Austin 曰 The main object of law is not to punish the perpetrater of a sin but to prevent others from doing the same. 又法律上，刑事诉讼原告为国家，而非受害之人，何则？因刑事犯以恶率众，侵害国家全体，不仅侵害被害者一人。法律如此，道德亦然。）循此以推，吾不欲有子，则人皆可不欲有子。吾可无子，则人皆可无子。夫至于人人无子，则人类几何而不绝。故奉行独身主义之人，及极端恋爱自由的夫妇（即但顾自身之逸乐，而恶生育子女者），不啻持"灭绝社会"之旗而行其"斩断文明"之志也。人无社会不得生，今社会生彼等，而彼等死社会。人无文明不得活（野蛮之人亦自有其野蛮的文明），今文明活彼等，而彼等绝文明。例以报施之义，毋乃不可。（忆曩读英人某著之小说，述数人聚谈报国之方。一白发老将指其跳憨之诸孙曰，"吾所以报英国者在此而已"。言有至理。）

有此两理由，故著者尊重爱情，亦尊重传殖，唾弃嗣宗继业之婚姻也，不赞成极端恋爱自由的结合，而附和所谓伦理的婚姻（西文称伦理的家族 Ethical Family）。伦理的婚姻，欧西已有倡者，吾但就其主张，附以以上所述一己之意见，以告吾国青年耳。但此种婚制并非"学者理想之制度，其实现与否尚不能定"。乃"于理论上固为至善，于事实上亦为必至"者也。何则？世界上各种文明，无不以"希望社会久存"为前提。（此处前提二字，谓其与伦理学中 premise 相合，毋宁谓其合于 presupposition）此理可由反证而得。盖人若不望社会久存，则世界既今日消灭，地球既明日破碎，国家何为而图富图强,众人何为而营营扰扰。故吾以为"希望社会久存"者,乃人人心中不言而喻之意见,乃万有界中种种现象动作之前提也。唯其如此,故知多数之人必不愿唾弃传殖,以使人类灭绝。(由此亦可知少数唾弃传殖者,但顾一己之适意,不顾社会。)夫今后之人,不肯不顾爱情与自由,不须言矣。爱情与自由,既不肯不顾,血种之传衍,又不能忽略。则未来之婚制,非"尊重爱情自由并尊重传殖"之婚制而何?非吾文所谓伦理的婚制而何?

三　结论

至此而本文之职务了矣。仅总其大意,以作结论。过去之婚制,曰无目的的婚姻(其解释见前),曰嗣宗继业之婚姻。现在最流行之婚制,曰极端之恋爱自由的婚姻。未来之婚制,曰伦理的婚姻。无目的之婚姻,非人类有为而为之(见前)。嗣宗继业之婚姻,所以保守一姓之产业,传衍一姓之血系。恋爱自由之婚姻,几于与最古无目的的婚姻相同,舍满足男女自然之性欲以外,无他企图。唯伦理的婚姻,所以使男女相对之爱情得其满足,世上数千载缔造经营之文明得其继续,万物中最高等生物之血种得其传衍。兼嗣宗继业的婚姻之善,而无其压迫自由与爱情之弊。兼恋爱自由的婚姻之善,而无其忽略传殖之弊。于理论上为至善之制度,于事实上为必至之境界。吾愿吾国青年尊重爱情,亦尊重传殖;尊重自由,亦尊重自己对于"自然""社会""文明"之义务。而认已往诸种制度为婚制进化道中过渡之阶级,而独以此为其最后之至善目的地。伦理的婚姻万岁!中国无数之新青年万岁!

（附言一）预计有反对之论数则，仅简略答之，以助明本文立论之旨。其一曰，孟子"不孝有三，无后为大"之言，已遗中国以无大之弊害，吾人当力矫其失，不当为相似之论调，尊重有后。须知本论与孟说形相似而实相反。孟氏从家族着眼，吾从社会着眼，孟说基于鬼神之迷信，乃宗法时代之思想，而本论则非然。或又曰，理由虽异，宗旨则一，宗旨既一，则由孟说而生之弊害，由作者之说可以免否。譬如为祖宗而欲有后，则人置妾，对社会不能无后，人岂不能多妻。答曰，不能。伦理学之原则，不许借恶为善。譬如无钱之人，途见饿民，杀人越货而救之乎，抑唯无法而置之乎？曰，无钱则置之，固不可责。然则有妻而无后，乃必责之置妾耶？其二曰，生产良好之子孙，固为报答社会之一道。但今日吾国大多数之人民，皆自身未受教育，且无力教育子女，故生子愈多，则社会受害愈大。然则著者之说，即使于理无忤，而不合于今日吾国之情势。答曰，无教育而人民多，诚不如有教育而人民少。但欲使国家无多数未受教育之民，当自教育上设法，不当以人工遏制人口之增加。即欲以人工遏之，亦不当提倡独身、堕胎、弃儿诸事。盖奉行此种主义之人，大半为受过中等教育而溺于快乐之人。（因贫而为之者固有，然实为少数。）至于愚蒙无知之民，则方迷信于旧式婚姻（嗣宗继业之婚姻），既无理解诸新说之程度，亦无奉行之之志愿。故中国今日而行独身主义及极端之恋爱家族制 Romantic Family，将使全国有才有财教育子女之人无子无女，无才无财教育子女之人仍然多子多女，其害社会将益烈。唯读者幸毋误会，不佞此文，乃所以明婚制进化之程序及各种制度之得失，非专为反对一种学说而作。此段所言，特附言耳。

（附言二）近世各种文明，一言蔽之，为征服自然 Conquest of

Nature。Nature 欲寒人类，人类为衣以敌之。Nature 欲以风雨雷电畏人类，人类收服风雨雷电以为己用而报之。Nature 以山川河海隔绝人类之交通，人类乃造舟车邮电以败之。夫然，则何解于文中所述"顺自然者善、逆自然者恶"。不知 Nature 一字，同字而含数意。"征服自然"中之"自然"＝自然界，"顺自然者善"之"自然"＝万物已定之状态及其应守之规则（见前）。同字异义，无异于异字，此逻辑学中所以有 Ambiguity of Terms 一语。恐读者误会，故并及之。

刘君此文，意在反对自由恋爱及独身生活两种思潮，以为充其类尽其量，必至文明消灭人类断绝也。夫文明消灭人类断绝，自非怀抱"空观"疾视文明，主张"无生"学说之人。固所不愿，唯鄙意方今世界人口加增，率已逾物产加增之量。默计将来，人增无穷，物增有限。马查士（Malthus）《人口论》，今仍为经济学界有力之说。杞忧之士，方欲于法律道德种种方面，谋遏制人口加增之量，独身主义，其一端也。男女性欲，出于自然，少数贤哲，乃能制止，岂有全体人数胥能遵循此法，而使社会断灭之理？若云一人所为，必求可以表率群众，人人效之而无弊，则我耕而人皆可耕，我仕而人尽可仕，岂可因人人将效我耕我仕，致社会他业俱废，而我遂不可耕不可仕乎。若云个人对于社会之义务，则社会之存立重在分工互助。人人各尽其能，互为施报，足矣，不必别事酬劳也。即欲格外酬劳，其道甚多，又何必限于为后耶。若夫自由恋爱，更无妨于传殖，亦不逆乎自然。至其以此而轻视育儿之义务者，由于个人不德耽于逸乐者半，由于社会制度不良者亦半。欧洲妇女率劳于生业，倘兼及育儿，财力时间，均所不济。若公共育儿制度完全发达，则避妊堕胎弃子之风，当可大刹。无论何种婚制，皆源于传衍一姓一族之血统而生。全体人类社会之存亡,与之无涉也。少数独身生活,人类社会不必因之灭亡。全体自由恋爱(育儿职务属之公共机关,此亦社会事业分工之一),人类社会又岂害于传殖,唯不利于一姓一族之嗣续耳。然衡以中国之现状,诚有如刘君所忧,倘尚独身主义及自由恋爱,则贤者行之,不肖者惑焉,将收"择种留劣"之效。且吾华女子,育儿外率无他业。(吾俗男子谋生,女子育儿,亦分工之法也。)今不以教育职业先之,猝尔教以放弃为人妻母之责任,淫媠者益以自恣,岂为社会之福?(犹之人力车,恶制也。今不为别谋生计,遽令停业,岂车夫之福?)故刘君此文,于吾之男女青年,颇有一读之价值也。

独秀　识

(第三卷第六号,一九一七年八月一日)

女子问题

——新社会问题之一

陶履恭

《新青年》征集关于女子问题之文章，既有日矣。而女子之投稿者寥少，已若珠玉之不多觏。更通观本志所刊布诸文，舍一二投稿家外，非背诵吾族传来之旧观念，即抄袭西方平凡著者之浅说：欲求其能无所忌惮研究女子问题，解决女子问题，释女子之真性，明女子之真位置，定女子与国家社会相密接之关系者，殆若凤毛，若麟角。吾兹非好为褒贬，专以评骘诸勇敢之投稿家为能事。诚以今日中国之社会，稍受教育稍有知识之男子，方群陷于物质的生存竞争。高官厚禄（合法的或非法的），为毕生至高之希望；美姬娇妾，奢车丽服，为人生存在之真理由。男子既群以此为风尚，恬然奉此虚伪龌龊之标准，以轨范一般人之行动，鼓舞一般人之希望，而犹希冀数千年来受束缚之女子，解脱重轭，振拔流俗，不尚物质，不慕虚荣，推倒群盲所崇拜之偶像，排斥时髦所趋逐之倾向，又岂可能？事实之未明，真理之未昌者，今日我国思想界、言论界之现象也。而关于女子问题，缄默尤甚。揆其原因，诚以常人惑于一时之卑风劣俗，为社会状态所摆弄，道在迩而不之求，非真理易晦，事实难显也。

女子问题,欧美社会问题之最重者也。其成为问题也,纯为社会状态之所诞生,所酝酿。其所由来,非一朝夕,必社会状态有其所以兴起之原因。吾今欲究中国女子问题,自不能不述及女子问题发源地之欧美,自不能不述及该发源地之社会状态,以供吾人之借鉴。且所谓女子问题者,在今日已无国界之可言。自欧至美,自美至亚,女子之申诉呼吁,几无宁日。今日已成为一般女子之大觉醒。即吾国二万万之女生灵,鼾睡方酣者,终亦必为世界女子活动之潮流所卷收,相与共谋解决之方。

一、经济之发达。男女之别,性 Sex 之别也。自生物学观之,男女生理之形态、组织、变化,有种种之差异。根本于生理上之差异,其精神作用之状态,复有异同。此不可掩之事实,依常识,依科学,皆可得明证者也。故二者之在社会也,初亦一本自然。各因其特能专长,而据其位置。考先民之分工制度,最初现于家族之内者,厥为男女之分工。夫耕妇织,夫猎妇炊,妇事养育而夫任保护。乃先民生活之状态,自然之分工也。后世群制稍进,治者更定为礼制:内言不出于阃,外言不入于阃。严防男女之别,使各不相侵。吾族数千年来,迄于今兹,遵守斯制,犹未尽替。已成为道德之要旨。使先民男女分工之经济状况永久而不变也,则男女间之关系,今日无以异于昨。然一旦男女之分工渐失其平,社会一般之分工代之以起,财货有畸轻畸重之势,而女子有独立自主之机,则女子之活动,不能不因之而嬗变。昔之女子,以育儿、煮饭、缝衣为惟一天职。今则以社会上经济状况之蜕化,而另谋活动之方。昔之女子以家庭为世界、为学校、为工场,生于兹,育于兹,受教于兹,劳动于兹,老死于兹。碌碌终生,舍生殖传种而外,所事惟满足家族经济之需要而已足。今日大工业勃兴,物品不复产于家庭,而产于工场。女子不复操作于家庭,而受佣于外人。此欧美今日之现状也。女子之位置于以变,女子之问题于以起。

经济状况之发达,实女子问题之一主因。今日盈千累万之女子,莫不食工业革新之赐,减劳役,轻思虑,而家庭种种之需要尽得偿。不役于父,不役于夫,而种种之生活得独立。盖先有经济界之革命,然后向来家庭之经济组织破。家庭之经济组织破,然后女子博得经济的独立。既获经济的独立,然后能脱历史传来之羁绊。

二、教育职业之发达。质言之,今日欧美社会之大运动,尽可以经济说明其原因。所谓社会问题,不过经济问题之变象而已。即吾兹所论究之女子问题,与详细剖辨其原因,亦可以经济之发展总括之。而吾以为经济状况而外,社会上有种种现象,虽以经济之影响而后发生,而其自身,更直接影响社会上其他现象,关系密切,有不容忽视者。经济之发达,固为女子问题之主因,而教育、职业、民政诸端,亦莫不被经济之影响,而后发展綦速。然其直接影响,促生今日之女子问题,其重要、其密切,有不能不承认其为原因之势,故特揭出论之。

昔男女分工之时代,女子活动之范围,不出于家庭之外,吾既言之。近世国家,设强迫教育之制:国民不问男女,不问贫富,凡逮一定年龄,概须受国民之教育。如是,则今之女子,非复一家一族之女子,而属于国家社会。其教育遂亦不仅系于一家一姓之兴衰,而系于社会国家之治乱。今日之女子,乃获空前之机会,出家庭之小社会,见闻狭隘,不出张长李短,思想卑浅,不外米酱油盐者。今乃诲以世界之山川形势,诏以国民之权利义务。眼界既开,知识斯长。藩篱一破,女子遂登社会之大舞台矣。

与教育相伴,促生女子问题之又一因,厥为职业之发达。昔之所谓职业,男子之职业也。女子,舍良妻贤母,女红割烹,别无职业之可言。教育既遍施于男女,不特女子之聪明者,能驾男子而上之,即一般之女子,在学成绩,亦不见劣于男子。加以近世工商业发达之社会,各种职业之要求,殆无底止。或从事技术,或从事学问,苟有一才一艺之能,不问男女,无不能见售于世。故今日之女子,不仅从事于家庭之职业,更从事于社会之职业,不止于良妻贤母之国民,更兼为良工巧匠、诗人、学士之国民。此职业发达之结果。女子活动之范围,殆与男子活动之范围相吻合,工场、市廛、学校、政府,无往不见其足迹也。

　　三、思想之发达。右(上)兹所述,仅就物质方面而言,显而易见。试一游欧美诸文明邦,家庭之中,日用物品,十之八九,取诸市廛,而不在家制备。若在通都大邑,即每日三餐,犹且有悉仰诸餐馆者。女子在家,服役至寡。主妇之任务,要在主持家政,监理一切而已。而市衢之上,熙熙攘攘,往来摩肩者,以女子之从事于劳动职业者充其强半。方今战事正酣,各国男丁,多投身于疆场。凡百事业,尽赖女子。而女子职业之范围,愈益扩张。此种现象,皆有目者所共见者也。女子问题,亦有非物质之原因,常人所未觉察,是为近世思想之发达。

　　欧洲自宗教革新而后,思想一变,而神学之权威杀。自法兰西大革命后,思想又一变,而社会制度、政治制度积久之权威摧。(思想之嬗变,必非一朝一夕之故,而为历史的经过。肇源湮远,积日持久,乃克成熟。吾兹取宗教革新及法之大革命为两种思想革命之纪元,取便志思想潮流之变迁而已)近世之思想,勿论关于科学、宗教、政治、经济,继乎两种思想革命之后,常取怀疑之态度,含革命之趣味。欧洲女子固有之位置,乃千余年来所演成之社会制度。耶教经典之所制限,各族法典之所规定,从来相率因袭,谁复敢起而抵抗、非难者?今亦受革命的思想之磅礴,终将沦于淘汰之数。抗之者谁?难之者谁?女子之诞生于革新思想之世界者也。

吾今欲缕述新思想之实现于女子问题,恐势有所不能。近百余年来之文学,关于女子位置之讨论,靡不见新思想之势力。最初若法之龚道西 Condorcet 于《进化史表》*Esquisse d'un Tableau Historique des Progrès de l'Esprit Humain*,申男女平等之义,约翰·穆勒著《女子服从论》*The Subjection of Woman*,论女子雌伏之非。此男子为女子作不平之鸣,彰彰有名,无俟吾言之赘。而现代女子著述家,若英之佛西脱夫人 Mrs. Henry Fawcert(已故财政总长、经济学者佛西脱之夫人),瑞典之克倚女士 Ellen Key,南非之谢莱纳夫人 Olive Schreiner 及合众国之亚当斯女士 Jane Addams,思想一发,形诸楮墨,皆能为女子吐气焰,增价值。虽至鄙薄妇女之人,亦不能不为所折服。然所谓思想之发达,非仅见于上述之四氏已也,亦非仅见于今日欧美文学界之女子著作家已也。今日新思想之势力,弥漫磅礴,殆无往而不是。状态万千之女子,或在家,或在市,或为人妇,或为人女,咸于不知不觉之中,有伟壮不挠之精神。(吾友某,营商于伦敦。一日,以事访某肆主人。主人不在,其书记出款待之,女子也。畅论女子问题,友大惊诧)宁愿自食其力,不肯仰人鼻息;宁愿独身终生,不肯配偶失意。此种健旺之精神,可以于今日欧美社会之妇女觇之。

上所述者,皆促生女子问题之主因。语焉不详,仅借以识产生女子问题诸主要社会状态而已。社会状态,常相为因果。以上诸种原因,既促女子之猛省,成为问题。诸种原因之外,若民政之进步，新伦理观念之发明，女子生率之增加，其他种种，更仆难数，亦鼓舞女子之大动力。而女子之自觉，自身之猛省，又反而直接、间接促进以上诸种原因。今欲考女子问题之纯因，则错综纠纷，渺不可得。盖所谓社会问题，苟探其原，莫非若是之繁杂而难明也。

吾述女子问题既竟，而关于本题，未加界说，未下定义。读者不能无所疑。然女子问题，包含无数之意义，无限之希望，无尽之计划。若欲遍数，请俟异日。吾惟解释女子问题之原因，即能明其趋向，亦即可以与吾国今日社会状态相比较。视女子问题在吾国之位置，果为何如。今日吾国之经济、职业、思想，远逊于欧美，自不待言。而国中女子，处于今日之社会，亦自然无奋发策励之机会，似亦无足深怪。然今日之世界，乃交通频繁之世界，经济、职业、思想之发展，无不遍布于全球，成世界的潮流。现于欧洲今日之社会者，明日即将现于吾族之社会。今日欧美之女子问题，必将速见临于此邦，无俟疑惑。至于预俟其来，谋解决之方，则责艰任重，匪一人任。要在今日之青年，而尤在今日之青年女子。

(第四卷第一号，一九一八年一月十五日)

贞操论

〔日本〕 与谢野晶子 著 周作人 译

我译这篇文章,并非想借它来论中国贞操问题。因为中国现在,还未见这新问题发生的萌芽,论它未免太早。我的意思,不过是希望中国人看看日本先觉的言论,略见男女问题的情形。

《新青年》曾登了半年广告,征集关于"女子问题"的议论,当初也有过几篇回答,近几月来,却寂然无声了。大约人的觉醒,总须从心里自己发生,倘若本身并无痛切的实感,便也没有什么话可说。而且不但女子,就是"男子问题",应该解决得也正多。现在何尝提起男子尚且如此,何况女子问题,自然更没有人来过问。

但是女子问题,终竟是件重大事情,须得切实研究。女子自己不管,男子也不得不先来研究,一般男子不肯过问,总有极少数觉了的男子可以研究我译这篇文章,便是供这极少数男子的参考。

我确信这篇文中,纯是健全的思想。但是日光和空气,虽然有益卫生,那些衰弱病人,或久住在暗地里的人,骤然遇着新鲜的气,明亮的光,反觉极不舒服,也未可知。照从前看来,别人治病的麻醉剂尚且会拿来当作饭吃。另外的新事物,自然也怕终不免弄得一场糊涂。然而我们只要不贩卖麻醉剂请人当饭便好,我们只要卖我们治病的药,又譬如虽然有人禁不起日光和空气——身心的自由——的力,却不能因此妨害我们自己去享受日光和空气,并阻止我们去赞美这日光与空气的好处。

　　与谢野晶子是日本有名诗人与谢野宽的夫人。从前专作和歌,称第一女诗人。又是古文学家,用现代语译出《源氏物语》《荣华物语》等书,极有名誉。后来转作评论,识见议论,都极正大。据我们意见,是现今日本第一流女批评家,极进步,极自由,极真实,极平正的大妇人。不是那一班女界中顽固老辈和浮躁后生可以企及。就比那些滑稽学者,见识也胜过几倍。与谢野夫人的歌,是不能译它,今且译这篇论文,请识者看。它原来的篇目,是《贞操八道德以上二尊贵デアル》。

　　我因为最尊重贞操,想把它安放在最确实坚固的基础上,所以作这一篇文。

　　今年发生了贞操问题,非但女子的贞操,连男子的贞操,也经多人讨论,有知识的人,如今对于这个问题,都肯郑重反省,原是极好的事。但如将贞操单当作道德,想要维持下去,这事可否,却不易决定。非更加审慎研究,再行定夺不可。现在有许多人,并不将此问题新加解释,仍旧将它当作道德,强迫实行,却觉得不甚妥当。所以我们对于贞操道德问题,颇感着几件疑惑。

　　我们的希望,在脱去所有虚伪,所有压制,所有不正,所有不幸,实现出最真实,最自由,最正确而且最幸福的生活。我们就将这实感作基础,想来调整一切的问题。譬如古代道德,在当时人类的生活上,虽然有益,如今已不能满足我们的情意时,便已同我们生活的规律不合。倘若仍然拿来强用,便是用虚伪来施压制,我们应当排斥这暴虐的道德,再去努力制定我们所必要的新道德才是。

道德这事，原是因为辅助我们生活而制定的。到了不必要，或反于生活有害的时候，便应渐次废去或者改正。倘若人间为道德而生存，我们便永久作道德的奴隶，永久只能屈伏在旧权威的底下，这样就同我们力求自由生活的心，正相反对。所以我们须得脱去所有压制，舍掉一切没用的旧思想，旧道德，才能使我们的生活，充实有意义。

我们要脱去压制，并非要过放纵无秩序的生活。我们还须仔细聪明的批判商量，建设起实际生活上必要的一切自制律，如新道德新制度之类。我们现在对于贞操道德，怀着许多疑义，倘若得不到明快的解决，不能确认贞操为现代道德，这意思也无非想建设真实的道德。使我们的道德性，不至更有动摇，可以遵守着行，也就是想把贞操，照现代的思想，当作新道德，去拥护它。

贞操的起源和历史，我们可以不必深究。无论怎样都好，我们要晓得的，便只是现代人对于贞操这事，聪明的解释，和真切的实行。

如今先把我怀着的疑惑，随便记下：

贞操是否单是女子必要的道德，还是男女都必要的呢？

贞操这道德，是否无论什么时地，人人都不可不守，而且又人人都能守的呢？

照各人的境遇体质，有时能守，有时不能守；在甲能守，在乙不能守。这等事究竟有没有呢？如果人人都须强守，可能做得到么？

无论什么时地，如果守了这道德，一定能使人间生活，愈加真实，自由，正确，幸福么？

倘这贞操道德，同人生的进行发展，不生抵触，而且有益，那时我们当它新道德，极欢迎它。若单是女子当守，男子可以宽假，那便是有抵触,便是反使人生破绽失调的旧式道德,我们不能信赖它。又如不能强使人人遵守,因为境遇体质不罔,也定有宽严的差别。倘教人人强守,反使大多数的人,受虚伪压制不正、不幸的苦,那时也就不能当作我们所要求的新道德。

贞操是属于精神的呢?属于肉体的呢?属于爱情的呢?属于性交的呢?还是又属精神,又属肉体,所谓灵肉一致的呢?这种区别,也还未定得明白。

倘说是属于精神的,照意淫的论法——见别家妇女动了情,便已犯了奸淫。

凡男人见了女人,或女人见了男人,动了爱情,那精神的贞操,便算破了。无论单相思,无论失恋,或只是对于异性的一种淡淡爱情,便都是不贞一。照这样说,有什么人在结婚前,绝对的不曾犯过这"心的不贞"呢?

人若不独居山中,全离了社会,可有一个人不曾这样破了贞操道德么?如果说贞操是属于精神的,对于这个问题,却须彻底的想一想才是。道德这事,果能制裁人心的机微,到如此地步么?

现在且不必如此穷追。假定作贞操是只是结婚的男女间应守的道德,这样说,那结婚以前的失行,不是应该一切宽假了么?即使肉体上曾有关系,只说精神的未尝相许,岂非便与贞操道德毫不相背了么?

世间的夫妇,多有性交虽然接续,精神上十分冷淡。又或肉体上也无关系,精神上也互相憎恶,却仍然同住在一处。这样的人,明明已经破了精神的贞操了,可是奇怪,贞操道德非但不把他们当作不贞的男女看待,去责备他,只要他们表面上是夫妇,终身在一处过活,便反把她当作贞妇看待,那又是什么缘故呢?

倘说是属于肉体的，男女当然是绝对不能再婚，不但如此，如或女子因强暴失身，男子容纳了奔女，便都已破了贞操，一生不能结婚了。又如为了父母兄弟或一身一家的事情，不得已做了妓女的人，便永久被人当作败德者看待。"精神上悔过的人，罪自除灭"，这样美的思想，也可以说是曲庇败德者，想该不能存在了。反过来说，倘若肉体上只守着一人，即使爱情移到别人身上，也是无妨。这样矛盾的事，也就不免出现了。

又若说是灵肉一致的，这样道德，现今的社会制度上，能够实现么？精神和肉体上都是从一的结婚，除了恋爱结婚，决不能有。但现在既不许可恋爱的自由，教人能享恋爱自由的人格教育也未施行的时候，却将灵肉一致的贞操，当作道德，期待它实现，这不是想"不种而获"么？

现代的结婚，大抵男女两者之中，必有一边是一种奴隶，一种物品，被那一边所买。不是男子去做富家的女婿，便是女子要得衣食保障，向男子行一种卖淫，这便是现在结婚的状态。对着这样结婚的夫妇，期待他灵肉一致的贞操，岂不是使夫妇两方都受一种痛苦，强要他作伪么？

现在世间当作奇迹一样看待的恋爱结婚，为了生活理想转变的缘故，实行时代，恐不久也将实现。但虽则如此，人心不能永久固定，恋爱也难免有解体的时候。就是用热烈的爱情结合的夫妇，未必便能永久一致，古来这样的实例也不少。所以恋爱结婚，也不能当作贞操的根据地，我对于贞操的疑惑，大体就是如此。

凡是道德，必须无论什么时地，决无矛盾。又如有人努力实践了这道德，虽不免稍受苦痛，然而必又能别得一种满意，能胜过这苦痛，因为我们所要求的将来的道德，是一种新自制律。因了这新道德，能将人间各自的生活，更加改善，进于真实自由正确幸福的境地。因这缘故，所以即使由社会强迫个人遵守，也是可以。

但今如要彻底的实践贞操道德，又不曾将它解释得决定明白，仍旧照从前暧昧的解释，想去实行，必然生出许多矛盾，不能彻底的通行。

世间有许多人说，即使再婚妇，或曾经嫁过两三次的妇人，甚而至于娼妓，只要她对于现在的丈夫保守唯一的爱情，以前同别人的关系，都不要紧，不能定现在的贞操。一面又有许多人，对于结婚前失行的女子，无论她是由于异性的诱惑，或是污于强暴，或是由她自己招来，便定她是失节的人，极严厉的责她。这种风气，现在颇有势力。

照这样说，那男子在结婚前失行过的，也应该算不贞么？这样质问发出去，世间上还要笑问的人没常识呢。原来男子的贞操，不曾当作道德问题，有人去研究它过。男子虽然在结婚后，原是公然许可可以二色的。在男子一方面，既没有贞操道德自发的要求，也没有社会的强制。若在女子一方面，既然做了人妻，即使夫妇间毫无交感的爱情，只要跟着这个丈夫，便是贞妇。社会上对于女子所强要的，也便只是这种贞妇。甚至于爱情性交都已断绝，因此受着极大的苦闷，但是几十年的仍同丈夫住在一处，管理家务，抚养小孩，这样妇人，也都被称赞是个贞妇。又或爱情已经转在别人身上，只是性交除丈夫外不肯许人，这样妇人，也都被称赞是个贞妇。世间上这样的例，实在很多。

又听有人说，贞操是只有女子应守的道德，男子因生理的关系，不能守的。照这样说，岂不就是贞操并非道德的证据，证明它不曾备有人间共通应守的道德的特性么？

若照生理的关系说起来，在女子一方面，也并不是全然没有性欲冲动的危险时期。且并不止因生理的关系——爱情关系，自不必说。或因再婚等事，反可开辟一种新生活的缘故，有许多女子不固守处女寡妇的节，于他却反是幸福。这样的例，世间上也极多。

无论什么时地，要把贞操道德一律的实践起来，便生出许多矛盾。与实际的生活相矛盾，岂不便是这贞操算不得道德。基本不曾完固，不能来调节现代生活的证据么？如要补这些缺漏，定出许多例外，说什么结婚前的不贞一，不关紧要，或说再婚不妨，只求以后灵肉的贞洁，或又说恋爱结婚果然是理想的办法，但是无爱情的夫妇生活，勉强着厮守下去，也当作一种贞操，是必要的。这样看起来，这贞操道德的内容，可算是最不纯不正不幸不自由的了。同旧时那妨害我们的生活，逼迫我们到不幸里去的压制道德，一点都没有差别。我们不愿信任这矛盾的道德，来当作我们生活的自制律。

我们对于从前所谓结婚这一件事，也觉得可疑。仪式，同居，户籍呈报，只以形式关系为重的结婚，到底有怎样的权威呢？将结婚前后，来区划贞操，宽假结婚前的失行，固是无理，结婚后无论如何，只要合在一起，便算是贞德完全，也是形式的解释。

自从古时直到现今社会，夫妇可以结了婚，同住在一家里。但是以后，因经济或其它事情的关系，户籍上并不呈报，也不同住在一家，却结夫妇关系的男女，怕要渐渐多起来了，欧洲近来各社会中这样的人已经渐有增加的倾向。这是学者的道德论所难以制止的社会事实，无可如何的。在这样的夫妇关系上，结婚这形式，便毫没用处。爱情相合，结了协同关系。爱情分裂，只索离散。这样社会事实同贞操道德怎样能得一致呢？男女必须结婚这个理想，方在动摇。贞操的永久性,怎样能够保证,使它确实成立呢?

我从前在《太阳》杂志上说过,我对于贞操,不当它是道德,只是一种趣味,一种信仰,一种洁癖。(按:原文中有一节,比得极好。说"贞操正同富一样,在自己有它时,原是极好。但在别人,或有或无,都没甚关系"。)既然是趣味信仰洁癖,所以没有强迫他人的性质。我所以绝对的爱重我的贞操,便是同爱艺术的美,爱学问的真一样,当作一种道德以上的高尚优美的物事看待,且假称作趣味,或是信仰都可。倘若要当它作道德,一律实践,非先将上文所说的疑问解决不可,非彻底的证明这贞操道德,无论何人,都可实践,毫无矛盾不可。不然,就不能使我们满足承认。

我今重又申明,我的尊重贞操,决不让人。所以作这一篇文。

(一九一五年十一月)

(第四卷第五号,一九一八年五月十五日)

贞操问题

胡 适

（一）

周作人先生所译的日本与谢野晶子的《贞操论》（本报四卷五号），我读了很有感触。这个问题，在世界上受了几千年无意识的迷信，到近几十年中，方才有些西洋学者正式讨论这问题的真意义。文学家如易卜生的《群鬼》和 Thomas Hardy 的《苔丝》（Tess of the D'urberilles）都带着讨论这个问题。如今家庭专制最厉害的日本居然也有这样大胆的议论！这是东方文明史一件极可贺的事。

当周先生翻译这篇文字的时候，北京一家很有价值的报纸登出一篇恰相反的文章。这篇文章是海宁朱尔迈的《会葬唐烈妇》记。（七月二十三四日北京中华新报。）上半篇写唐烈妇之死如下：

唐烈妇之死，所阅灰永，钱卤，投河，雉经者五，前后绝食者三；又益之以砒霜，则其亲试乎杀人之方者凡九。自除夕上溯其夫亡之夕，凡九十有八日。夫以九死之惨毒，又历九十八日之长，非所称百挫千折有进而无退者乎？……

下文又借出一件"俞氏女守节"的事来替唐烈妇作陪衬：

女年十九，受海盐张氏聘，未于归，夫夭，女即绝食七日；家人劝之力，始进糜曰，"吾即生，必至张氏，宁服丧三年，然后归报地下"。

最妙的是朱尔迈的论断：

嗟乎，俞氏女盖闻烈妇之风而兴起者乎？……俞氏女果能死于绝食七日之内，岂不甚幸？乃为家阻之，俞氏女亦以三年为己任。余正恐三年之间，凡一千八十日有奇，非如烈妇之九十八日也。且绝食之后，其家人防之者百端……虽有死之志，而无死之间，可奈何？烈妇倘能阴相之以成其节，风化所关，猗欤盛矣！

这种议论简直是全无心肝的贞操论。俞氏女还不曾出嫁，不过因为信了那种荒谬的贞操迷信，想做那"青史上留名的事"，所以绝食寻死，想做烈女。这位朱先生要维持风化，所以忍心害理的巴望那位烈妇的英灵来帮助俞氏女赶快死了，"岂不甚幸？"这种议论可算得贞操迷信的极端代表。《儒林外史》里面的王玉辉看他女儿殉夫死了，不但不哀痛，反仰天大笑道："死得好！死得好！"（五十二回）王玉辉的女儿殉已嫁之夫，尚在情理之中。王玉辉自己"生这女儿为伦纪生色"，他看他女儿死了反觉高兴，已不在情理之中了。至于这位朱先生巴望别人家的女儿替他未婚夫做烈女，说出那种"猗欤盛矣"的全无心肝的话，可不是贞操迷信的极端代表吗？

贞操问题之中，第一无道理的便是这个替未婚夫守节和殉烈的风俗。在文明国里男女用自由意志，由高尚的恋爱，订了婚约，有时男的或女的不幸死了，剩下的那一个因为生时情爱太深故情愿不再婚嫁。这是合情理的事。若在婚姻不自由之国，男女订婚以后，女的还不知男的面长面短，有何情爱可言？不料竟有一种陋儒，用"青史上留名的事"来鼓励无知女儿做烈女，"为伦纪生色"，"风化所关，猗欤盛矣！"我以为我们今日若要作具体的贞操论，第一步就该反对这种忍心害理的烈女论，要渐渐养成一种舆论，不但不把这种行为看作"猗欤盛矣"可旌表褒扬的事还要公认这是不合人情、不合天理的罪恶；还要公认劝人做烈女，罪等于故意杀人。

这不过是贞操问题的一方面。这个问题的真相，已经与谢野晶子说得很明白了，她提出几个疑问，内中有一条是："贞操是否单是女子必要的道德，还是男女都必要的呢？"这个疑问，在中国更为重要。中国的男子要他们的妻子替他们守贞守节，他们自己却公然嫖妓，公然纳妾，公然"吊膀子"。再嫁的妇人在社会上几乎没有社交的资格；再婚的男子，多妻的男子，却一毫不损失他们的身份。这不是最不平等的事吗？怪不得古人要请"周婆制礼"来补救"周公制礼"的不平等了。

我不是说，因为男子嫖妓，女子便该偷汉；也不是说，因为老爷有姨太太，太太便该有姨老爷。我说的是，男子嫖妓，与妇人偷汉，犯的是同等的罪恶；老爷纳妾，与太太偷人，犯的也是同等的罪恶。

为什么呢？因为贞操不是个人的事，乃是人对人的事；不是一方面的事，乃是双方面的事。女子尊重男子的爱情，心思专一，不肯再爱别人，这就是贞操。贞操是一个"人"对另一个"人"的一种态度。因为如此，男子对于女子，也该有同等的态度。若男子不能照样还敬，他就是不配受这种贞操的待遇。这并不是外国进口的

妖言,这乃是孔丘说的"己所不欲,勿施于人"。孔丘说:

  君子之道四,丘未能一焉;所求乎子以事父,未能也;所求于臣以事君,未能也;所求于弟以事兄,未能也;所求乎朋友,先施之,未能也。

孔丘五伦之中,只说了四伦,未免有点欠缺。他理该加上一句道:

  所求乎吾妇,先施之,未能也。

这才是大公无私的圣人之道!

(二)

我这篇文字刚才做完,又在上海报上看见陈烈女殉夫的事。今先记此事大略如下:

  陈烈女,名宛珍,绍兴县人,三世居上海,年十七,字王远甫之子菁士。菁士于本年三月廿三日病死,年十八岁。陈女闻死耗,即沐浴更衣,潜自仰药。其家人觉察,仓皇施救,已无及。女乃泫然曰:"儿志早决。生虽未获见夫,殁或相从地下……"言讫,遂死,死时距其未婚夫之死仅三时而已。(此据上海绍兴同乡会所出征文启。)

过了两天，又见上海县知事呈江苏省长请予褒扬的呈文，中说：

呈为陈烈女行实可风，造册具书证明，请予按例褒扬事……（事实略）……兹据呈称……并开具事实，附送褒扬费银六元前来……知事复查无异。除先给予"贞烈可风"匾额，以资旌表外谨援褒扬条例……之规定，造具清册，并附证明书，连同褒扬费一并备文呈送，仰祈鉴核，俯赐咨行内务部将陈烈女按例褒扬，实为德便事。

我读了这篇呈文，方才知道我们中华民国居然还有什么褒扬条例。于是我把那些条例寻来一看，只见第一条九种可褒扬的行谊的第二款便是"妇女烈节贞操可以风世者"；第七款是"著述书籍，制造器用，于学术技艺或发明或改良之功者"；第九款是"年逾百岁者"！一个人偶然活到了一百岁居然也可以与学术技艺上的著作发明享受同等的褒扬！这已是不伦不类可笑得很了。再看那条例施行细则解释第一条第二款的"妇女节烈贞操可以风世者"如下：

第二条：褒扬条例第一条第二款所称之"节"妇，其守节年限自三十岁以前守节至五十岁以后者。但年未五十而身故，其守节已及六年者同。

第三条：同条款所称之"烈"妇"烈"女，凡遇强暴不从致死或羞愤自尽，及夫亡殉节者，属之。

第四条：同条款所称之"贞"女，守贞年限与节妇同。其在夫家守贞身故，及未符年例而身故者，亦属之。

以上各条乃是中国贞操问题的中心点。第二条褒扬"自三十岁以前守节至五十岁以后"的节妇,是中国法律明明认三十岁以下的寡妇不该再嫁;再嫁为不道德。第三条褒扬"夫亡殉节"的烈妇烈女,是中国法律明明鼓励妇人自杀以殉夫;明明鼓励未嫁女子自杀以殉未嫁之夫。第四条褒扬未嫁女子替未婚亡夫守贞二十年以上,是中国法律明明说未嫁而丧夫的女子不该再嫁人;再嫁便是不道德。

这是中国法律对于贞操问题的规定。

依我个人的意思看来,这三种规定都没有成立的理由。

第一,寡妇再嫁问题。这全是一个个人问题。妇人若是对他已死的丈夫真有割不断的情义,她自己不忍再嫁;或是已有了孩子,不肯再嫁;或是年纪已大,不能再嫁;或是家道殷实,不愁衣食,不必再嫁,——妇人处于这种境地,自然守节不嫁。还有一些妇人,对她丈夫,或有怨心,或无恩意,年纪又轻,不肯抛弃人生正当的家庭快乐;或是没有儿女,家又贫苦,不能度日。——妇人处于这种境遇没有守节的理由,为个人计,为社会计,为人道计,都该劝她改嫁。贞操乃是夫妇相待的一种态度。夫妇之间爱情深了,恩谊厚了,无论谁生谁死,无论生时死后,都不忍把这爱情移于别人,这便是贞操。夫妻之间若没有爱情恩意,即没有贞操可说。若不问夫妇之间有无可以永久不变的爱情,若不问做丈夫的配不配受他妻子的贞操,只晓得主张做妻子的总该替她丈夫守节;这是一偏的贞操论,这是不合人情公理的伦理。再者,贞操的道德,"照各人境遇体质的不同,有时能守,有时不能守;在甲能守,在乙不能守"。(用与谢野晶子的话)若不问个人的境遇体质,只晓得说"忠臣不事二君,烈女不更二夫";只晓得说"饿死事极小,失节事极大";(用程子语)这是忍心害理,男子专制的贞操论。——以上所说,大旨只要指出寡妇应否再嫁全是个人问题,有个人恩情上、体质上、家计上种种不同的理由,不可偏于一方面主张不近情理的守节。因为如此,故我极端反对国家用法律的规定来褒扬守节不嫁的寡妇。褒扬守节的寡妇,即是说寡妇再嫁不道德即是主张一偏的贞操论。法律既不能断定寡妇再嫁为不道德,即不该褒扬不嫁的寡妇。

　　第二,烈妇殉夫问题。寡妇守节最正当的理由是夫妇间的爱情。妇人殉夫最正当的理由也是夫妇间的爱情。爱情深了,生离尚且不能堪,何况死别。再加以宗教的迷信,以为死后可以夫妇团圆。因此有许多妇人,夫死之后,情愿杀身从夫于地下。这个不属于贞操问题。但我以为无论如何,这也是个人恩爱问题,应由个人自由意志去决定。无论如何,法律总不该正式褒扬妇人自杀殉夫的举动。一来呢,殉夫既由于个人的恩爱,何须用法律来褒扬鼓励?二来呢,殉夫若由于死后团圆的迷信,更不该受法律的褒扬了。三来呢,若用法律来褒扬殉夫的烈妇,有一些好名的妇人,便要借此博一个"青史留名";是法律的褒扬反发生一种沽名钓誉,作伪不诚的行为了!

　　第三,贞女烈女问题。未嫁而夫死的女子,守贞不嫁的,是"贞女";杀身殉夫的,是"烈女"。

　　我上文说过,夫妇之间若没有恩爱,即没有贞操可说。依此看来,那未嫁的女子,对于她丈夫有何恩爱?既无恩爱,更有何贞操可守?我说到这里,有个朋友驳我道,这话别人说了还可,胡适之可不该说这话。为什么呢?你自己曾作过一首诗,诗里有一段道:

> 我不认得她,她不认得我,我却常念她,这是为什么,
> 岂不因我们,分定常相亲?由分生情意,所以非路人。
> 海外土生子,生不识故里,终有故乡情,其理亦如此。

依你这诗的理论看来,岂不是已订婚而未嫁娶的男女因为名分已定,也会有一种情意。既有了情意,自然发生贞操问题。你于今又说未婚嫁的男女没有恩爱,故也没有贞操可说,可不是自相矛盾吗?

我听了这番驳论,几乎开口不得。想了一想,我才回答道:我那首诗所说名分上发生的情意,自然是有的;若没有那种名分上的情意,中国的旧式婚姻决不能存在。如旧日女子听人说她未婚夫的事,即面红害羞,即留神注意,可见她对她未婚夫实有这种名分上所发生的情谊。但这种情谊完全属于理想的,这种理想的情谊往往因实际上的反证,遂完全消灭。如女子悬想一个可爱的丈夫,及到嫁时,只见一个极下流不堪的男子,她如何能坚持那从前理想中的情谊呢?我承认名分可以发生一种情谊,我并且希望一切名分都能发生相当的情谊,但这种理想的情谊,依我看来实在不够发生终身不嫁的贞操,更不够发生杀身殉夫的节烈。即使我更让一步,承认中国有些女子,例如吴趼人《恨海》里那个浪子的聘妻,深中了圣贤经传的毒,由名分上真能生出极浓挚的谊情,无论她未婚夫如何淫荡,人格如何堕落,依旧贞一不变。试问我们在这个文明时代是否应该赞成提倡这种盲从的贞操,这种盲从的贞操,只值得一句"其愚不可及也"的评论,却不值得法律的褒扬。

法律既许未嫁的女子夫死再嫁,便不该褒扬处女守贞。至于法律褒扬无辜女子自杀以殉不曾见面的丈夫,那更是男子专制时

代的风俗,不该存在于现今的世界。

总而言之,我对于中国人的贞操问题,有三层意见。

第一,这个问题,从前的人都看作"天经地义",一味盲从,全不研究"贞操"两字究竟有何意义。我们生在今日,无论提倡何种道德,总该想想那种道德的真意义是什么。《墨子》说得好:

子墨子问于儒者曰,"何故为乐?"曰:"乐以为乐也。"子墨子曰:"子未我应也。今我问曰:'何故为室?'曰:'冬避寒焉,夏避暑焉,室以为男女之别也。'则子先我为室之故矣。今我问曰:'何故为乐?'曰:'乐以为乐也。'是犹曰:'何故为室?'曰:'室以为室也。'"(公孟篇)

今试问人"贞操是什么"?或"为什么你褒扬贞操"?他一定回答道:"贞操就是贞操。我因为这是贞操,故褒扬它。"这种"室以为室也"的论理,便是今日道德思想宣告破产的证据。故我做这篇文字的第一个主意只是要大家知道"贞操"这个问题并不是"天经地义",是可以彻底研究,可以反复讨论的。

第二,我以为贞操是男女相待的一种态度;乃是双方交互的道德,不是偏于女子一方面的。由这个前提,便生出几条引申的意见:(一)男子对于女子,丈夫对于妻子,也应有贞操的态度。(二)男子做不贞操的行为,如嫖妓娶妾之类,社会上应该用对待不贞妇女的态度来对待他。(三)妇女对于无贞操的丈夫,没有守贞操的责任。(四)社会法律既不认嫖妓纳妾为不道德,便不该褒扬女子的"节烈贞操"。

第三,我绝对的反对褒扬贞操的法律。我的理由是:(一)贞操既是个人男女双方对待的一种态度,诚意的贞操是完全自动的道德,不容有外部的干涉,不须有法律的提倡。(二)若用法律的褒扬为提倡贞操的方法,势必造成许多沽名钓誉,不诚实,无意识的贞操举动。(三)在现代社会,许多贞操问题,如寡妇再嫁,处女守贞,等之问题的是非得失,却都还有讨论余地,法律不当以武断的态度制定褒贬的规条。(四)法律既不奖励男子的贞操,又不惩(罚)男子的不贞操,便不该单独提倡女子的贞操。(五)以近世人道主义的眼光看来,褒扬烈妇烈女杀身殉夫,都是野蛮残忍的法律,这种法律在今日没有存在的地位。

(第五卷第一号,一九一八年七月十五日)

我之节烈观

唐俟

"世道浇漓,人心日下,国将不国",这一类话,本是中国历来的叹声。不过时代不同,则所谓"日下"的事情,也有迁变。从前指的是甲事,现在叹的或是乙事。除了"进呈御览"的东西不敢妄说外,其余的文章议论里,一向带这口吻。因为如此叹息,不但针砭世人,还可以从"日下"之中,除出自己。所以君子固然相对慨叹,连杀人、放火、嫖妓、骗钱以及一切鬼混的人,也都乘作恶余暇,摇着头说道:"他们人心日下了。"

世风人心这件事,不但鼓吹坏事,可以"日下";即使未曾鼓吹,只是旁观,只是赏玩,只是叹息,也可以叫它"日下"。所以近一年来,居然也有几个不肯徒托空言的人,叹息一番之后,还要想法子来挽救。第一个是康有为指手画脚地说虚君共和才好,陈独秀便斥他不兴。其次是一班灵学派的人,不知何以起了极古奥的思想,要请"孟圣矣乎"的鬼来画策,陈百年、钱玄同、刘半农又道他胡说。

这几篇驳论,都是《新青年》里最可寒心的文章。时候已是二十世纪了,人类眼前,早已闪出曙光。假如《新青年》里,有一篇和别人辩地球方圆的文字,读者见了,一定发怔。然而现今所辩,正和说地体不方相差无几。将时代和事实,对照起来,怎能不叫人寒心而且害怕？

近来虚君共和是不提了,灵学似乎还在那里捣鬼。此时却又有一群人,不能满足,仍然摇头说道,"人心日下"了。于是又想出一种挽救的方法,他们叫做"表彰节烈"!

这类妙法,自从君政复古时代以来,上上下下,已经提倡多年;此刻不过是竖起旗帜的时候。文章议论里,也照例时常出现,都嚷道"表彰节烈"!要不说这件事,也不能将自己提拔,出了"人心日下"之中。

"节烈"这两个字,从前也算是男子的美德,所以有过"节士""烈士"的名称。然而现在的"表彰节烈",却是专指女子,并无男子在内。据时下道德家的意见来定界说:大约"节"是丈夫死了,决不再嫁,也不私奔;丈夫死得愈早,家里愈穷,她便"节"得愈好。"烈"可是有两种:一种无论已嫁未嫁,只要丈夫死了,她也跟着自尽;一种是有强暴来污辱她的时候,设法自戕,或者抗拒被杀,都无不可。这也是死得愈惨愈苦,她便烈得愈好,倘若不及抵御。竟受了污辱,然后自戕,便免不了议论。万一幸而遇着宽厚的道德家,有时也可以略迹原情,许她一个"烈"字。可是文人学士,已经不甚愿意替她作传;就令勉强动笔,临了也不免加上几个"惜夫惜夫"了。

总而言之,女子死了丈夫,便守着,或者死掉;遇了强暴,便死掉。将这类人物,称赞一通,世道人心便好,中国便得救了。大意只是如此。

康有为借重皇帝的虚名,灵学家全靠着鬼话。这表彰节烈,却是全权都在人民,大有渐近自力之意了。然而我仍有几个疑问,须得提出,还要据我的意见,给他解答。我又认定这节烈救世说,是多数国民的意思;主张的人,只是喉舌。虽然是他发声,却和四肢五官神经内脏都有关系。所以我这疑问和解答,便是提出于这群多数国民之前。

首先的疑问是:不节烈(中国称不守节作"失节",不烈却并无成语,所以只能合称它"不节烈")的女子,如何害了国家?照现在的情形,"国将不国",自不消说。丧尽良心的事故,层出不穷。刀兵、盗贼、水旱、饥荒,又接连而起。但此等现象,只是不讲新道德新学问的缘故,行为思想,全抄旧账;所以种种黑暗,竟和古代的乱世仿佛;况且政界、军界、学界、商界等等里面,全是男人,并无不节烈的女子夹杂在内。也未必是有权力的男子,因为受了他们蛊惑,这才丧了良心,放手作恶。至于水旱、饥荒,便是专拜龙神、迎大王、滥伐森林、不修水利的祸祟,没有新知识的结果,更与女子无关。只有刀兵、盗贼,往往造出许多不节烈的妇女,但也是兵盗在先,不节烈在后;并非因为她们不节烈了,才将刀兵、盗贼招来。

其次的疑问是:何以救世的责任,全在女子?照着旧派说起来,女子是阴类,是主内的,是男子的附属品。然则治世救国,正须责成阳类,全仗外子,偏劳主体。决不能将一个绝大题目,都搁在阴类肩上。倘依新说,则男女平等,义务略同。纵令该担责任也只得分担,其余的一半男子,都该各尽义务。不特须除去强暴,还应发挥他自己的美德。不能专靠惩劝女子,便算尽了天职。

其次的疑问是:表彰之后,有何效果?据节烈为本,将所有活着的女子,分类起来,大约不外三种:一种是已经守节,应该表彰的人(烈者非死不可,所以除出);一种是不节烈的人;一种是尚未出嫁,或丈夫还在,又未遇见强暴,节烈与否未可知的人。第一种已经很好,正蒙表彰,不必说了;第二种已经不好,中国从来不许忏悔,女子做事一错,补过无及,只好任其羞杀,也不值得说了;最要紧的，只在第三种。现在一经感化，她们便都打定主意道："倘若将来丈夫死了，决不再嫁；遇着强暴，赶紧自裁！"试问如此立意，与中国男子做主的世道人心，有何关系。这个缘故，已在上文说明。更有附带的疑问是：节烈的人，既经表彰，自是品格最高。但圣贤虽人人可学，此事却有所不能。假如第三种的人，虽然立志极高，万一丈夫长寿，天下太平，她便只好饮恨吞声，做一世次等的人物。

以上是单依旧日的常识，略加研究，便已发现了许多矛盾。若略带二十世纪气息，便又有两层：

一问节烈是否道德？道德这事，必须普遍。人人应做。人人能行。又于自他两利，才有存在的价值。现在所谓节烈，不特除开男子，绝不相干；就是女子，也不能全体都遇着这名誉的机会。所以决不能认为道德，当作法式。上回登出的《贞操论》里，已经说过理由。不过贞是丈夫还在，节是男子已死的区别，道理却可类推。只有"烈"的一件事，尤为奇怪，还须略加研究。

照上文的节烈分类法看来，烈的第一种，其实也只是守节，不过生死不同。因为道德家分类，根据全在死活，所以归入烈类。性质全异的，便是第二种。这类人不过一个弱者（现在情形，女子还是弱者），突然遇着男性的暴徒，父兄丈夫力不能救，左邻右舍也不帮忙。于是她就死了，或竟受了辱，仍然死了；或终于没有死。久而久之，父兄丈夫邻舍，夹着文人、学士以及道德家，便渐渐聚集。既不羞自己怯弱无能，也不提暴徒如何惩办，只是七口八嘴，议论她死了没有？受污没有？死了如何好？活着如何不好？于是造出了许多光荣的烈女，和许多被人口诛笔伐的不烈女。只要平心一想，便觉不像人间应有的事情，何况说是道德。

二问多妻主义的男子，有无表彰节烈的资格？替以前的道德家说话，一定是理应表彰，因为凡是男子，便有点与众不同，社会上只配有他的意思。一面又靠着阴阳、内外的古典，在女子面前逞能。然而一到现在，人类的眼里，不免见到光明。晓得阴阳、内外之说，荒谬绝伦；就令如此，也证不出阳比阴尊贵、外比内崇高的道理。况且社会国家，又非单是男子造成。所以只好相信真理，说是一律平等。既然平等，男女便都有一律应守的契约。男子决不能将自己不守的事，向女子特别要求。若是买卖、欺骗、贡献的婚姻，则要求生时的贞操，尚且毫无理由；何况多妻主义的男子，来表彰女子的节烈。

以上，疑问和解答都完了。理由如此支离，何以直到现今，居然还能存在？要对付这问题，须先看节烈这事，何以发生、何以通行、何以不生改革的缘故。

古代的社会，女子多当作男人的物品，或杀或吃，都无不可。男人死后，和他喜欢的宝贝，日用的兵器，一同殉葬，更无不可。后来殉葬的风气，渐渐改了，守节便也渐渐发生。但大抵因为寡妇是鬼妻，亡魂跟着，所以无人敢娶，并非要她不事二夫。这样风俗，现在的蛮人社会里还有。中国太古的情形，现在已无从详考。但看周末虽有殉葬，并非专用女人，嫁否也任便，并无什么裁制，便可知道脱离了这宗习俗，为日已久。由汉至唐也并没有鼓吹节烈。直到宋朝，那一班"业儒"的才说出"饿死事小，失节事大"的话，看见历史上"重适"两个字，便大惊小怪起来。出于真心，还是故意，现在却无从推测。其时也正是"人心日下，国将不国"的时候，全国士民，多不像样。或者"业儒"的人，想借女人守节的话，来鞭策男子，也不一定。但旁敲侧击，方法本嫌鬼祟，其意也太难分明。后来因此多了几个节妇，虽未可知；然而吏民将卒，却仍然无所感动。于是"开化最早,道德第一"的中国,终于归了"生长天气力里大福荫护助里"的什么"薛禅皇帝、完泽笃皇帝、曲律皇帝"了。此后皇帝换过了几家,守节思想倒反发达。皇帝要臣子尽忠,男人便愈要女人守节。到了清朝儒者真是愈加厉害。看见唐人文章里有公主改嫁的话,也不免勃然大怒道:"这是什么事!你竟不为尊者讳,这还了得!"假使这唐人还活着,一定要斥革功名,"以正人心而端风俗"了。

国民将到被征服的地位,守节盛了,烈女也从此着重。因为女子既是男子所有,自己死了,不该嫁人,自己活着,自然更不许被夺。然而自己是被征服的国民,没有力量保护,没有勇气反抗了。只好别出心裁,鼓吹女人自杀。或者妻女极多的阔人,婢妾成行的富翁,乱离时候,照顾不到,一遇"逆兵"(或是"天兵")就无法可想。只得救了自己,请别人都做烈女,变成烈女,"逆兵"便不要了。他便待事定以后,慢慢回来,称赞几句。好在男子再娶,又是天经地义,别讨女人,便都完事。因此世上遂有了《双烈合传》《七姬墓志》,甚而至于钱谦益的集中,也布满了"赵节妇""钱烈女"的传记和歌颂。

只有自己不顾别人的民情,又是女应守节、男子却可多妻的社会,造出如此畸形道德,而且日见精密苛酷,本也毫不足怪。但主张的是男子,上当的是女子。女子本身,何以毫无异言呢?原来"妇者服也",理应服侍于人。教育固可不必,连开口也都犯法。她的精神,也同她体质一样,成了畸形。所以对于这畸形道德,实在无甚意见。就令有了异议,也没有发表的机会。做几首"闺中望月""园里看花"的诗,尚且怕男子骂她怀春,何况竟敢破坏这"天地间的正气"?只有《说部》书上,记载过几个女人,因为境遇上不愿守节。据做书的人说：可是她再嫁以后，便被前夫的鬼捉去，落了地狱。或者世人个个唾骂，做了乞丐，也竟求乞无门，终于惨苦不堪而死了！

如此情形，女子便非"服也"不可。然而男子一面，何以也不主张真理，只是一味敷衍呢？汉朝以后，言论的机关，都被"业儒"们垄断了。宋元以来，尤其厉害。我们几乎看不见一部非业儒的书，听不到一句非士人的话。除了和尚道士，奉旨可以说话的以外，其余"异端"的声音，决不能出他卧房一步。况且世人大抵受了"儒者柔也"的影响，不述而作，最为犯忌。即使有人见到，也不肯用性命来换真理。即如失节一事，岂不知道必须男女两性，才能实现。他却专责女性，至于破人节操的男子，以及造成不烈的暴徒，便都含糊过去。男子究竟较女性难惹，惩罚也比表彰为难。其间虽有过几个男人，实觉于心不安，说些室女不应守志殉死的平和话，可是社会不听。再说下去，便要不容，与失节的女人一样看待。他便也只好变了"柔也"，不再开口了。所以节烈这事，到现在不生变革。

（此时，我应声明：现在鼓吹节烈派的里面，我颇有知道的人。敢说确有好人在内，居心也好。可是救世的方法是不对，要向西走了北了。但也不能因他人好，便竟能从正西直走到北，所以我又愿他回转身来。）

其次还有疑问：

节烈难么？答道，很难。男子都知道极难，所以要表彰她。社会的公意，向来以为贞淫与否，全在女性。男子虽然诱惑了女人，却不负责任。譬如甲男引诱乙女，乙女不允，便是贞节；死了，便是烈。甲男并无恶名，社会可算淳古。倘若乙女允了，便是失节；甲男也无恶名，可是世风被乙女败坏了！别的事情，也是如此。所以历史上亡国败家的原因,每每归咎女子。糊糊涂涂的代担全体的罪恶,已经三千多年了。男子既然不负责任,又不能自己反省,自然放心诱惑;文人著作,反将她传为美谈。所以女子身旁,几乎布满了危险。除却她自己的父兄、丈夫以外,便都带点诱惑的鬼气。所以我说很难。

节烈苦么?答道,很苦。男子都知道很苦,所以要表彰她。凡人都想活;烈是必死,不必说了。节妇还要活着。精神上的惨苦,也姑且弗论。单是生活一层,已是大宗的痛楚。假使女子生计已能独立,社会也知道互助,一人还可勉强生存。不幸中国情形,却正相反。所以有钱尚可,贫人便只能饿死。直到饿死以后,间或得了旌表,还要写入志书。所以各府各县志书、传记类的末尾,也总有几卷"烈女"。一行一人,或是一行两人,赵钱孙李可是从来无人翻读。就是一生崇拜节烈的道德大家,若问他贵县志书里烈女门的前十名是谁,也怕不能说出。其实她是生前死后,竟与社会漠不相关的,所以我说很苦。

照这样说,不节烈便不苦么?答道,也很苦。据社会公意,不节烈的女人,既然是下品,她在这社会里,是容不住。社会上多数古人模模糊糊传下来的道理,实在无理可讲,能用历史和数目的力量,挤死不合意的人。这一类无主名、无意识的杀人团里,古来不晓得死了多少人物。节烈的女子,也就死在这里。不过她死后间有一回表彰:写入志书。不节烈的人,便生前也要受随便什么人的唾骂,无主名的虐待。所以我说也很苦。

女子自己愿意节烈么?答道,不愿。人类总有一种理想,一种希望。虽然高下不同,必须有个意义。自他两利固好,至少也得有益本身。节烈很难很苦,既不利人,又不利己。说是本人愿意,实在不合人情。所以假如遇着少年女人，诚心祝赞她将来节烈，一定发怒，或者还要受她父兄丈夫的尊拳。然而仍旧牢不可破，便是被这历史和数目的力量挤着。可是无论何人，都怕这节烈，怕他竟钉到自己和亲骨肉的身上，所以我说不愿。

我依据以上的事实和理由，要断定节烈这事是极难，极苦，不愿身受。然而不利自他，无益社会国家，于人生将来又毫无意义的行为，现在已经失了存在的生命和价值。

临了还有一层疑问：

节烈这事，现代既然失了存在的生命和价值，节烈的女人，岂非白苦一番么？可以答她说：还有哀悼的价值。她们是可怜人，不幸上了历史和数目的无意识的圈套，做了无主名的牺牲。可以开一个追悼大会。

我们追悼了过去的人，还要发愿：要自己和别人，都纯洁聪明、勇猛向上，要除去虚伪的脸谱，要除去世上害己害人的昏迷和强暴。

我们追悼了过去的人，还要发愿：要除去于人生毫无意义的痛苦，要除去制造并赏玩别人苦痛的昏迷和强暴。

我们还要发愿：要人类都受正当的幸福。

（第五卷第二号，一九一八年八月十五日）

社会与妇女解放问题

华 林

社会学重要之论点,即妇女问题是也。妇女占人类半有之数,社会对于妇女之情形如何,足证文明之进化与否。故妇女解放之后,则各种不良之私团体必因之消灭、公共幸福之增加必因之发展。中国今日,民气消沉,社会寂寞无生趣。举东亚之同胞陷于凄凉残酷之冤狱,岂偶然有以致之耶?

社会由大多数个人所萃集而成,各个间皆负一连带之关系,故曰一男不耕,或受之饥,一女不织,或受之寒。故研究社会问题,必须研究各个间之问题。各个所处之境遇及各负连带之关系,因其所处之时间与地位不同,而产生之文化亦异。于是社会学家就时与地,除去各个之特性,而得一社会之通性。此即经济与道德之问题也。

吾人既得研究社会之方法,而由实验考究,发现一较明确之鹄的与趋向此鹄的之方法,则妇女处于中国社会腐陈之境遇,而不能变更其周遭困迫之状态。所谓解放问题,究以何者为实施之正鹄乎?就其大意撮要言之。

(一)道德问题。纲常腐败之旧道德,已不适用于新时代之生活。故教育上之实施,极端主张男女受平等之教育,而以人道为旨归。如忠臣孝子、贤妻良母之规范，为新教育所不容。盖新教育之鹄的纯以改革正当之人生，以求人类正当之福利而已。故新道德之价值，即在尊重各个之人格，发展各个之自由为要旨。无论男女，均不能受人为律及假定悬想之鹄的所牵制也。

（二）经济问题。私产之制度，为垄断人群之命脉。妇女解放，私产绝不能成立。故解放妇女，即经济革命之先声也。况妇女天赋教育、文学之能力及美术、工艺之生活，倘人人能致力于社会，则文化之发展，必能创造一种特别之新境遇，生产之前途，自必日见增加。举世界劳动之事业，以享受于劳动之社会。公共幸福增加，则私产之团体必灭。妇女既各有正当之职业，男子亦无负担之累矣。

就以上二者言之，可见妇女解放问题为当今之急务，其与社会之前途、关系自为密切。倘妇女不解放，则人力、时光与地位上之牺牲，为害至巨。社会罪恶横流，未始非不解放之原因也。兹将女子一人之耗费而影响于社会之状态，约略言如之次。

（一）女子既不解放，必仰给男子之生活，于是以修饰为取媚之要素。若花粉、香水、发油、珠宝等，一日之耗费，几供数人之生活。世界上多少人力，从事于修饰品之制造，而舍其正当之职业。男不负耙、女不上机、生产日薄、生计愈危，此造成社会恐慌之原因也。

（二）女子既不解放，必以出嫁为托身之所。于是夫荣妻贵，妇女欲出人头地，必促男子猎取功名，因而群趋于利禄之一途，大施其掠夺盗贼之手段，以供献于私亲，此家庭之所以为万恶也。富贵者日益奢华，贫苦者流为娼妓，此世风所以日益卑下也。

总之，妇女若不解放，社会无由发达。女子既不能享受自由之幸福，男子亦不能增进高尚之人格。呜呼，女子陷于此凄惨、残酷之冤狱,而日斫其生机,此皆社会之罪恶也,即道德与经济之罪恶也。然今之教育家、实业家仍主张腐败之学说,处处侵犯女子之自由,于是妇女咸为道德、经济所压制,而不能保障天赋之人权。然则东亚社会,将长此而终古乎?吾知自由、平等之声浪,又将随欧战后之怒潮弥漫亚东矣。故妇女解放问题,岂仅女界之福,亦世界前途之幸也。

(第五卷第二号,一九一八年八月十五日)

美国的妇人

——在北京女子师范学校讲演

胡 适

去年冬季,我的朋友陶孟和先生请我吃晚饭。席上的远客,是一位美国女子,代表几家报馆,去到俄国做特别调查员的。同席的是一对英国夫妇和两对中国夫妇,我在这个"中西男女合璧"的席上,心中发生一个比较的观察。那两位中国妇人和那位英国妇人,比了那位美国女士,学问上、智识上不见得有什么大区别。但我总觉得那位美国女子和她们绝不相同。我便问我自己道,她和她们不相同之处在哪一点呢?依我看来,这个不同之点,在于她们的"人生观"有根本的差别。那三位夫人的"人生观"是一种"良妻贤母"的人生观。这位美国女子的,是一种"超于良妻贤母"的人生观。我在席上,估量这位女子,大概不过三十岁上下,却带着一种苍老的状态,倔强的精神,她的一言一动,似乎都表示这种"超于良妻贤母的人生观";似乎都会说道:"做一个良妻贤母,何尝不好?但我是堂堂地一个人,有许多该尽的责任,有许多可做的事业。何必定须做人家的良妻贤母,才算尽我的天职,才算做我的事业呢?"这就是"超于良妻贤母"的人生观。我看这一个女子单身走几万里的路，不怕辛苦，不怕危险，要想到大乱的俄国去调查俄国革命后内乱的实在情形：——这种精神，便是那"超于良妻贤母"的人生观的一种表示，便是美国妇女精神的一种代表。

这种"超于良妻贤母的人生观"，换言之，便是"自立"的观念。我并不说美国的妇女个个都不屑做良妻贤母，也并不说她们个个都想去俄国调查革命情形。我但说依我所观察，美国的妇女，无论在何等境遇，无论做何等事业，无论已嫁未嫁，大概都存一个"自立"的心。别国的妇女大概以"良妻贤母"为目的，美国的妇女大概以"自立"为目的。"自立"的意义，只是要发展个人的才性，可以不依赖别人，自己能独立生活，自己能替社会做事。中国古代传下来的心理，以为"妇人主中馈""男子治外，女子主内"；妇人称丈夫为"外子"，丈夫称妻子为"内助"。这种区别，是现代美国妇女所绝对不承认的。

她们以为男女同是"人类"，都该努力做一个自由独立的"人"，没有什么内外的区别。我的母校康乃尔大学，几年前新添森林学一科，便有一个女子要求学习此科。这一科是要有实地测量的，所以到了暑假期内，有六星期的野外测量，白天上山测量，晚间睡在帐篷里，是很苦的事。这位女子也跟着去做，毫不退缩，后来居然毕业了。这是一条（个）例。列位去年看报定知有一位美国史天孙女士在中国试演飞行机。去年在美国有一个男子飞行家，名叫 Carlstrom，从 Chicago 飞起，飞了四百五十二英里（约一千五百里），不曾中止，当时称为第一个远道飞行家。不到十几天，有一个女子名叫 Ruth Law，偏不服气，便驾了她自己的飞行机，一气飞了六百六十八英里，便胜过那个男飞行家的成绩了。这又是一个例。我举这两个例，以表美国妇女不认男外女内的区别。男女同有在社会上谋自由独立的生活的天职。这便是美国妇女的一种特别精神。

这种精神的养成,全靠教育。美国的公立小学全是"男女共同教育"。每年约有八百万男孩子和八百万女孩子受这种共同教育,所发生的效果,有许多好处。女子因为常同男子在一处做事,自然脱去许多柔弱的习惯。男子因为常与女子在一堂,自然也脱去许多野蛮无礼的行为(如秽口骂人之类)。最大的好处,在于养成青年男女自治的能力。中国的习惯,男女隔绝太甚了,所以偶然男女相见,没有鉴别的眼光,没有自治的能力,最容易陷入烦恼的境地,最容易发生不道德的行为。美国的少年男女,从小受同等的教育(有几种学科稍不同),同在一个课堂读书,同在一个操场打球,有时同来同去,所以男女之间,只觉得都是同学,都是朋友,都是"人";所以渐渐地把男女的界限都消灭了,把男女的形迹也都忘记了。这种"忘形"的男女交际,是增进青年男女自治能力的唯一方法。

以上所说是小学教育。美国的高级教育,起初只限于男子。到了十九世纪中叶以后,女子的高级教育才渐渐发达。女子高级教育可分两种:一是女子大学,一是男女共同的大学。单收女子的高级学校如今也还不少。最著名的,共有六处:

(一) Vassar College　　　在 Poughkeepsie, N.Y.　有一千二百人

(二) Wellesley College　　在 Wellesley, Mass.　　有一千五百人

(三) Bryn Mawr College　在 Bryn Mawr, Pa.　　　有五百人

(四) Smith College　　　　在 Northampton, Mass. 有二千人

(五) Radcliffe College　　　在 Cambridge, Mass.　　有七百人

(六) Bamard College　　　在纽约　　　　　　　　有八百人

这种专收女子的大学,起初多用女子教授,现今也有许多男教授了。这种女子大学,往往有极幽雅的校址,极美丽的校舍,极完全的设备。去年有一位中国女学生,陈衡哲女士,做了一篇小说,名叫《一日》,写 Vassar College 的生活,极有趣味。这篇小说登在去年的《留美学生季报》第二号。诸位若要知道美国女子大学的内部生活,不可不读它。

　　第二种便是男女共同的大学。美国各邦的"邦立大学",都是男女同校的。那些有名的私立大学,如 Cornell, Chicago, Leland Stanford,也都是男女同校。有几个守旧的大学,如 Yale, Columbia, Johns Hopkins,本科不收女子,却许女子进他们的大学院(即毕业院)。这种男女共校的大学生活,有许多好处。第一,这种大学的学科比那些女子大学,种类自然更丰富了,因此可以扩张女子高级教育的范围。第二,可使成年的男女,有正当的交际,共同的生活,养成自治的能力和待人处世的经验。第三,男学生有了相当的女朋友,可以增进个人的道德,可以减少许多不名誉的行为。第四,在男女同班的学科,平均看来,女子的成绩总在男子之上:这种比较的观察,一方面可以消除男子轻视女子的心理;一方面可以增长女子自重的观念,更可以消灭女子仰望男子和依顺男子的心理。

　　据一九一五年的调查,美国的女子高级教育,约如下表:

大学本科　　　　男　一四一,八三六人　女　七九,七六三人

大学院　　　　　男　一〇,五七一人　　女　五,〇九八人

专门职业科(如路矿、牙医)

　　　　　　　　男　三八,一二八人　　女　一七七五人

　　初看这表,似乎男女还不能平等。我们要知道女子高级教育

是最近七八十年才发生的，七八十年内做到如此地步，可算得非常神速了。中美和西美有许多大学中，女子人数或和男子相等（如Wisconsin），或竟比男子还多（Northwestern），可见将来未必不能做到高等男女教育完全平等的地位。

美国的妇女教育既然如此发达，妇女的职业自然也发达了。"职业"二字，在这里单指得酬报的工作。母亲替儿子缝补衣裳，妻子替丈夫备饭，都不算"职业"。美国妇女的职业，可用下表表示：

一九〇〇年统计　男　二三,七五四,〇〇〇人
　　　　　　　　女　五,三一九,〇〇〇人　居全数　百分之十八
一九一〇年统计　男　三〇,〇九一,五六四人
　　　　　　　　女　八,〇七五,七七二人　居全数　百分之二十一

这些职业之中，那些下等的职业，如下女之类，大概都是黑人或新入境的欧洲侨民。土生的妇女所做的职业，大抵皆系稍上等的。教育一业，妇女最多。今举一九一五年的报告如下：

小学校　　男教员　一一四,八五一人　女教员　四六五,二〇七人
中学私立　男教员　五,七七六人　　　女教员　八,二五〇人
中学公立　男教员　二六,九五〇人　　女教员　三五,五六九人
师范私立　男教员　一六七人　　　　女教员　二四九人
师范公立　男教员　一,五七三人　　　女教员　二,九一六人
大学及专门学校
　　　　　男教员　二六,六三六人　　女教员　五,九三一人

照上表看来，美国全国四分之三的教员都是妇女！即此一端，便可见美国妇女在社会上的势力了。

据一九一〇年的统计，美国共有四千四百万妇女。这八百万

有职业的妇人，还不到全数的五分之一。那些其余的妇女，虽然不出去做独立的生活，却并不是坐吃分利的，也并不是没有左右社会的势力的。我在美国住了七年，觉得美国没有一桩大事发生，中间没有妇女的势力的；没有一种有价值的运动，中间没有无数热心妇女出钱出力维持进行的。最大的运动，如"禁酒运动""妇女选举权运动""反对幼童做苦工运动"……几乎全靠妇女的功劳，才有今日那么发达。此外如宗教的事业，慈善的事业，文学的事业，美术音乐的事业……最热心提倡赞助的人都是妇女占最大多数。

美国妇女的政治活动，并不限于女子选举一个问题。有许多妇女极反对妇女选举权的，却极热心去帮助"禁酒"及"反对幼童苦工"种种运动。一九一二年大选举时，共和党分裂，罗斯福自组一个进步党。那时有许多妇女，都极力帮助这新政党鼓吹运动，所以进步党成立的第一年，就能把那成立六十年的共和党打得一败涂地。前年（一九一六年）大选举时，从前帮助罗斯福的那些妇女之中，如 Jane Addams 之流，因为怨恨罗斯福破坏进步党，故又都转过来帮助威尔逊。威尔逊这一次的大胜，虽有许多原因，但他得妇女的势力也就不少。最可怪的是这一次选举时，威尔逊对于女子选举权的主张，很使美国妇女失望。然而那些明达的妇女却不因此便起反对威尔逊的心。这便可见她们政治知识的程度了。

美国妇女所做最重要的公众活动，大概属于社会改良的一方面居多。现在美国实行社会改良的事业，最重要的要算"贫民区域居留地"（Social Settlements）。这种运动的大旨，要在下等社会的区域内，设立模范的居宅，兴办演说，游戏，音乐，补习课程，医药，看护等事，要使那些下等贫民有些榜样的生活，有用的知识，正当的娱乐。这些"居留地"的运动起于英国，现在美国的各地都有这种

"居留地"。提倡和办理的人,大概都是大学毕业的男女学生。其中妇女更多,更热心。美国有两处这样的"居留地",是天下闻名的。一处在 Chicago,名叫 Hull House,创办的人就是上文所说的 Jane Addams。这位女士办这"居留地",办了三十多年,也不知道造就了几多贫民子女,救济了几多下等贫家。前几年有一个《独立周报》,发起一种选举,请读那报的人投票公举美国十大伟人。选出的十大伟人之中,有一个便是这位 Jane Addams 女士。这也可想见那位女士的身价了。还有那一处"居留地",在纽约城,名叫 Henry Street Settlement,是一位 Lilian Wald 女士办的。这所"居留地"初起的宗旨,在于派出许多看护妇,亲到那些极贫苦的下等人家,做那些不要钱的看病、施药、接生等事。后来范围渐渐扩充,如今这"居留地"里面,有学堂,有会场,有小戏园,有游戏场。那条亨利街本是极下等的贫民区域,自从有了这所"居留地",真像地狱里有了一座天堂了。以上所说两所"居留地",不过是两个最著名的榜样,略可表见美国妇女所做改良社会的实行事业。我在美国常看见许多富家的女子,抛弃了种种贵妇人的快活生涯,到那些"居留地"去居住。那种精神,不由人不赞叹崇拜。

以上所说各种活动中的美国妇女,固然也有许多是沽名钓誉的人,但是其中大多数妇女的目的只是上文所说"自立"两个字。她们的意思,似乎可分三层。第一,她们以为难道妇女便不配做这种有用的事业吗?第二,她们以为正因她们是妇女,所以是该做这种需要细心耐性的事业。第三,她们以为做这种实心实力的好事,是抬高女子地位声望的唯一妙法:即如上文所举那位 Jane Addams,做了三十年的社会事业,便被国人公认为十大伟人之一;这种荣誉岂是唐群英、沈佩贞那种举动所能得到的吗?所以我们可说美国妇女的社会事业不但可以表示个人的"自立"精神，并且可以表示美国女界扩张女权的实行方法。

以上所说，不过略举几项美国妇女家庭以外的活动。如今且说她们家庭以内的生活。

美国男女结婚，都由男女自己择配。但在一定年限以下，若无父母的允许，婚约即无法律的效力。今将美国四十八邦法律所规定不需父母允许之结婚年限如下：

男子可自由结婚年限		女子可自由结婚年限	
三十九邦规定	二十一岁	三十四邦规定	十八岁
五邦规定	十八岁	八邦规定	二十一岁
一邦规定	十四岁	二邦规定	十六岁
三邦无法定的年限		一邦规定	十二岁
		三邦无法定的年限	

自由结婚第一重要的条件，在于男女都须要有点处世的阅历，选择的眼光，方才可以不至受人欺骗，或受感情的欺骗，以致陷入痛苦的境遇，种下终身的悔恨。所以须要有法律规定的年限，以保护少年的男女。

据一九一〇年的统计，有下列的现象（此表单指白种人而言）：

已婚的男子有一六，一九六，四五二人　已婚的女子有一五，七九一，〇八七人

未婚的男子有一一，二九一，九八五人　未婚的女子有八，〇七〇，九一八人

离婚的男子有一三八，八三二人　离婚的女子有一五一，一一六人

这表中，有两件事须要说明。第一是不婚不嫁的男女何以这

样多？第二是离婚的夫妻何以这样多？（美国女子本多于男子，故上表前两项皆女子多于男子。）

第一，不婚不嫁的原因约有几种。（一）生计一方面，美国男子非到了可以养家的地位，决不肯娶妻。但是个人谋生还不难；要筹一家的衣食，要预备儿女的教育，便不容易了。因此有家室的便少了。（二）知识一方面，女子的程度高了，往往瞧不起平常的男子；若要寻恰好相当的知识上的伴侣，却又"可遇而不可求"。所以有许多女子往往宁可终身不嫁，不情愿嫁平常的丈夫。（三）从男子一方面设想，他觉得那些知识程度太高的女子，只配在大学里当教授，未必很配在家庭里做夫人；所以有许多人决意不敢娶那些"博士派"（"Ph. D. type"）的女子做妻子。这虽是男子的谬见，却也是女子不嫁（的）一种小原因。（四）美国不嫁的女子，在社会上，在家庭中，并没有什么不便，也不致损失什么权利。她一样地享受财产权，一样地在社会往来，一样地替社会尽力。她既不怕人家笑她白头"老处女"（Old Maidens），也不用虑着死后无人祭祀！（五）美国的女子，平均看来，大概不大喜欢做当家生活。她并不是不会做：我所见许多已嫁的女子，都是很会当家的。有一位心理学大家Hugo Muensterberg说得好："受过大学教育的美国女子，管理家务何尝不周到，但她总觉得宁可到病院里去看护病人！"（六）最重要的原因，还是我上文所说那种"自立"的精神，那种"超于良妻贤母"的人生观。有许多女子，早已选定一种终身的事业，或是著作，或是"贫民区域居留地"，或是学音乐，或是学画，都可用全副精神全副才力去做。若要嫁了丈夫，便不能继续去做了；若要生下儿女，更没有作这种"终身事业"的希望了。所以这些女子，宁可做白头的老处女，不情愿抛弃她们的"终身事业"。以上六种都是不婚不嫁的原因。

第二，离婚的原因。我们常听见人说美国离婚的案怎样多，便推想到美国的风俗怎样不好。其实错了。第一，美国的离婚人数，约当男人全数千分之三，女子全数千分之四，这并不算过多。第二，须知离婚有几等几样的离婚，不可一笔抹杀。如中国近年的新进官僚，休了无过犯的妻子，好去娶国务总理的女儿；这种离婚，是该骂的。又如近来的留学生，吸了一点文明空气，回国后第一件事便是离婚，却不想想自己的文明空气是机会送来的，是多少金钱买来的；他的妻子要是有了这种好机会，也会吸点文明空气，不至于受他的奚落了！这种不近人情的离婚，也是该骂的。美国的离婚，虽然也有些该骂的，但大多数都有可以原谅的理由。因为美国的结婚，总算是自由结婚；而自由结婚的根本观念就是要夫妇相敬相爱，先有精神上的契合，然后可以有形体上的结婚。不料结婚之后，方才发现从前的错误，方才知道他两人决不能有精神上的爱情。既不能有精神上的爱情，若还依旧同居，不但违背自由结婚的原理，并且必至于堕落各人的人格，绝没有良好的结果，更没有家庭幸福可说了。所以离婚案之多，未必全由于风俗的败坏，也未必不由于个人人格的尊贵。我们观风问俗的人，不可把我们的眼光，胡乱批评别国礼俗。

我所闻所见的美国女子之中，很有许多不嫁的女子。那些鼎鼎大名的 Jane Addams, Lilian Ward 一流人，自不用说了。有的终身做老女，在家享受安闲自由的清福。有的终身做教育事业，觉得个个男女小学生都是她的儿女一般，比那小小的家庭好得多了，如今单举一个女朋友作例，这位女士是一个有名的大学教授的女儿，学问很好，到了二十几岁上，忽然把头发都剪短了，把从前许多的华丽衣裙都不要了。从此以后，她只穿极朴素的衣裳，披着一头短发，离了家乡，去到纽约专学美术。她的母亲是很守旧的，劝了她几年，终劝不回头。她抛弃了世家的家庭清福，专心研究一种新画法，又不肯多用家中的钱，所以每日自己备餐，自己扫地。她那种新画法，研究了多少年，起初很少人赏识，前年她的新画在一处展览，居然有人出重价买去。将来她那种画法，或者竟能自成一家也未可知。但是无论如何，她这种人格，真可算得"自立"两个字的具体的榜样了。

这是说不嫁的女子。如今且说几种已嫁的妇女的家庭。

第一种是同具高等学问，相敬相爱，极圆满的家庭。如大哲学家 John Dewey 的夫人，帮助她丈夫办一个"实验学校"，把她丈夫的教育学说实地试验了十年，后来他们的大女儿也研究教育学，替她父亲去考察各地的新教育运动。又如生物学家 Comstock 的夫人，也是生物学名家，夫妇同在大学教授，各人著的书都极有价值。又如经济学家 Alvin Johnson 的夫人，是一个哲学家，专门研究 Aristotle 的学说，很有成绩。这种学问平等的夫妇，圆满的家庭，便在美国也就不可多得了。

第二种是平常中等人家，夫妻同艰苦、同安乐的家庭。我在 Ithaca 时，有一天晚上在一位大学教授家吃晚饭。我先向主人主妇说明，我因有一处演说，所以饭后怕不能多坐。主人问我演什么题目，我说是《中国的婚姻制度》。主人说："今晚没有他客，你何不就在这里先试演一次。"我便取出演说稿，挑出几段，读给他们听。内中有一节讲中国夫妻结婚之前，虽然没有爱情，但是成了夫妇之后，有了共同的生活，有福同享，有难同当，这种同艰苦的生活也未尝不可发生一种浓厚的爱情。我说到这里，看见主人抬起头来望着主妇，两人似乎都很为感动。后来他们告诉我说，他们都是苦学生出身，结婚以来虽无子女，却同受了许多艰苦。近来境况稍宽裕了，正在建筑一所精致的小屋，她丈夫是建筑工程科教授，自己打图样，他夫人天天去监督工程。这种共同生活，可使夫妇爱情格外浓厚，家庭幸福格外圆满。

又一次，我在一个人家过年。这家夫妇两人，也没有儿女，却极相敬爱，共尝艰苦。那丈夫是一位化学技师，因他夫人自己洗衣服，便想出心思替她造了一个洗衣机器。他夫人指着对我说，"这便是我的丈夫今年送我的圣诞节礼了"。这位夫人身体很高，在厨房做事，不很方便，因此她丈夫自己动手把厨房里的桌脚添高了一尺。这种琐屑小事，可以想见那种同安乐、同艰苦的家庭生活了。

第三种是夫妇各有特别性质，各有特别生活，却又都能相安相得的家庭。

我且举一个例。有一个朋友，在纽约一家洋海转运公司内做经理，天天上公司去办事。他的夫人是一个"社交妇人"（Society Woman），善于应酬，懂得几国的文学，又研究美术音乐。每月她开一两次茶会，到的人，有文学家，也有画师，也有音乐家，也有新闻记者，也有很奢华的"社交妇人"，也有衣饰古怪、披着短发的"新妇女"（the New Woman）。这位主妇四面招呼，面面都到。来的人从不得见男主人，男主人也从来不与闻这种集会。但他们夫妇却极相投相爱，决不因此生何等间隔。这是一种"和而不同"的家庭。

第四种是"新妇女"的家庭。"新妇女"是一个新名词，所指的是一种新派的妇女，言论非常激烈，行为往往趋于极端，不信宗教，不依礼法，却又思想极高，道德极高。内中固然也有许多假装的"新妇女"，口不应心，所行与所说大相反悖的。但内中实在有些极有思想、极有道德的妇女。我在 Ithaca 时，有一位男同学，学的是城市风景工程，却极喜欢研究文学，做得极好的诗文。后来我到纽约不上一个月忽然收到一个女子来信，自言是我这位同学的妻子，因为平日听她丈夫说起我，故很想见我。我自然去见她，谈起来才知道她是一个"新妇人"，学问思想，都极高尚。她丈夫那时还在 Cornell 大学的大学院研究高等学问。这位女子在 Columbia 大学作一个打字的书记，自己谋生，每星期五六夜去学高等音乐。他们夫妇隔开二百多英里，每月会见一次，她丈夫继续学他的风景工程，他夫人继续学她的音乐。他们每日写一封信，虽不相见，却真和朝夕相见一样。这种家庭，几乎没有"家庭"可说；但我和他们做了几年的朋友，觉得他们那种生活，最足代表我所说的"自立"的精神。他们虽结了婚，成了夫妇，却依旧做他们的"自立"生活。这种人在美国虽属少数，但很可（以）表示美国妇女最近的一种趋向了。

结论。以上所说"美国的妇女"，不过随我个人见闻所及，略举几端，既没有"逻辑"的次序，又不能详尽。听者读者，心中必定以为我讲"美国的妇女"，单举她们的好处，不提起她们的弱点，未免太偏了。这种批评，我极承认。但我平日的主张，以为我们观风问俗的人，第一的大目的，在于懂得人家的好处。我们所该学的，也只是人家的长处。我们今日还不配批评人家的短处。不如单注意观察人家的长处在什么地方。那些外国传教的人，回到他们本国去捐钱，到处演说我们中国怎样的野蛮不开化。他们钱虽捐到了，却养成了一种贱视中国人的心理。这是我所最痛恨的。我因为痛恨这种单摘人家短处的教士，所以我在美国演说中国文化，也只提出我们的长处；如今我在中国演说美国文化，也只注重他们的特别长处。如今所讲美国妇女特别精神，只在她们的自立心，只在她们那种"超于良妻贤母人生观"。这种观念是我们中国妇女所最缺乏的观念。我们中国的姊妹们若能把这种"自立"的精神来补助我们的"倚赖"性质,若能把那种"超于良妻贤母人生观"来补助我们的"良妻贤母"观念,定可使中国女界有一点"新鲜空气",定可使中国产出一些真能"自立"的女子。这种"自立"的精神,带有一种传染的性质。女子"自立"的精神,格外带有传染的性质。将来这种"自立"的风气,像那传染鼠疫的微生物一般,越传越远,渐渐地造成无数"自立"的男女,人人都觉得自己是堂堂的一个"人",有该尽的义务,有可做的事业。有了这些"自立"的男女,自然产生良善的社会。良善的社会绝不是如今这些互相倚赖、不能"自立"的男女所能造成的。所以我所说那种"自立"精神,初看去,似乎完全是极端的个人主义,其实是善良社会绝不可少的条件。这就是我提出这个问题的微意了。

(第五卷第三号,一九一八年九月十五日)

战后之妇人问题

李大钊

现代民主主义的精神，就是令凡在一个共同生活组织中的人，无论他是什么种族、什么属性、什么阶级、什么地域，都能在政治上、社会上、经济上、教育上得一个均等的机会，去发展他们的个性、享有他们的权利。妇人参政的运动，也是本着这种精神起的。因为妇人与男子虽然属性不同，而在社会上也同男子一样，有她们的地位、在生活上有她们的要求、在法律上有她们的权利，她们岂能久甘在男子的脚下受践踏呢？妇人参政的运动，在这次大战之前，久已有她们奋斗的历史。美国有许多州，已经实行了。可是当时有很多人反对这种运动，他们大都说，女子的判断力薄弱、很容易动感情、不宜为政治家。也有对于女子的能力怀疑的。我们东方人对于这个问题的观念，更是奇怪，不是说"礼教大防"、"男女授受不亲"，就是说女子应该做男子的"内助"，专管"阃以内"的事。到了战争起来的时候，那些男子一个一个的都上了战场，女子才得了机会，去做出一个榜样来，让那些男子看看，到底女子有没有能力。于是当警察的也有，做各种劳动的也有，在赤十字救护队中活动的也有，在军队中做后方勤动的也有，做了种种的成绩，都可以杜从前轻视女子的口实。所以在战事未了的时候，美、英、德诸国已经都有认许妇人参政权的表示。俄国 Bolsheviki 政府里边有一个救济部总长，名叫郭冷苔，就是一位女子，这就是妇人参政的一个新纪元。

妇人参政的运动，到了今日，总算是告一段落。这过去半世纪的悬案，总算有了解决的希望。但在战时有一段事，还引起了许多人怀疑。就是美国对德宣战的时候，孟塔拿州有位女议员，名叫兰金，是美国最初的女议员，一时世间对她，很有不满意的批评。因为决议宣战案的时候，一次唤她，她并不答，第二次仍是无语，第三次问她，她才哭着、颤声答了一个"No"字，后来有一位新闻记者去访问她，她说，惩膺德国的横暴，她也认为必要，但不赞成战争。于是有人说，妇人解一件事，往往不靠理性、单靠感情，所以让她们去做政治家很不相宜。但是我们对于这种话，实在是有些疑问。那些政治家的理性，都是背着人类感情的么？那些背着人类感情的理性，都是好的么？都是对的么？这个不忍的感情，都是错的么？都是坏的么？这几点，我们都应该拿出纯真的心想一想，然后再下断语的。就美国而论，妇人中有很多比获享选举权的男子们还有独立的判断与知识的。美国西部各州，有很多实行妇人参政卓有成效的地方。数年前，考劳拉豆州有夫妇二人，各有各的投票权，他们所欲选的人，却正是反对党；结果，其妇所选举的人归于失败；选举后家庭的感情，并不以是生何影响。这个例子，不可以证明妇人也有独立的判断力，妇人参政也不至与社会及家庭以恶影响么？就说关于社会一般的文教制度、法律习惯、妇人的判断知识实视男子为贫弱，而关于妇人切身的问题、与其父兄夫友全不相干的问题，令她们自己也有发表意见的机会，难道不比由男子一手代办、把妇人当做一阶级、排出政治以外妥当的多么？又有人说，妇人的大多数，对于政治并不发生兴趣。这也不可一概而论。像美国的考劳拉豆和优达二州，各阶级的妇女对于选举投票，均很踊跃，很可以证明她们承认妇人选举权是正当的。又像最近英国的总选举，那些妇人行使选举权踊跃的样子，令人惊愕。一个社会生活上有了必须的要求，就应该立一种制度，适应它的情况，才是正当的道理。

预想这回战后，欧美妇人社会发生许多难解决的问题。

第一，就是妇女过庶问题。据人口统计，从前欧美男女的比例，就是女多男少。经这回战争，壮丁男子在战场上死得很多，已嫁的女子添了许多新寡，未嫁的女子也天天想着结婚难，妇女过庶的倾向愈益显著。这时的社会，必起许多悲惨的现象，生活一天难似一天，结婚也不容易，离婚却更增多，卖淫、堕胎、私生子，一天多似一天。妇女一个阶级有了这样悲惨的现象，社会全体必也受莫大的影响。

第二，尚是女工对男工的问题。欧战既起，做工的男子都上了战场，一时非用女工填他们的缺各工厂就得停工。英国政府拿战后必恢复旧状做条件，违背战时劳动组合的规定，许工厂得以女工代男工用。其他各国，也大都如此。欧洲妇女界骤得了工作的机会，如同开辟了新领土一样。那些资本家也很愿意雇用这工价低廉的女工。到了战后，从前赴战场的男子都还乡土，看见他们做工的地盘都被价廉的女工们占领，自然要同这些女工起一场争斗。那些女工因为生活难的结果，也断断不肯把已经取得的新领土拱手让还男子。那些资本家也不愿辞退这价廉的女工。从前妇女劳动最大的缺点，就是不熟练，经这次战争中的训练，与职工教育的发达，这种缺点已经消灭。既没有不熟练的缺点，又有工价低廉的便宜，资本家正可以利用女工操纵男工。为防止男工女工间的竞争，与资本阶级的操纵，必须谋一个对于同一工作给予同额报酬的方法。可是这个方法，很不容易定规。因为妇人劳动的团体结合不坚，她们的势力也很微弱，不能独立抗资本家；要求得与男子同额的报酬，恐怕做不到。解决这个问题，有的希望政府定出一个公定工银法来，有的主张设法奖励男女劳动组合的一致提携。总而言之，男女工人间有了争执，必为资本家所乘，结局都是不利。男女工人间有了结合，定能于阶级战增添一层力量。将来出于哪条道路，虽难预定，若从俄、德革命的潮流滔滔滚滚的及于全欧的大势看起来，英、法的动摇也是迟早间的问题。男女工人，大约不致长相争执，他们或者可以互相提携，于阶级战增加一层力量。

第三，就是劳动阶级的母亲问题。战时丁男骤去出征，剩下家中的老弱没人照管，甚为可怜。因此有的国家就规定一律办法，对于出征兵士的家族，发一项扶助费。这个费额，不是拿那为家长的男子出征前的工银做标准的，乃是按那家族人数的多寡发给他们。从前因为收入不足，且不确定，天天在苦痛的生活中鬼混的劳动阶级的母亲们，这才有了确实生活的保障。她们在这战争期间，算是享了一点子的幸福。一旦战争停止，这种幸福也就跟着消灭，又要回复她们那暂时忘下的苦痛生活。她们怎样抛弃这暂时的幸福，去迎受那旧日不要的生活，实在是一个问题。这次战争，丧失壮丁不少，为补充战后的人口计，对于母性的保护，应该特别注意，像那育儿扶助费，及种种母性保护的方法，也是不能不研究的。还有一样，开战后英国所设的儿童保护所约有二百处，收容的儿童约六万人，这种机关，战后必愈见发达；因为有些做工同时而为母亲的妇人，若去做工，就不能照管小孩，这种机关，实在是必要的。儿童的养育,由家庭移到社会的共同育儿机关,这也是社会进化的一个新现象。

这些问题,若是单靠着女权运动去解决它们,固然也不能说全没有一点效果。但是女权运动,仍是带着阶级的性质。英国的妇人自从得了选举权,那妇人参政联合又把以后英国妇人应该要求的事项罗列出来,大约不过是:

(一)妇人得为议员。

(二)派妇人到国际战后经营会议。

(三)使同外人结婚的英国妇人也得享有英国国籍。

(四)妇人得为审判官及陪审官。

(五)妇人得为律师。

(六)妇人得为政府高级官吏。

(七)妇人得为警察官。

(八)使女教师与男教师同等。

(九)以官费养育寡妇和她们的子女。

(十)父权及母权的均衡。

(十一)男女道德标准的一致。

这几项,都是与中产阶级的妇人最有直接紧要关系的问题,与那些没有财产、没受教育的劳动阶级的妇人全不相干。那中产阶级的妇人们是想在绅士阀的社会内部有和男子同等的权利;无产阶级的妇人们天高地阔、只有一身;她们除要求改善生活以外,别无希望。一个是想管治他人、一个是想把自己的生活由穷苦中释放出来,两种阶级的利害,根本不同,两种阶级的要求,全然相异。所以女权运动,和劳动运动纯是两事。假定有一无产阶级的妇人,因为卖淫,被拘于法庭;只是捉她的是女警官,讯她的是女审判官,为她辩护的是女律师,这妇人问题就算解决了么?这卖淫的女子受女官吏的拘讯,和受男官吏的拘讯,有什么两样的地方么?就是科刑的轻重有点不同,也是枝叶的问题。根本的问题,不问直接间接,还是因为有一个强制妇人不得不卖淫的社会组织在那里存在。在这种组织的机关的一部安放一两个妇人,怎能算是妇人的利益呢?中产阶级妇人的利害,不能说是妇人全体的利害。中产阶级妇人的权利伸张,不能说是妇人全体的解放。我以为妇人问题彻底解决的方法,一方面要合妇人全体的力量去打破那男子专断的社会制度,一方面还要合世界无(产)阶级妇人的力量去打破那有产阶级(包有男女)专断的社会制度。

　　我们中国的女界,对于这世界的妇人问题,有点兴趣没有,我可不敢武断。但是我很盼望我们中国不要长有这"半身不遂"的社会。我很盼望不要因为世界上有我们中国,就让这新世纪的世界文明仍然是"半身不遂"文明。

(第六卷第二号,一九一九年二月十五日)

男女问题

张崧年

看《每周评论》仲密君所说欧洲小说中的男女问题还是没有彻底圆满解决，所以仍弄出不自然的结果。这都因想解决它的人没有在根本上着想，不敢倡言把行了几千年的婚姻制度从根废除。没晓得这个制度也是有废除的可能的。君宪可以改成共和，专制可以改成民主。婚姻本也是古来传留、霸据、偏狭、欺伪的制度中的一种。但使吾们明白它的真作用，把对于它的心理改改，这种作万恶源泉的制度有什么不可去？有什么不该去？有什么不能去的？须知爱情不过自然界里一种自然现象，它的发露与消灭都有自然不可逃的势子在后边。发的时候不能不发，灭的时候不能不灭。这并没有什么可以稀奇，岂可加以束缚？岂可加以逼迫？也岂能加以束缚、加以逼迫？因为这个缘故，从爱情生出来的人间关系，便该纯全随着爱情定去留。爱情断了，还定要保留因它起的关系，那便是强迫！那便是作伪！那便是假冒、违背自然！那便是完成男女间的关系只有肉欲。把人间可贵的精神去了，只留下干枯的躯体，或者恐怕只拿爱情做主，男女间的关系不免过易动摇、过易解散。因此要讲什么贞操，要讲什么节制，其实这并没有了不得的必须。男女关系不严重，也不见得总有害。就要保持它的郑重切实，也只有仍就爱情想法子。想法在爱情上求纯净真洁、想法把本能之爱养成精神之爱，（如罗素说，人之活动，可约略从三原孳乳出来。一、本能。二、心。即思想、即知识。三、精神。）养成高闳纯洁、深邃闲寂殷切、连接"无穷"的爱。若不这样，想在爱情以外，弄别的责务、制裁、根本已不妥；就令能行，终究也必归于无用、归于失败。所以吾尝说，两个男女有爱情，便可共处；（夫妻的名字，自然也不必须，并且也不可要。因为凡物事改了，名字就当随着改，免得生误会、出毛病。）爱情尽了，当然走开。这本没有什么奇怪、可羞耻、可惊骇，更用不着发什么恼。爱情原与天气是差不多一样的自然现象。天气不能天天一样，爱情自然也难免有时要有转变。（又如罗素说："终身的一夫一妻，当其成功，虽然是最好的。但是吾们需要之越发复杂，使它越发常常成个失败。阻止那个失败，只有离婚是最好的方法。"、"要索或希期一生的固定，苛求互诺以外的离婚根据，都是无理由的。"）比方今天晴得很好，明早忽然起了暴风，要是对着这个发恼；不呆，也有点傻。再不然，便是中了感情，不能见真，不能攻理窟、破理障。

男女的关系或是爱情，本来都不可看得太过板滞，看得太过重。只是有人终见不到这个，没有爱情还要装成像有的样子，便造出种种的恶业。也有只知死守着狭小、拘束、离索的爱情，不晓得把它推到它所能到的深闳，便也不能得到至善的生活、终极的圆满。就是见到爱情不可赝、不必赝不能赝的，也或仍然客气、矫情、虚伪地不肯明说。这都为人类把自己看得太高贵、太骄蹇了（其实是外强中干），怎会见着真理？怎会能成侣伴无与自由冲突？怎会得到不伤犯心与精神之生活的本能联合？自然界的东西都脱不了自然律的支配。他们可主张什么人间律。哪知就有人间律，也不能出了自然律的范围。现在还有许多人梏在人生讲人生、窝到瓮里想见天。恁地道德，怎生制裁。绝不从本源上想想，绝不跳出圈儿去睁开眼睛四下里望望。这个样儿行去，必定离真越来越远（在吾意，真即是自然、自然即是真、即真即自然；美善视此。这本不过常识，但科学、科学的哲学都栽根在常识思想。），还有什么学问可说、什么道理可论。照着那样讲人生，必是越讲越令人生空浮委琐、粉饰做作、虚骄且枯干。谈道德的，根本总仍离不了为过重什么不当现、不重什么当现；误了的传袭、习俗道德。这样儿谈，也必越谈越迫人世欺诈而晦暗；越促世人偷薄、苟且因循依阿，只去恐虞怕惧，不去希望去喜欢。看破国界，种族界的本早就很有。可是更进一步，看破男女性界，再进一步，看破人与人外的自然界的，却到如今不多。这仍是见小不见大，仍是识近不察远，仍是扩充未达极处，没有止到至善的地步，不知人生除了至好顶善的没有善的。对着种种结织坚密的网罗，变成铁石的偶像，怎么会能真实撞破，怎么会能全般铲除？《每周评论》译的莫泊桑的小说，所说杀父母的儿与被儿杀的父母，根由也不过是被不自然、不良的制度所害。双方又犯了同一样的成见，执着习惯病，遂就造成那种不自然的恶果。果然吾们承认爱情、性欲，当真吾们赞成真诚、不赞成欺伪；那么，有了爱情，生儿子是自然不可免的事。处在这种不必因为真爱情、不必因为精神爱情成关系的制度下，找个发露真爱情、发露精神爱情的地方，也是自然合该。怕生先就不必爱，不准她们生就应一概不准人有爱。既然一样生来的，有什么公生私生的别异？为了什么真实道理，公生私生应该歧待？公生没有什么希罕，私生有什么可丑？私生不但没有什么可丑，因为公生常常是虚假生的、常常是专为肉欲生的，私生倒常是由真爱情生出来，过情说，私生简直有时更觉光辉。(此所以历来私生子每每多奇才。)可惜人类作伪惯了,甘心处在逼人作伪的制度下,明明爱着那个,偏偏要敷衍这个,等到弄出爱的结局,越发要藏藏盖盖,讲什么体面。哪里知道越昧着越是不体面?人类不知怎么竟矫揉造作成这个样子,糟到这个地步。一面僭称"万物之灵",同时可又胆怯过鼠、苟苟且且、偷偷摸摸。照着这个情景,老不顺道走,何时会真实见着天日的光明?

上边这片话的主意,只是说,"男女间的关系应当纯全以爱情为主(或说由精神发出的爱情),绝对自由,非占据的自由、相敬重的自由、与公道相辅的自由"。(如罗素说:"不论法律或是舆论,都不应过问男女之私关系。"又说:"自由是营生的(政治)慧智之根底,它处然,此处'在男女关系问题'亦然。")随带着必须的便是"儿童共育。"(罗素也主张:"身心健全人生的儿子的教养费应完全归群众负担。"并且说:"能挣钱的女人,为生育不能挣了,公家应当仍照数给她。")这虽然是个理想,但是现在盛行;认为当认的思想自由、信仰自由、民治主义、社会主义、女权恢复、国际组织等等。那个当初不是几个人的悬想?"吾们第一但求心里明白,哪类的生活吾们想着好、哪类的变迁吾们愿欲世间有。"吾们的期望绝不是就为明天,也必不得就为明天。但今到了现在几个人的孤独思想变成多数人普通思想的时候,那个思想自然就会实现。"论到究竟,思想的力量是比任何别的人力都大的。有能力去思,并能想象按照众人的需要去思的早晚要可得到他志在的善",所以论现在这个男女关系的理想,吾可断言,人间光明坦荡荡的将来,一定不能不出那条路。可是中国男女关系的黑暗,到现在还没有减淡多少。怎么样子引到那条路上去,还要有几句话,稍微说说。

审察西方行过的步骤,想使中国走向那条路去,第一必须就是使离婚容易,说实话,就是怎么使离婚制度能够行到中国。要想这个,不可不再谋、重新谋:振兴中国的女子教育,提高中国女子的知识,使她们也大多半有自立的职业;最要紧的还要想法,使社会对她们改改观念,改了把她们当货品、当玩物的不当观念。现在离婚所以不能行,在所谓上等社会,行到所谓要什么所谓体面的社会,大部分仍然是为了那个老观念。因为若有离婚的事情,人仍都看她作出妻的旧套,就是当作嫌那个东西不好,把她丢掉。这个人丢的坏东西,自然别人愿意要得很少。被丢的、有意识的东西,虽然可有娘家归,不必就要饿死,但自然要觉得是个大不体面,所以宁甘受无论如何的苛待,随她心里怎么不舒帖,总少高兴被出。男子也有什么"物议"的束缚,又为不是成俗、习惯的事,自然敢作的也很少。因此两方都在乌黑里摸路,绝少有心想及光明。与离婚相补足,应当同时并行的,就是结婚的真正自由。这也是要拿教育、知识作前备。外此要讲交际一层,也与上头那个观念大有关。没有男女交际,自难有自由婚嫁可说。没有真自由地,长期地,不是受利用被强迫地交际,自难有由精神爱情成立的关系可言。

　　后时几百年的中国,倘能渐渐也使结婚普遍自由,离婚正当容易么,未来的大路上,自然会有一道"赤"光向它闪!

　　附言一。篇中有处说到人生,吾并不是反对谈人生。人既是人,如何能于这种切身问题不谈?就是吾今论男女关系又何尝不是谈人生?吾的主意只是:就令谈人生,绝不可被它囚住。假若被它囚住,那就永不会知识它,永不会得它的真。就如幸福,假若天天求幸福,绝不会得到幸福。

　　附言二。篇中所引罗素(Bertrand Russell)语都散见其 *Princi-*

ples of Social Reconstruction, 1916（此书又有美国版改名 Why Men Fight: A Method of Abolishing the International Duel, 1917）。罗素是现代最有创发的数学原理家、数理名学家、数理哲学家，正在哲学里开新纪元，是吾几年来最仰望的学者。生在一八七二年。出身英国一个伯侯家。在剑桥三一书院做过讲师，就讲世界上没有几人能讲，他自己集大成的一种新学："数学元理"实新派的数理逻辑，亦即二百年前，德国头一个大数学家，哲学家来本之（Leibniz）计划一生的"通指"。欧战以来，罗素很感战祸之烈，唱不抗主义，非战论，主张公道，又替遵着良心行的人说话，为此受了罚（一九一六年六月），教职也被开掉。但仍径行不挠，遂又惹得不得出境，并禁锢监牢。美国哈佛大学早请定他去讲演，就也不能去了。他这个头脑极恬静、态度极和蔼、情意极恳至的思想家，全世界数一数二的学者，时到今日，这等待遇，还会遭遭！（或者当真仍是自然，应该！）所著书，除讲几何基础，评述来本之哲学，说数学原理，证他自成的新哲学法（名理解析法），论他自发的"科学法哲学"、"名理原子论哲学"、"数理名学"、"数学哲学"的等等外，论群治的尚有 German Social Democracy, 1896（他第一部著作）; Justice in War Time, 1916; Political Ideals, 1917。又出版较近的文集 Mysticism and Logic and Other Essays, 1918。也有几篇论到人生的通俗文章。他所持改造社会的原理与方法都是由科学、事实同理想参和出来，很有根据。

（第六卷第三号，一九一九年三月十五日）

男女社交公开

杨潮声

破除男女界域,增进男女人格。

我想男女同是人类,除了生理的组织稍有不同外,并没有两样的地方;我们中国人为什么因了这两个字,生出种种的问题呢?照我个人看起来,都是受古人遗传下来的"礼教"两个字的毒。"礼教"原来并不是一件毒物,为什么要叫它毒呢?我们人类在上古的时候,没有什么"礼教"不"礼教",就没有什么男女问题,自从有了这"礼教"两个字,那么,男女有起界域来了!有起礼防来了!男女的交际秘密起来了!男女的情感,变成不可以对人说的了!因了这种种的缘故,就生出什么"奸淫"、"贞操"、"节操"等等的问题。一个四万万人的中国,几乎变成二万万人的两个中国,这不是一件可笑的事么?我说这几句话,一班自命维持"礼教"的人,定要说这个人真是"荒诞不经"了。但是我有几个问题,要问维持礼教的人,这几个问题,就是我主张男女社交公开的根本问题。

(一)中国的礼防,是哪时候起的?自从有了礼防以后,有没有你们所说的不贞不操奸淫的事?(二)女子是一个人还是一件东西?(三)礼防与道德是一件事,还是两件事?

从第一个问题说起来,礼防自古有的,并且看得极重的;但是比不贞不节还要不道德的事，也自古有的。不但是一般智识浅薄的人有这种事，就是所谓礼教中人，犯的也很多。那么，可见"礼防"并不能防不道德的。所谓"礼防"者，不过是一种假面具，哄哄人的。照我看起来，唯其防得严，一旦抉破起来，更不得了。假使向来男女看得一样，就也不至于有鬼鬼祟祟的秘密行为了。因为男女之交际，是自然的，男女情好也自然的，而礼防是人为的，人为的决不能胜自然。我们不设"礼防"看人类一律平等，那么，交际自然不秘密而公开，情感不滥发而专一！于是人类的真真自由幸福可享，人格也高尚了。Aristotle 所说，以人类待人，乃肯以人类自居，这句话实在不错。向来我们不以人类待人，所以人也不以人类自待，故礼防的意思要限制男女的自由，其结果反而养成男女不规则的自由，而比较的高尚人格的自由幸福，被它抑制摧残尽了！我所以要主张男女社交公开的理由一。

　　照第二个问题讲，我想无论如何顽固的人，无论怎样伸张男权的人，对于女子总是看她是人，不是东西。那么，我的立论，就不怕它打破了！女子既也是一个人，人与人交际，为什么不可呢？既认她是人，就该认她有人格，有人格的男，和有人格的女，交际就是人与人交际，无所谓"礼防不礼防"。假使有一件东西，我们看它有益不有益，有害不有害，心理上生出避害就益的观念，是当然的。但是这是人，并不是东西，那么共同交际，也是当然的。

　　退一步说，因为看得女子重，就尊敬起来，不敢待慢了！因为看得轻，就有玩忽的意思了！再换一句说，因为一样的对待，一样的交际，就不觉得有什么欲念。因为隔绝的严，就生出"穴隙相窥"等的事了！可见欲隔绝男女之界，以养成高尚人格，是一种"南辕北辙"的办法，有害无益。我所以要主张男女社交公开的理由二。

我已经把以前两个问题说明了！第三个问题,是不必说的。但是恐怕有人还要看"礼防"就是"道德"。拿我的破除"礼防"当做破坏"道德",我不能不再说明。"道德"是真的,善的,美的,"礼防"是伪的,虚的;有礼防并不足以致道德,无礼防并不就是不道德,并且可以致道德。所以要守旧道德,也不妨使男女之界域破除,交际公开。至于口说维持礼教而多妻多妾者,劝他不必再说了！所以我要主张男女社交公开的理由三。

我这篇议论才完,友人来说教育部将要筹设女子大学。故前几天（三月中旬）召集中等以上女校长,讨论这件事,结果还没晓得？不过我又有一种感想,以为教育部在这"百孔千疮"的时代,居然想到这一件事,也是行政官的进步,佩服得很。但我以为与其左支右绌,办两个不完全的男大学女大学,还是合起来办一个完全合男女的大学。因为分设女子大学,适与我这篇的主张,根本反对,所以附带说几句,将来怕还要惹起一般教育家讨论咧！

（第六卷第四号,一九一九年四月十五日）

一个贞烈的女孩子

夬　庵

"爸爸我实在饿得忍不住了。你四天多不给我一口饭吃,爸爸呀,你当真忍心看着我饿死吗?"

一个十四岁的女孩子锁在后堂屋西头房里,两只手不住地捶打房门,连哭带喊,声音已经哑了。他的父亲坐在房门外头一张椅子上,脸上颜色,冷冰冰地好像铁一样。听着他的女儿喊叫,忽然站起来指着旁门说道:"阿毛,你怎么这样地糊涂。我自从得了吴家那孩子的死信,就拿定主意叫你殉节。又叫你娘苦口劝你走这条路,成就你一生名节,做个百世流芳的贞烈女子。又帮你打算,叫你绝粒。我为什么要这样办呢?因为上吊、服毒、跳井那些办法,都非自己动手不可,你是个十四岁的孩子,如何能够办得到。我因为这件事情,狠费了踌躇,后来还是你大舅来,才替我想出这个好法子,叫你坐在屋里从从容容地绝粒而死。这样殉节,要算天底下第一种有体面的事,祖宗的面子上,都添许多光彩。你老子、娘沾你的光,更不用说了。你要明白,这样的做法,不是逼迫你,实在是成全你。你不懂得我成全你的意思,反要怨我,真真是不懂事极了。"

王举人说了一篇大道理,他女儿听了还是不懂,哭喊越发厉害，后来竟然对她老子大骂起来。王举人没有法子想，只好溜出来，叫陈妈把他房里书桌子上那把新洋锁拿来，连穿堂后边通后院的门，也锁起来了。

到了明天，阿毛的娘，躺在床上，正在为她女儿伤心流泪。看见王举人从外面进来，就向他说道："阿毛不吃饭也(已)经六天了，还没有饿死，还是直著脖子在那里喊骂。今天嗓子更哑，声音好像老鸭子，我听到耳朵里，比刀扎我的心还要难受，这样惨的事情，我实在经不住了。依我的意思，不如拿你吃的鸦片烟膏，和在酒里，把它灌下去，叫她死的快些，也少受许多苦。这样的办法，我想你也没有什么不愿意。"

王举人说："你这个主意，我倒也很愿意办。但是事到如今，已经迟了。你要晓得我们县里的乡风，凡是绝粒殉节的，都是要先报官。因为绝粒是一件顶难能而又顶可贵的事，到了临死的时候，县官还要亲自去上香进酒，行三揖的礼节，表示他敬重烈女的意思，好叫一般妇女都拿她作榜样。有这个成例在先，我们也不能不从俗。阿毛绝粒的第二天，我已经托大舅爷禀报县官了。现在又要叫她服毒，那服过毒的人，临死的时候，脸上要变青黑色，有的还要七窍流血。县官将来一定要来上香的，他是常常验尸的人，如何能瞒过他的眼。这岂不是有心欺骗父母官吗？我如何担得起。"

又过了一天，是阿毛绝粒的第七天了。王举人清早起来，躺在炕上过瘾，后堂屋里连鸭子似的声音，也听见不了。知道阿毛已到要死的时候。连忙出来，开了两道门上的锁，进去一看。阿毛直挺挺地，卧在床上，脸色灰白，瘦得皮包骨头，眼珠子陷到里头，成两个深坑，简直像个死过的人。拿手放在她小嘴唇上，还略有一丝鼻息出进。紧按他两手上的脉，也还觉得有点跳动。知道他还可以经过三四个钟头,才能断气。正当这个时候,可巧大舅爷来了。王举人就托他赶快往县衙门里去报告。又托他顺道代邀几位熟识的乡绅,预备县官来的时候作陪客。王举人叫人把香桌抬到客厅里正面摆好。就同他夫人把阿毛抬起,放在一张大圆椅上坐着,拿几根丝带子,把她从头到脚,都绑在椅子上,抬到客厅里香桌跟前。再看阿毛,两只眼睛的光,已将散了,只有气息还没有断尽。他娘看见他这个样子,就忍不住大哭起来。王举人皱着眉头说道:"今天县太爷来上香,总算我们家里百年不遇的大典,你这样哭哭啼啼,实在太不像样,你还是忍着些好。"他夫人就哭着进后面去了。

　　大舅爷同着几位乡绅进来了。不多一刻,合肥县官也来了。上香,进酒,作三个揖,礼毕。王举人向县太爷作揖道谢。坐定后彼此说了许多客气话,县太爷端茶碗告辞,几位陪客略坐一坐,也都散去了。

　　王举人送完了客,向大舅爷说道:"刚才县太爷说的,他那里还预备了'贞烈可风'四个字的一方匾额,明天早上就用他衙门里的全副执事鼓乐送过来悬挂。这件事情,一定要轰动了全城的亲友,都来贺匾,又要到阿毛灵前上祭。明天还要劳舅兄的驾,早些到我这里,替我烦一烦神招待他们。"大舅爷说:"那是应该的事,何消你说,我想我这外甥女儿,不过十四岁的一个孩子,死后惊动了阖城官绅,替他挂匾上祭,他的福命,总还……"刚说到这里,忽然听见后面上房里一阵乱嚷,老陈跑出来喊道:"老爷,请你快些进去,太太哭晕过去了。"

(完)

(第七卷第二号,一九二○年一月一日)

妇女选举权(通信)

明　慧　独　秀

记者足下：

　　现在世界文明国大半妇女都有选举权。为什么我国妇女独没有呢？有人说："中国女子的程度还没有到。"我不晓得他们说几时就算可以到了。若是他们说中国女子没有做出什么可观的事在社会上，但是这不可以怪我们，只因为政府不给事我们做。虽然我们有能力、有才干，不能显出来，真是可恨！也是因为我们自己不奋斗的缘故。比方我们现在还不快快起来，我不晓得几时能够有选举权送到我们的懒手上来。我想我们起头做的时候，一定要受许多可怕的阻滞，但是我们不必怕它。倘是前几年没有革命的举动，那就我们现在仍旧要受专制的压制。我们的民国，名誉上已经有八岁了，但是实事上一点也没有实行。因为民国的意思，就是国民应该用选举权来直接表明本人的意思。虽然男子已经有选举权表明他们个人的意思，可惜我们女子同在专制国手下并没两样，就是因为我们女子没有选举权来表明我们个人的意思。我不信男子能够用他们的选举权来表明我们女子的意思。有人想选举是男子特有的权柄，可惜这是错了。前几年的时候，权柄都在一个专制皇帝的手里，平民哪有什么选举权呢？倘是那时候的男子要选举权，平常的人要讥笑他们，像现在的人要讥笑女子要选举权一样。幸而他们男子不怕别人愚笨的讥笑，所以能够造成一个民国，他们才能享受选举的权柄。我们当然是很佩服他们的，为什么我们不自己去照我们自己的意思做呢？我望我女同胞同心合意一齐起来废去这不平等的制度，和得到我们希望的选举权。我们若是一天不达到我们的目的，我们就一天不可以算是民国真国民了。既是这样，那就民国也不能算是一个有名有实的民国了。

明慧上
十二月五日

我们若还要国会政治，男女都应当有普通选举权。他们如若不肯，必有一班学者帮他们说出种学理来，我们若是再进一步，他们必然又强制我们要选举权。到那时必有一班无耻的学者，又来说出选举权的一篇大道理。

独秀

（第七卷第三号，一九二〇年二月一日）

女子将来的地位

汉 俊 译

德国伯伯尔（Bebel）所著《社会主义与妇女》（*Die Frau und der Sozialismus*）英译本有几种，此文乃是列文（*Daniel De Leon*）所译题名 *Woman under Socialism* 的第三篇 *Woman is the Future*，一九一七年纽育出版。

这篇只用几句话就可说完，他只是上文的结论，这个结论读者自身都可以引申得出来。

将来社会的女子，在社会上，在经济上，都是独立的，伊是一点都不会再受别人的支配和利用的，伊是自由的，与男子是同等的，是自己的命运的支配者。除了内性的差别和生殖机能所特别需要者外，伊的教育与男子的教育是一样的。伊在自然的环境之下生活，伊是又能够发展又能够锻炼伊的心灵的能力的。伊在伊的愿望、嗜好、实力相当的范围内，选择伊的职业，并且劳动条件是和男子一样的。伊就是在那一界从事实际劳动，伊每天也可以有剩余时间或是做教育者，或是做教习，或是做保姆，又有时间可以学艺术或一种科学，又有时间可以来尽伊所理的任务。伊如果高兴或者有机会，伊可以和别的女子或男子，结合起来讲学问讲游戏讲社交。

在选择情人的时候，伊与男子一样是自由的，是不受拘束的。伊向人求婚或受人求婚和与人结合，除了伊自己的欢喜以外，是没有别的动机的。这个结合是一种私的结合，是不要用什么形式的仪式来举行的。与中世纪末尾以前，婚姻是一种私的结合一样。社会主义在这个地方并不创什么新例，不过是将私有财产还没有来支配社会以前，在比较原始社会通行过的东西，在文明程度比较高满新社会之下恢复起来罢了。

在不使别人受损害的条件之下，各个人自己想法子来满足自己的本能。满足性欲，也与满足别的自然本能一样，是各人的私事。没有一个人对于别人要负责任，也没有裁判官能够不受依赖就来干涉。我如何吃喝，我如何睡觉，我如何穿衣，都是我的私事。我与异性如何交媾也如此。知识和修养，完全的个人自由，经将来社会的教育和环境迁入正轨了的一切特性，是要来保卫各个人，使足以引起他的损害的命令，不能施行于他的。将来社会的男女对于自己生存的自修和知识，是要比现在增加到很高的程度的。关于自然事件的一切淑女式的含羞和秘密的虚饰，都是要消失的，这个单纯的事实，就是较之现在所通行的更要自然的性交的一个保障。如果要结合的两个人之间，发生了不和合或爱情消失或憎恶之事，道德就来命令这个不自然的，因之不伦理的，结合一解散。加之像现在令许多女子不能不守独身，不能不做娼妓的一切环境和条件消灭了，男子就再不能把自己看做比女子尊贵了。又一方面，完全改变了的社会状态，已经把现在碍及婚姻生活，或时常妨碍这生活的有利的解散，甚或完全令他不能改解的那许多障碍铲除了。

现在妇女地位的许多矛盾和许多不自然的状态，在广大的社会里面，继续不断地以加速度暴露出来了。无论是在社会问题的文书上面，无论是在小说的著作上面，都有感觉及此的活跃的发言，往往也许有些是用不正当的方法来忏悔的。现在的婚姻形式总是与目的不相称的，这个事实，有思索的人已经没有人加以否认了。就是不愿意走到改造现在社会制度所必需的结论的人，也来要求选择情人的自由或婚约的自由解除（有必要的时候）了。不过他们相信，性交的自由只应该为特权阶级的利益而主张。

在反对为妇女解放努力的纽瓦德（Fanny Lewald）的争论上，莱希哈特，修顿伯希（Mathilde Reichhardt）女士说：

"如果你（纽瓦德）主张女子，在社会和政治生活上，与男子完全平等，那么尚德 George Sand 只为得到男子向来内他无条件的私有品所得的东西，而作的解放努力，也是正当的了。实在说来，说女子的脑筋（不是心），对于这个平等，能够与男子一样给予和取得，是没有合理的根据的。反之，如果女子一生下来，就有把伊的脑筋组织活用到极点，来与异性的聪明睿智的台坦（Titans，希腊神话中的人，表示知识极高的人。译者注。）相竞争的权利（结果也有这个义务，因为我们不能埋没我们天赋的才能），就有刚刚一样的权力，用尽方法来枯竭心血，以保存伊的平衡。我们不是个个连最微的道德上的侮辱观念都抛弃了，来读格特（Goethe），（为例证最初引用这个最大的伟人，）对于一个异样的女子，再三耗费了他心中的至诚和他伟大精神的热情的一段事实么？有理性的人，都以他精神的伟大，和满足这个精神的困难，为理由，把这件事看做完全是自然的。只有度量狭小的道德家，现在还责备他的品行。何等侮辱女中'伟人'！……'假如个个女子都是像尚德这样的伟人，个个女子都是弗洛利亚尼（Lucretia Floriani），伊的小孩子都是爱的小孩子,伊又以母的爱情和热诚,同时又以知识和常识,来教育他们。那么世界就要变成怎么样呢? 不待说,他刚与今天一样,是能够继续存在,继续进步的,他或许还要在这种配置之下感受特别的安乐的。"注:《妇人的权利和义务》(*Frauenrecht und Franenpflicht*)。这是修顿伯希女士对于纽瓦德的书简对于女子的可否(Fuer und Widerdie Franen)的覆书。

那么,修顿伯希的意见就是:要个个女子都是弗洛利亚尼,换句说,都与尚德一样是弗洛利亚尼那样的伟人,伊们才能够有"用尽方法来枯竭心血,以保存伊们的平衡的自由了"。但为什么只有"伟人"才有这个特权,别的不是"伟人"和不能是什么的人,就没有这个特权呢? 在我们是没有这些分别的。如果一个格特和一个尚德,我们现在暂且由与这两个人一样行动,和正在行动中的许多人中,选取这两个人做例子,是随他们心意的趋向而生活的,又关于格特的恋爱经过,全部文书都出了版,使一般男女的赞美者都销魂失魄——为什么断定别人也要将一个格特和一个尚德之所为当做销魂失魄的赞美材料呢?

实在说来,这种选择情人的自由,在有产阶级是不可能的。这个事实,是我们上例许多证据的着眼点。但是你们只要把全社会都放到那些在物质上及精神上的选民(合乎神意良民,译者注)所享乐的那样社会状态之下,无论什么人马上就可以得到自由平等的机会了。在驾克(Gacqnes)上面,尚德描写一个裁判他的妻子与一个男子间的奸淫事件的丈夫说:"没有一个人能够制驭恋爱,人只要没有恋爱或恋爱的感觉,就不会有罪。使这个妇人堕落的,就是伊的虚伪,存立伊的通奸的,不是伊耗费于恋爱的时间,乃是伊与伊的丈夫共枕的夜分。"因伊这个批评,驾克就觉得他不能不将他的位置让给他的竞争者波列尔（Borel）的，并且还要进而作哲学的说法："占了我的位置的波列尔或者是要从从容容地来打他的妻子，又或许于打了之后脸也不红地又请伊上床共枕，也不以打了之后再接吻为羞。有许多男子，学东洋人的法子，不问三七二十一地扣他不忠实的妻子的喉咙，因为他们把他们的妻子当做他们法律上的私有品看待的缘故。又有许多男子或者与他们的竞争者争斗，或者杀他，或者驱逐他，闹了之后，他们又假装着恋爱的样子去找妻子接吻，伊是怕他们怕得要死的，或者无法还要甘受的。在夫妇爱情的场合，这些事情是最寻常的，我要说猪犬的爱，都比这些人的爱，还要有价值一点，还要高尚一点。"布兰德（Brandes）批评这段文章说："在我们知识阶级看来，只是初步的这些真理，只在五十年以前就是'了不起的邪说'了。"但是"财产和知识界"，在实际上，虽然大部分都是从前就实行尚德的主义，现在却还不敢公然承认这个主义。同在道德上和宗教上一样，资本家在婚姻上也是伪善者。

格特和尚德之所为，已经有数十万人做过，现在也继续不断地有人在做，他们也并没有因此失一点社会上的尊敬，不过没有人把他们拿来和格特比较。人只要有受人敬尊的地位，一有了这个地位，无论什么都不必怕了。无论如何这一个格特和一个尚德的自由，从有产阶级的伦理上看，是不正当的，又是与这阶级的社会原则相矛盾的。强迫婚姻是有产阶级社会的正则的婚姻，只有这个婚姻是两性间的"伦理"的结合，余外的两性结合，（无论何人都是染了指的）都是非伦理的。有产阶级的婚姻，我们已经证明了他无驳责的价值，是有产阶级财产关系的结果。与私有财产和相续财产有密切关系的这个婚姻，要求"嫡出"子女来作相续人，这是以得到这些财产为目的而加上的。在社会环境的压迫之下，就是无所传授的人也是要受他的强迫不得不如是的，这成了一种社会法律，如果有人犯了这个法律，国家就来行惩罚，将通了奸，离了婚的或男或女监禁数年。注：谢夫列博士 Dr. Schaeffle 在其所著《社会体的组织和生活》（*Bau und Leben des Zoziialen*）内说："把离婚的困难解除了，使夫妇间的结合松懈，的确不是好事。这违反人类配偶的伦理主旨，这对于人口保存，儿童教育也是有害。"他接着又说的话，我们不但认他为错误，并且还要认他为"不道德"。但是博士对于发生及维持使这个道德观受危害的思想，也是要承认他在文化比现在要高得很的社会里面，仅是一个不可思议的东西。

将来的社会，除了家用器具和个人的物单可以认为相续财产以外，是没有什么可以传授的：现今的婚姻形式就要消失它存在的根据而瓦解的。相续的问题也就此解决，社会主义也无需来操废除相续财产的心了。没有私有财产的地方，自然不会有相续权发生。

女子也就自由了，就是伊有子女，伊的子女也不会来损害伊的自由，他们只能够将他们幸福的杯子装满享乐和快乐。保姆，教习，女朋友，女青年等等，只要做母亲的需要帮助，伊们都可以随时随地来帮助。

将来的社会，也或许有男子赞成混波尔特（Alexander von Humboldt）说："我不是生出来作家庭的父亲的。并且我以结婚为罪恶，以生小孩子为罪恶。"这怎么样呢？自然本能的势力是要来恢复平衡的。一个混波尔特对于婚姻的敌意也吓不着我们，一个萧便好耶尔（Schopenhouer），一个门喇验达尔（Marnlaender），一个哈德满（V. Hartmani）的哲学的厌世主义，使人发生自灭在"理想国家"的预想，也吓不着我们，在这一点，我们赞成喇则尔（Fr, Razel）的正当的说法：

"男子再不会把自己在自然法则上当做特别的人；他终究一定还要认识那作他自己的行为和思想的基础的法则起来，还要努力在自然法则之下营他的生活。他是要达到一种地步，同他的同伙（即家族）和国家来整理他的社会生活，但并不是依照数世纪前的箴言来整理，乃是依照自然意识的合理的原则来整理的。政治，道德，法律，在现在这些东西都是由一切原因受供给，只是依照自然法则而定。数千年来，人人所梦想的不愧为人类的生存，终是要成为事实的。"注：这一段话，是在吓克尔（Halckel）的自然的天地创造史（Natuesliche Schopfungs Geschichte）内引出的。

这个日子蹈着大步地要来了。人类社会，在数千年的进程上，经过了许多发达的阶级而达到终点，由这个终点又出发，公共财产和完全的平等与友爱，已经不是只限于同种之间的，乃是全人类间的了。大进步实在就在这个地方。有产阶级的社会所争而未得的，及其所由之而受或将要受破灭的。他们的破灭就是人类的自由平等和友爱的恢复社会主义是要来完成的。有产阶级的社会能够提倡了理论，在这个地方，也与别的许多地方一样，他们的实行总是与他们的理论不一致的。使理论与实行一致，是社会主义的任务。

人类虽然是回到他发达的原来出发点去，但是这个回去，是要在比他从前出发的社会程度，更要高得不可以到里计的社会程度上面成就的。原始社会把财产作为氏族和部族之间的共有，并且只是初步最不发达的程度的共有。自此以后经过的发达过程，确是把这个共有财产减到只剩得一点若有若无的痕迹，破碎氏族，最后就将全社会打得粉碎了。但是同时,虽然产出了与社会要求相矛盾的一个状态,将那个社会的生产力,也随各种程度各种方面的社会要求,大大地抬高了,又由氏族和部族造出了国民和大国家。将来的事业,就是在最广大的基础上,回转去使这个矛盾告终,就是将财产和生产力变成集产。

社会将它从前的东西恢复转来,但是依着新造出的生产状态,社会将它的全生活方法置于文化最高的场面上,使从前在比较的原始状态之下,只成了各个人或各特殊阶级的特权的东西,能够为人人享受。

于是女子又将伊在原始社会曾经执行过的固有任务再执行起来。不作男子的私有品,伊与男子是平等的。

"社会发达的极点,与人类之初相像。原有的平等回来。人类的母系又开始,以完成人事的循环道。"这几句话,是巴火防(Bachofen)在他那常为人所引用的著作《母权》(*Das Mutterrecht*)上,预想将来的事件的时候讲的。与巴火防一样,莫尔干(Morgan)也对于有产阶级的社会下了一个判断,他对于社会主义虽然没有什么特别的知识,他的这个判断都与我们的在根本上是一致的。他说:

自从文明发生以来,财产的效果就广大无边了,形式就多种多样了,效用就扩大了,治理就在他所有者的利益上巧妙无比了,于是他对于人就成了不可制驭的势力了。人的精神在他自己的创造物的面前,已经不能不受扰乱了。但是人的智慧增加到能够支配财产,能够确定国家与其所保护的财产间的关系,和国家与财产所有者的义务及权利限制间的关系,这个日子是要来的。社会的利益较之个人的利益更为重要,这两种利益应该达到合理和相宜的关系。如果进步,与在过去一样,在未来也是要成自然法则的,仅仅财产的急速增加,还不是决定人类最后的命运的。自从文明开始以来到今天所经过的年月,仅不过是人类生存过去的连续的一片断,又有许多年代的一片断也要来了。社会的分离,是要使财产所引以为最终目的的增加告终的,因为这种增加含得有自灭的要素。政治上的德谟克拉西,社会上的友爱,权利和特权上的平等,教育的普遍,是将来的社会程度必然加高的征兆,这个程度更高的将来社会,是为经验,智慧,知识所必然招致的。古昔氏族的自由、平等、友爱是要在更高的形式上复活的。注:莫尔干著《古代社会》(*Ancient society*),于是我们可以晓得,就是出发点不同的人,他用科学的研究,还是可以得到同一的结论。女子的完全解放,伊对于男子的平等,是我们社会运动的最后目的,地球上没有东西能够妨碍他的实现;只要将社会改造,使人支配人,结果资本家支配劳动者的事消灭了,就能够实现。到了这个时候,人类才可以得到最高级的发达。数千年来人所梦想所渴望的"黄金时候",到了这个时候才出现。阶级的支配要永远消灭,随着他,男子支配女子的事也要永远消灭。

译例

原书上用了草书(Italic)以引起读者特别注意的地方,就在旁边加了符号。

非固有名词,而原书上用了大体字(Capital),以表示其有主要的意义,或用如固有名词的地方,就在旁边加了○的符号。''""都是原有的,或是说话,或是引起读者特别注意的。

(第八卷第一号,一九二〇年九月一日)

妇女·青年·劳动三个问题(通信)

费哲民　独　秀

独秀先生：

近一年来新文化的运动,都说是受《新青年》杂志的觉悟,于是新思潮的勃发,就跟着这个云头,改造环境。思想界的变迁,可谓革新中国的好现象了。现在北平、上海及各处地方出版的新杂志很多,高谈主义的,研究问题的,也有讲哲学、文学的……思想都是很新,大体都含有"德谟克拉西"(Democracy)的意味,还有些抱积极运动者,把"布尔什维克主义"(Bolshevism)去直接运动,也是不少——虽然文化运动,红灼灼,热烘烘,极可喜事了。但照我想来,这个交运未必可喜,只可吊呵! 是什么缘故呢? 因为现在这种新思潮杂志不单是出风头,并且还犯一个大毛病就是:"叠床架屋","炒冷饭"的令人看了都要摇头了。

现在最是动人听闻的声浪,便是"解放"和"改造"这些名词。试问:这些名词,这些声浪,时时在我们耳朵里经过,要说到底实践了多少,这个怀疑,我实在解决不下——新中国,新社会,固然很好,不道那背后的"军阀"、"政客"、"官僚"和那肮脏的空气,究竟用什么方法能够铲除这种障碍的东西呢? 我说现在的国家,只有悲观! 哪里有乐观? 现在的社会,只有黑暗! 哪里有光明? 现在的小民，只有痛苦难堪！哪里有享共和的幸福？我思量了一回，什么解放，什么改造，都觉得麻烦够了。我对于现社会的感触，写在下面：

（一）妇女问题。妇女这个问题，讨论的人也很多了。有一部分为争"妇女的人格"起见，她们自己起来解放自己，很是不少。现在听得广东方面，已经有女权运动发生了，像这种妇女，是已经觉醒的新妇女了。这种运动，成败利钝，都不去论它，但是她们在这个专制的家庭里，觉得很不耐烦，恨不得立即推翻，解放她们的几千年的束缚，做个自由的新妇女；她们现在最要的一件事，就是要社交立刻公开，实行她们男女的自由恋爱的主义。我想，社交公开，极容易一桩事，要在这过渡时代的当中，难保不发生道德上的意外问题吗？

（二）青年问题。现在中学以上的学生和思想活跃的青年，因为受了新思潮的刺激，都要和旧社会斗，恨不得立时跳出旧家庭，度他们的简易生活（新生活）；恨不得立刻建设个新社会，过他们的世外桃源。我想，这种青年，这种学生，在这个"新陈代谢"的时期里，或是神经过敏者，往自杀路上去走，这又从哪里去挽救他们呢？

（三）劳动问题。劳工解放，农人解放，商人解放，研究这些问题的人，也是不少了。但是我国的工人，到底从哪里着手——去做解放的运动？我国的农人、商人（店员、学徒包括在内），应该给他们解放不要？解放之后的利益，究竟能够享受不能够享受呢？即使能够享受，到底有几种呢？

上面三个问题，我实在不能圆满解决，现在就请你在《新青年》杂志里给我一个答案，下一个批判，我正感激你呀！

费哲民

我以为解决先生所说的三个问题（其实不止这三个问题），非用阶级战争的手段来改革社会制度不可。因为照现在的经济制度，妇人的地位，一面脱离了家庭的奴隶，一面便得去做定东家的奴隶；至于自由恋爱一层，在财产制度压迫和诱惑之下哪里会有纯粹的自由！在国内外两重资本主义压迫之下，青年向何处去寻新生活和世外桃源？即于劳动问题，更可以说除阶级战争外都是枝枝节节的问题。先生说："劳工解放，农人解放，研究这些问题的人，也是不少了。"何以我绝对未曾听见看见，这句话先生说得太轻率了。

独秀

（第八卷第一号，一九二〇年九月一日）

列宁的妇人解放论

李 达 转译

去年列宁公布一本小册子，题为《劳农俄罗斯中劳动的研究》。这一篇就是其中的一节，可以窥见列宁对于妇人解放思想和施设的一斑。

实际上，当最近十年之中，在全世界的民主党，绅士阀共和国的指导者之中，能够做到像俄罗斯一年间所实现的妇女解放事业的百分之一的，一个也找不到（在俄罗斯中）。凡含有剥夺妇女权利的意味的屈辱法律，一切都已经废止了。例如妨害自由离婚，规定"私生儿"的父权，以及其他亲属关系等的法律，现在都没有了。这等法律，现在正行于文明各国，正所以表彰绅士阀与资本主义的羞耻。在这一方所成就的进步，我们有夸耀的权利。但是我们越是把绅士阀的法律和制度的基础颠覆得净尽，我们的事业，就越发显明是预备的性质，差不多是在准备着一片干净的地面，使地上面可以立起建筑物。可是我们现在还没有从事起造建筑物的。

别的且不用讲，妇女们依然做着家庭的奴隶，育儿和庖厨等事束缚着她们，她们做着不生产的活动，种种家庭的琐事，苛酷的也有，卑贱的也有，简直成了一个苦痛的连锁，她们若是还在这种境遇之中，解放的法律，对于她们简直没有什么效力。

无产阶级，若不是自己掌权，来和家庭奴隶制度开战的时候，更切实些说，社会若不曾达到全体依据社会主义的家政组织的基础而组织完成的时候，纯粹的妇人解放，纯粹的共产主义，不能实现的。

这种计划的实行，固然开始了，还说不到结果。然而我们对于这些柔嫩的前途有望的萌芽，决不轻视。公共食堂和幼稚园等，就是它所生的芽，离成熟固然还远得很，但是在社会的生产与社会生活之中，依了男女渐趋平等的事实，或者还算是妇女实际的解放的导线。

这些方法，并不是新的。和许多的社会主义设备一样，也是由资本主义所组织而成的东西。然而在资本家政治之下，这等单单是例外。他们这班人，在许多时候和境地，提出了千万种投机、贪欲和诈欺等恶迹的实例，或者是无产阶级中最良分子，看了也是不憎恶，也不反对的，这等设备，只是绅士阀慈善的机关变形。

我们已经掌握了这等制度的大部分了。现在这等制度已经失去了从前的性质了。

我们从来不拿这等设备，到间巷中间去吹，可是绅士阀那边却已经完全晓得颂赞这制度的功绩的方法了。销行极广的绅士阀报纸，夸赞这事业，足以抬高国民的荣誉；我们的报纸却不愿破费许多时间，去赏赞我们的民众的庖厨功绩。

我们既不干吹听的事，可是这些制度，却是自然而然的根基了这种主义做的。譬如节省劳动、节省食物的供给、改良卫生状况，而且使妇人从家庭的奴隶变为自由人之类，皆是。

（第九卷第二号，一九二一年六月一日）

劳农俄国的妇女解放

山川菊荣 作 李 达 译

一 革命与妇人的活动

"面包！面包！"大声直呼，拥到凡尔赛离宫引起大革命的导火线的，是法国无产阶级的妇人，俄国革命也是这样，最初开幕的也是些妇女们。

一九一七年三月九日，是社会党规定为"妇人日"的一天，这一天彼得格勒的劳动妇人，因为生活费用暴腾，行了一个大示威运动，来要求面包，于是给了一个大革命勃发的机会。近来三月九日这一天，成了俄国革命的纪念日了。

帝制倒坏以后，劳动妇人对于革命的活动，并未停止，而且反对那违背无产阶级和联合国及绅士阀握手的克伦斯基政府，并且反对该政府的主义和主张。

一九一七年六月九日，在各劳动妇人团体机关杂志编辑部指挥之下，行了第一次反对战争的大示威运动的也是她们。又，这一年五月里，彼得格勒浣衣女工人四千人，干了一次同盟罢工。当时彼得格勒市浣衣女工会会员只有六百名，全体也加入了。这次罢工，劳动者方面虽没有完全得胜，可是她们罢工的主要目的，在将洗衣工场收归市有，劳动者自身当然有管理权的——她们这个目的在罢工终止后不过几个月就有几处工场实行了。

一九一七年十一月，诱发多数派的反动——真正的无产阶级革命——的一大刺激物，也是彼得格勒各大工场中纤维女工人的同盟罢工。这些女工人去了工场，成群结队，拥到市内来，煽起了彼得格勒市无产者革命的烽火。

劳农会中最初就有妇人加入了。无论什么地方，劳动妇人总是加入多数派，支持劳农会左翼的势力。三月革命与十月革命之间，彼得格勒市，发行了社会主义的妇人新闻，继续办了一年之久。

一九一八年四月，莫斯科市及附近地方开了一个妇人大会，讨论粮食问题、生活费、儿童保护等问题，通过了重要的决议案。

这一年的十一月，开了一个妇人大会，这大会是代表彼得格勒市和北部各自治团十万多劳动妇人的。有五百代议员会同起来讨论母性保护和失业保险等问题，通过了重大的决议案。

十一月革命之后，亚历山大郭伦泰做了社会人民委员，列入劳农政府最高执行委员会，几诺维夫人勒尼拉做了几诺维所主办的北部自治团的社会委员，教育人民委员卢那查尔士的夫人，做了儿童殖民地等事务的主任，这儿童殖民地，乃是为劳动者儿童谋便利，兼管家庭和学校和运动场的事务的。此外通全国无数万劳动妇人，都尽力教育和社会事业。就是旧时代的上流妇人为学校和儿童殖民地等事出力的也不少。

大战之中热心爱国的中流妇人所组织的决死队，是两百多天真烂漫的女子组成的。这团体为支持第三阶级革命受了利用，多数派得势后同时解散了。至说赤卫军中不过没有特别的妇人队为止,而妇人当兵的很多,这是事实。

多数派下总动员令的时候,劳动妇人都愿争入拥护的革命的军队。政府把她们分配各种军队送到战场里去。

无产者军队中这些女军人和男性战友一样奋勇攻击那破坏革命的人。这些事都在沉默之中干的。在俄国说起来,妇人打仗已是平常的事,并不成为问题,而且也没有特别称赞她们的勇气的必要了。

更有很多妇人投到军队里做非战斗员,而尤以办卫生事务的多,无虑数万人。她们受了充分的训练之后,附属在卫生队里送到战场和野战病院去,或在内地充当看护妇。她们的勇气实可惊异,战争还没有终止的时候,她们在炮火中出入战场,运回那负伤的军人,救护那些武装兄弟们的生命。

妇人兵士多在后方勤务。无论在兵站部、输送部、司令部、邮政局等等地方,无不有妇人服务的。她们为支持无产阶级共和国之故,不惜一切努力和牺牲。

尤其以赤卫军内部的启蒙运动和宣传事业,差不多归妇人独占了。赤卫军中不单是有图书馆读书室,而且因为要深深地了解社会主义,队里常常集会讨论讲演的。

妇人就利用这个机会,把那为实现社会主义而战的赤卫军的光荣和责任,印入到兵士的头脑中,继续的鼓舞激励他们。

住在彼得格勒阿德兹撒萨马拉各大都会的妇人,给了防御那些都会的机会。劳农俄国陷入危险的时候,他们曾经下了妇人的动员令。她们主要目的就是代替出征的男子做事,其中也有到军队里荷枪训练,危急之际,她们为保护自己的乡土,有不少流了最后的血液。

妇人按着自己的能力受军事上的训练。共产党的女党员，与男子同受军事训练，已经成了义务了。男女兵士武装军队，每礼拜一两次，进到地方练兵场学习射击并受别的训练。称为"普通军事教练会"的劳动团体之中，加入的妇人有数百之多。五月一日那一天，劳动义勇军队之中，有一队妇人兵队，受了很好的教练。这"普通军事教练会"的女会员，当守备都会之任，这些都会中，妇人兵士每日都可以看得见，一点儿也不奇怪。妇人也可以入士官学校当士官。一九一九年的秋天，劳动妇人义勇军出身的最初将校，开始送到战线去了。

俄国劳动妇人用高尚的感情和无限的热诚和谦逊的美德履行自己的义务。她们当无产者国家遭到危险的时候，忍冻受饿，忘了穷乏，舍弃一身一家的私事而不顾。她们对于战胜资本阶级所得的结果，即是她们推倒资本制度得来经济上政治上的自由，决不肯让敌人夺去的。她们决不甘忍受回返到以前的境遇，让那劳动妇人的奴隶状态的专制主义把她们压迫在铁索之下。她们所以牺牲生命保护无产者共和国的原因，就在这些地方。一九一九年狄诺勃夫在北部自治团劳动妇人大会里有一段演说道："若没有劳动妇人的援助，我们的革命决不会成就的。若没有那些劳动妇人在危险时期内同我们一致作战，恐怕离革命还遥远呢！这是男子们要记忆的事情。"

二　母亲与儿童之保护

"家庭破坏""妇人国有"这两句话，也算是多数派震骇世界的重大"罪状"了。实在说起来，要晓得多数派对于家庭与妇人办了的事情，是很有兴味的问题。所以我们最先就要晓得那与妇人生活最有密切关系的政治机关即社会人民委员会的职务。

社会人民委员会是劳农政府的一部，是全俄罗斯一切社会事业的枢轴。各地方劳农会中附有社会委员会地方部，与中委员会联络，实行所布告的事务，各个分担各地方的事务。

劳农政府掌握政权以后，同时把一切个人的或半官的慈善事业都废止了，所有一切不能劳动的人都由国家担负扶养的义务了。依一九一八年一月三十日社会人民委员会的布告看起来，凡是劳力谋生的人，若遇暂时的或永久的不能劳动即是老衰、疾病、伤害、妊孕与非由自己过失而陷于失业的人以及没有适当保护者的儿童，一概都有受国家保护和扶养的义务。受伤害病者不收医药等费。

依哥伦泰所记，下列各部门都算入社会人民委员重要部门之中。

（一）儿童局。凡是没有保护者的儿童即孤儿、弃儿、乳乞丐、淫妇之子，以及依法律被剥夺亲权者（即犯罪人、酗酒人等）之子，和三种病的儿童等，都由儿童局担负保护之任。上面所说病的儿童的第一种，就是有道德的缺陷的人，即适用一九一八年一月十八日之法律而犯罪之儿童（俄国少年裁判已依此法律废止，犯罪之儿童，委社会委员保护）。第二种就是有知识的缺陷的人，第三种就是有肉体的缺陷的人。儿童局设有养育院、儿童自治团、儿童 home 等，为儿童设代用的家庭。在 home 和养育院中，以儿童的劳动和独立为根本的主义。达于一定年龄之后，此类儿童也和寻常儿童一样，都要进学校。儿童在十七岁以前都要住在这种 home 里，十七岁以后，任其自由行动，此后国家亦负保护义务。一九一九年一月一日委社会人民委员保护的儿童达十万人，包有儿童 home 千五百个，现在想必更增多了。

（二）母亲及乳儿保护局。此局掌管保护产妇及乳儿的事务。体力劳动的妇人产前产后十六周间，他种职业妇人十二周间，可以免除劳动而仍得照原额领取工钱。分配妊妇的面包分量可以增加，药医无费。通各都鄙收容妊人妇的妇 home 设立的很多。妊妇在这种 home 里可以依照自身健康程度做轻便的工作，又可以单单地休养，并授育儿的知识。分娩之时则入国立产育院，尽俄国现状所许可的范围以内，给予优良的食物和补助金，又有好医生和产婆看护妇，殷勤看视，可以安心分娩。此处待遇绝对平等，无论何人之子都一样贵重都一样受国家保护。产后三星期之间产妇与小儿，收容于专门家监督的乳儿院中，在院中可以育儿至三个月之久。若产妇想在自家分娩哺育，那么照前面所说的待产前后免除劳动，并且在授乳期内劳动时间短缩为四小时，并且有权利请求经济上之补助以及特别分给肉类牛酪等物。

各处又设有官立诊病所，凡有乳儿的母亲，都负有一种义务，在定期内带领小儿赴所检验身体，验知儿童的健康和成长的状况，领受育儿上必要的注意和教训。母亲及乳儿保护所，于工场等处设有托儿所，与供给授乳的休憩室。在夏季时，农村中也设有此种托儿所。乳儿保护局在此种处所设立榨牛乳的工场，把纯良的牛乳配给劳动阶级的母亲和小儿不收费用，而且对于儿童所用牛乳，更注意监查的。无母的乳儿，收容于乳儿院，由专门家监督，用牛乳或人乳哺育。

莫斯科母亲及儿童保护局中，附有常设的育儿展览会；凡自妊孕以及产前产后，乳儿期，幼稚儿时代所有关于母亲及儿童心身一切注意事项,都用图画或模型或详细的说明,无大无细,网罗无遗,大可以启发育儿的知识。例如将妊孕中胎儿发育的各时期用图描写出来,供妊妇参考,自遗传和饮酒对于胎儿所被之影响为始,优生学上种种原则和统计,都用图解和说明书表示出来。又适于妊妇的卫生衣服样本,分娩时所有用具和卫生材料,都一一陈列,以及应行注意事宜,都一样的用艺术详细明白表示出来。又健康之时和患病之时所有儿童生活各方面,都用图描出,作为模型,表明健康儿童和患病儿童在各时期中发育之大小,所有儿童的病态及其显著的征候,可以一望而知。又用艺术的方法把蝇类传染病菌的径路图解出来。儿童用器具、玩具、食物、衣服等类陈列之旁,都附解说批评其利害。此育儿展览会又设有电影戏部为附属事业,简易地说明母亲及儿童保护局的职分。儿童展览会的陈列品,后来渐次增加力图完备。社会人民委员和教育人民委员互相联络,办理此项事宜,幼稚院制度普及于全国,四岁至八岁的幼儿,都在院中哺育。但四岁至六岁之儿童入院与否,可以自由,而六岁至八岁之儿童,就有必须入院的义务,上级生受习轻易的学课,以为小学教育的准备。可是在现时的俄国,母亲和儿童保护的设备,还不能十分增加,其原因有二,第一就是经济困难,第二就是缺乏熟练的育儿人。所以教育委员和社会委员都很努力地设立哺育者讲习所,养成此项人才。多数派执政以来,很尽于保护母亲及儿童的事务,所费之款亦甚多。极端的穷困和艰难,是帝制和资本主义的遗产,同时又是欧战和封锁的结果,然而俄国的无产阶级人民,却为保护母亲和未来的国民不惜牺牲一切,这是很可佩服的一件事。

（三）废兵局。废兵局的任务,系应废兵能力的大小分配工作的。

（四）养老局。一九一九年受此局保护的老人有六万五千，其后大见增加。

（五）扶助费局。此局掌理支出对于失业者及赤卫军家族之扶助费。在俄国中凡一切五十五岁以上的男子和五十岁以上的女子，有当受扶助费之权利，这是社会人民委员的布告所认定的，照俄国现时经济状态而言，虽然不能即时实行，而在事实上只有不能劳动的人单受此局保护，取得衣食。

（六）临时扶助局。受此局临时补助的老穷兵卒达四十万人。此外为授职业于贫民起见，又由此局开设各种工场有免费的食堂，和住宅和寄宿所。此局为救济白卫军占领地带之避难人民，几有日不暇给之势。

（七）反革命牺牲者救济局。此局专救济因反革命受损失的势农会和共产党内部的劳动者以及随同共产党入国的外国亡命客，为他们设有种种农业自治团。在他们未得工作之先，由此局领受扶助费。

以上各局之外还有掌理廓清乞丐和娼妓的局，分为种种小部门。在一九一八年时，有二百五十万的废兵，有七百万的伤病兵，更有三十五万因战争产生的孤儿，有二十万的盲人哑子和聋人，此外更有多数疯癫白痴和犯罪人，都受社会委员保护以谋生活。在一九一八年的后半期，社会委员为办理此项事业，曾费出六亿卢布，一九一九年前半期的预算为二十亿卢布。

在克伦斯基时代曾为社会大臣的伯爵夫人巴尼那，她是个富足而且贤明的好社会改良家，能使列宁也赞叹她是"一个最伶俐的资本主义拥护者"，她是与帝制时代的俄国继续奋斗的自由主义者。她对于政治运动和慈善事业不惜耗费私财，因此大受一部分劳动者和贫民所崇拜,只是她的思想习惯,原是贵族的,到底不与劳农政府相容,到十一月革命之时,她就失掉了原有的地位,这时候,她曾经使嗾部下的吏员实行同盟怠业之举,将重要的书类、锁钥和巨额的公金隐匿了。若以她的经验和手腕援助新政府很能尽力,可是她为破坏者的政府却弄了许多手段的。

劳农政府成立之后,代巴尼那的人是郭伦泰。郭伦泰就职后,立即在部内开大会议,连最下级的雇用人都要求出席。席上她说俄国财政状态濒于危机,为社会事业所残留的基金极少,所以无论何人不能充分领得他所应受的报酬,列宁杜洛基和她自己以及一切人民委员的月薪不过五十元,她把这些话说明,要求部下的给以牺牲的援助。以前年薪二万五千卢布职业的救济家,因此受了大打击。她又说以后要常常开会要求一切雇员出席,并说无论专门家或洒扫妇人的话,都一样的尊重,她这种话越发使人惊愕起来。巴尼那常把郭伦泰看做仇敌,听着郭伦泰这一番话,她说:"听说那没有办法的郭伦泰夫人,当开会的时候,唤小使坐在旁边。这种办法对么?小使一流人都懂社会改良的话么?"

巴尼那和郭伦泰的差异——即第三阶级的社会改良和劳农政府的社会施设之间的差异——单就这一事看起来,就很容易窥察出来。就是前者是施恩惠于人民的,后者是认定人民的权利的。

三 结婚制度

劳农俄国于一九一八年一月卅日制定婚姻法。这婚姻法的制定及其内容,对于妇人国的谣言给了最决定的反证。

男女关系,纯然是个人间的私事,不是国家和社会所应干涉的问题，这是许多社会主义者所相信的。漫说是妇人国有，就是制定婚姻法确立自由意志结合的一夫一妇婚制这件事，也招了一部分人激烈地反对，说是国家侵越权限了。对于这种反对也有一个解答。"就理想上说，很希望男女关系不受外的拘束，不受法律的支配，但这种制度，要在社会主义制度永久确立以后的社会方能实现的。"在现时由资本主义到社会主义的过渡期内，什么标准和原则都未确定，人民保守的习惯，不易打破，表面虽似乎急进。其实反以维持现状逆行时势为便的。俄国无产阶级革命，是在中产阶级革命中途挫折而与封建时代传统思想开始妥协的时候发生的，所以无产阶级的使命应当继承中产阶级之后打破那封建时代的思想和习惯。就是现在的俄国负有一种任务，连同资本主义和资本主义以前的制度习惯都要扫减的。

"然而有一部分急进的人，以为婚姻法没有制定的必要，宗教的结婚听本人自愿，可以不去干涉。话虽如此，而现在的俄国的婚制只有向来的教会结婚一种。教会和宗教都是教人崇拜天上人间的权力，和科学的社会主义思想不能并立，而尤以俄国教会简直与皇室不能分立，教会的势力就可说是旧思想旧制度的势力。所以成就革命的最大急务就在打破教会的势力，要和教会奋斗就有另建新理想新标准的必要。新婚姻法不单是驱逐人民中所有教会和宗教势力的武器，同时又是革命的，又是社会主义的。这新婚姻法，在法律一实现男女的绝对平等，在资本主义到社会主义的过渡期内，给妇女们最大限度的自由，离婚容易办到，夫妇的权利和义务平等，因此打破旧婚制，同时又做成将来更自由的男女关系的基础。"依据新婚姻法，唯有经过民法上手续的结婚，方发生夫妇的权利和义务，而惯例的宗教结婚，一切都失其效力。

婚姻年龄，男子十八岁，女子十六岁。

想结婚的男女，预先到所管的官厅去，用口头或书件，通告结婚的意旨。官厅若判明这两人没有法律上的障害，当着两人来厅的时候，把他们的婚事登录好了，就给予婚姻证明书。

要结婚的男女，若是重婚，或互为直系尊卑，或为异父同母，异母同父的兄弟姊妹之时，不许结婚，就是万一许可了，若把事实判明即为无效。又未经一方之应承，或应承而在人事不省之状态，或强制成婚，这类婚姻，也作无效。

夫妇用共同之姓，或用夫姓，或用妻姓，或用二人合姓均可。

夫妇有同居之义务，关于财产之权利，各有区别，夫妇不得互相承受遗产。死者遗产中劳动必要器具等物，得分配于亲类。

夫妇互负同等扶养之义务，一方陷于不能劳动状态之时，他方必须赡养。若对手方面没有扶养资力，则由国家助其责。

夫妇合意离婚或仅一方有离婚希望，均成为离婚的理由。双方意思互缺一致之时，则成诉讼。一切地方裁判所，为谋处理解除婚姻的诉讼起见，至少每礼拜规定定时一次。

又依亲族法，凡是结婚而未通知于官厅之双亲所生之子，与已通知于官厅之双亲所生之子，有同等之权利。

未婚妇人怀妊之时，至少要在三个月以前，对于住在地之民事登记所，将受孕时期，及孕儿之父亲的住所一一通告。有夫之妇而与夫以外之男子交接受孕时亦同。登记所接受此项通知时，须将此事实通知该孕妇所指定为父亲之男子。若此人不承认为实事时，在两礼拜以内有起诉之权利。若此人认为实事之时，裁判所要命令他分担怀胎分娩及扶养小儿各项费用。若与此妇人有关系不止一人之时，裁判所也命令他们共同担任此项费用。父母协同行使亲权。但至男儿十八岁,女儿十六岁之时为止。关于儿女诸事,概由父母合意办理,意见若不一致,双方出席法庭由裁判所决定。

父母分居时,未成年的子女,应与谁同住,又离婚时子女应用谁姓,一切由父母合意决定,意见若不一致,则诉于裁判所。

父母有扶养不能劳动之子女的义务,子女有扶养不能劳动之父母的义务。但受政府扶养时,不在此限。

子女对于父母之财产,父母对于子女之财产,并无权利。

离婚之时,父或母谁应养育子女,养育费如何分配等事,依父母双方协议决定。双亲关于子女教养的协定,若遇与子女的利益不相一致之时,裁判所有向该父母请求法律规定之扶养费。裁判所当决定分配子女扶养费之时,须要考虑子女有无受照料的必要,又子女之母亲或因受孕不能劳动,以及父母收入的多寡和劳动能力的大小,须均加以考虑的。

依以上所述显然可以知道的,劳农俄国的新婚姻法和特色,有四:(一)立在男女同权基础之上。(二)专以当事人意思为结婚离婚之条件。(三)私生子的制度完全废止。(四)父母两方之亲权平等。

资本主义的社会里,女子常受父母及夫和监护人所监督,不能自主。结婚这种重大事情,女子的意思毫不受尊重的。而尤以没有劳动能力缺乏职业的机会的结果,不得不把结婚当作唯一的生活手段,就是违反了自己的意思,也要继续她的生活了。又亲权专属于父,女子对于自己所生育的儿女并无权利,离婚之时非将子女留归其父不可。但是劳农俄国的妇人却不是这样,完全脱离了那一切不合理的拘束了。她的身体若是健康,无论什么职业在她可以做得到的都可以做。若因失业、妊孕、病痛等事不能劳动,就有受国家扶养的权利，为劳动生活谋便利，就有公共寄儿所，这种寄儿所，并不是资本国里慈善家所造的那样小猪栏的托儿所，这乃是由国费办成的，有熟练的医生、看护妇和保姆当保护之任，可说是儿童的乐园，我们应当记忆的。现时俄国妇人，经济的精神的完全得以独立，可以结成一种除自己爱情和良心以外并无烦恼的纯洁的夫妇关系。

资本主义与社会主义的根本不同之点，就是前者是利益本位金钱本位，后者是人的本位。新俄国的立法——纵令在过渡时代迫于必要不能称为十分彻底的社会主义立法——和资本国的立法，其间相异之点，简直可用这种本质的相异点说明出来。

四　家庭劳动之社会化

劳农政府妇人解放的两大计划，就是母性保护和家庭劳动的社会化。资本主义社会之下，妇女唯一的天职是做母亲，所以不欢喜妇人的社会的生活。不单是对于她做母亲这件事没有报酬，而且当着因做母亲而不能劳动的时期内，连她的职业和独立都要夺去，使她不得已仰社会或他人的恩惠谋生。所以在这种社会中，女子在专做母亲的范围以内，她的经济独立，在原则上是不可能的。而劳农俄国，却不甘于承认为母是妇人的一个天职，而且有进一步的设备，使妇人安然愉快得以完成她的职分。

单是这样，还不充分。现时那样原始的家庭劳动，消耗主妇的时间和精力，妨害她的自由活动和发达，这种劳动若不废除，妇人若不免去烦琐的家事，真正的解放不能实现的。

把现在的家庭和百五十年以前的家庭比较起来，家事自然是减少许多。譬如在我们祖母的祖母的时代,纺纱、织布、染色、缝衣等事,一切都是家妇的主要家务,但在今日除裁缝外,一切都有专门的工人经营。就是裁缝一项,在现时比在我们母亲的时代,也没有那样重要,因职业为生活的妇人增加,没有闲工夫去做裁缝,而且不以自己做裁缝为利益的人也多了,这是显然的事实。而尤以现时都会中的家庭,有煤气电气自来水的便利,家事越容易办理,生产方法进步,普通的生产物多用廉价供给,从前认为主妇所必要的个人的生产,到现在已不觉得必要,而且变为快乐了。今日的家庭已不生产专以消费为职务了。

这样的变化,都是资本主义产生出来的结果。此外洒扫洗濯食物调理等主妇应做之事,都改为生产和劳动的组织,为全国民劳动为全国民生产,这种社会若是实现,无论何时都可由妇人手里分离出来。就是在现时那些能够充分利用文明利器的富有阶级,已经照这样实行了。社会主义更进一步,就是把那一部分人独占的便利,给全国民解放出来。

劳农政府在经济状态所能做到的范围以内,要用很低廉的价值或者不收费尽将优美的食物供给于公设食堂,要力谋这种食堂的普及和完备,个个主妇的劳苦和个别的家计法的不经济,都除去了。"洗衣和别的事,都是这样。劳动妇人早已不埋身在污秽物的当中做工,袜子、衬衣都无须修理。她每礼拜只要把那污秽物和破裂的东西送到洗衣处和修缮处,等下礼拜去领回来就好了。所以劳动妇人并不像在资本主义支配之下那样耗费晚间的余闲,做无限制的苦工,现在尽可以读有用的书做娱乐的事情了。"这是郭伦泰的话。

又先前在资本主义之下教育的任务,也是由父母移到社会的手中的，儿童达到就学年龄，到学校去受教育。

可是儿童衣食住的费用和在学校就学时间内的照料，还是归父母私人担负的。所以劳动阶级的父母没有余力供给能使自己的儿童就学。无产阶级大部分的子弟，不满十岁就要开始过劳动生活，所谓国民教育不过是一纸空文。不仅如此，而且得工资做工的父母，不过在晚间归到家里睡，对于儿童精神上肉体上的发展丝毫不能注意的。所以在资本主义之下，为父母的觉得子女是一种重担负，子女是子女，被置在无保护者的状态。

劳农俄国对于这一点，大加改革。社会人民委员会和教育委员会，关于教养子女的事情，努力减轻父母的劳力和经济的负担。婴儿院、托儿所、幼稚园、儿童home、儿童殖民地、医疗院、儿童静养所、儿童食堂、学校的无费备餐、教科书、温暖衣服、靴子及发给不收费的必要品等项，一切都为实行此种目的方设备的。

劳农政府照这样把那妇女最重大的担负即家事和育儿诸事，概收归国家办理由社会去担负责任。个别的家计法和育儿法生出来的劳力滥费和不经济一概免除，同时使妇人专心做适应个性的事情。

世人轰传的多数派一个凶恶的罪状即所谓"破坏家庭"的本体，就是以上所述的。家长做本位的旧家族制度之解体，是资本主义发生以后的事实。劳农俄国认定这种事实，要建设一种新制度，代替那早已失掉保护个人的力量的家族制度。关于这一点，郭伦泰有一个说明：

劳动阶级做母亲的妇女们，尽可安心。社会主义的社会并不是要从人家父母手里抢去子女，也不是要从母亲怀里夺取婴儿，什么灭亡现在的家庭要诉诸暴力的事,全然没有这样想法的。旧家族制度正在解体了。所有家庭劳动,在先前是使家庭当作社会单位的支柱,到现在都社会化了。把家事看得重要的时代也过去了。关于子女的事,也是一样。无产阶级的父母,早已不能去照料他们,教养他们。子女和父母同是一样的苦痛。所以劳农俄国向无产阶级的男女说:"你们年纪轻,你们互相爱,你们有生活于幸福的权利。你们要享乐你们的生活。勿要逃避幸福。不要回避结婚——虽然在资本主义之下,结婚是劳动者的锁。你们年轻强壮的人不要害怕,你们要为国家造些新劳动者少国民出来。劳动者的社会要求新劳动者。你们对于你们子女的未来不要担忧。你们的子女不会知道冻不会知道饿的。像资本主义社会里那样把小儿们抛弃使遭逢不幸的事是没有的。小儿们一生下地来,劳动者的国家就连同母子,一并扶养,殷勤照料。小儿们受劳动者的祖国扶养和教育,但这祖国却并不是从父母手里将小儿夺去的。劳动者的社会虽然负有教养儿童的一切义务,而为父的仍有为父的喜悦,为母的仍有为母的满足,意会并没有夺情的事实。"照这样看来,那些用暴力破坏家庭,用强制力分割母子爱情的话,还说得上吗？事实是逃不过去的东西。旧家族制度的时代已经过去了。这并不能归咎劳动者的国家,这是新社会状态的结果。家庭使妇人从生产的事业分离起来所以对于国家已没有必要了。又育儿诸事,在以前是家庭的任务,现在渐渐移到社会上去,各个人可以不去干了。我们眼看见旧家族制度废址之上有全新的男女关系的新制度生出来了。这是爱情和友爱的结合,即是都自由都独立都平等都为劳动者的新社会中同人的结合。妇人早不要做家庭的奴隶了。家庭之中已没有什么不平等了。女子纵然为丈夫所弃,也没有拥抱子女彷徨歧路的害怕了。劳农俄国的妇人，不倚靠丈夫，倚靠自己的工作。养她的人不是丈夫，是自己强壮的腕膊。对于儿童的命运全不要担忧。劳动者的国家，负担对于儿童的责任。以前结婚是把家庭生活弄黑暗了的一切物质的要素和金钱上的打算。现在的结婚却把这些弊端除净了。以后的结婚是互相信互相爱的两个灵魂高尚的结合，这种结合对于男女劳动者，约定有一种最完全的幸福和最大的满足，凡是能够自己觉悟能够自觉自己境遇的人都能享受的。以前是奴隶的结婚，现在是用友爱确定的自由结合，这就是新劳动者的国家要替男女们提供的。古时奴隶的两性关系，并不如现时这样是爱人又是朋友的自由公正的结合，这时候，人类的污辱，压迫劳动者的一种可怕的弊害可以消灭的。

劳动者的国家，要求新的两性关系。做母亲的对于自己子女那种狭义的排他的爱情，要扩充起来，对于无产阶级一大家族中一切子女，都一样地用这种爱情去爱他们。使妇人隐忍屈从的旧结婚制度要倒坏了，义务权利都平等的劳动国中两个人民用爱情和尊敬确定的"自由结合"要起来代替了。个人的利己的家庭消失了，一切劳动者都是兄弟都是僚友的大劳动家庭要起来代替了。

我们要为那健康的含苞未放的儿童展开道路！我们要为那有自由感情自由爱情来追求人生娱乐的强壮青年展开道路！这两句话是劳农俄国的标语，我们在自由平等爱情的名义之下，希望男女劳动者男女农民拿一种信念勇猛地去做改造事业，把人类社会弄得更完全更正确充分地保证各人有相当的幸福。

五　劳动妇人之觉悟

在资本主义之下的俄国妇人，不分中产阶级劳动阶级，都与一切政治的社会的生活全无关系。因为如此所以女子的知识经验不如男子，一旦政权归无产阶级掌握以后，他们要去参加于新俄国事业的建设，总觉得有多大的困难。所以首先要启发劳动妇人，教她们了解这新事业，教她们晓得尽力做事。

因为适应劳动妇人的心理要行一种宣传所以产出了妇人代表大会。这会是由一区或一市各工厂中妇人劳动总会所选出的妇人代表组织而成。这会一方面是使劳动妇人精通劳农会事业，教她们晓得运用的教化机关，他方面又是劳农制度和妇人全体的联络机关。

妇人代表分为数个团体，附属各处劳农会行事，以前她们很尽力做的是社会部劳动部教育部卫生部各方面的事情，她们监理产妇院，妇人及儿童 home，儿童游园地，小学校，和别的学校；公设食堂和庖厨所。分别说起来，她们所做的事，就是纠正产妇院 home 的秩序，监督并分配学校里的靴子和服物，辅助劳动监督官提供材料，考察妇女和小儿劳动，是否严守规律——但俄国十六岁以下的少年男女禁止使用的。他们受了委任，组织普通病院野战病院，看护病人和受伤的人，监督兵营。她们也参与警察事务，介绍妇女做一切生产的劳动。

劳农会中各部门，各设有讲习会，即如社会科、保姆科、赤卫军看护妇养成科、卫生科等类，因为要使那些妇人代表精通劳农会的职能，所以把她们编入各科里头去。同时在工场事务所做事的代表,也把自己和属于自己各部门所做的事,按一定时期报告于选举人,在工厂里则组织警备委员会,探听劳动妇女的鸣不平和希望和她们的建议。

妇女代表们对于劳农会和共产党所行的一切运动,譬如燃料征发队、卫生队、食料队、救济负伤人、扑灭传染、地方宣传运动诸事,一概参加。

代表会每月开会二次或三次。近来莫斯科和别的都市,都把代表选出的基础改小,每劳动妇人二十名,得选出代表一名。因此借这代表会可以使劳动妇人全体相接近,劳农会的新势力也得确立了。

还有一个好行宣传的机会,就是各地方村郡每三月或四月召集的无党派妇人大会,出席人数最多,最便宣传。

宣传事业都借文章和讲演举行,差不多一切共产党机关杂志,都设有劳动妇人栏。

革命以后妇人进步的猛速,无论何人都预想不到的。在革命的时候,真有阶级的自觉的劳动妇人,不过占少数,大多数有革命趣向的人,很缺乏明白的自觉和组织的。但到现在,能够精通某项事务的贤明的劳动妇人,增加得很多很多的。明干的宣传家和妇人记者,多数都由劳动阶级出身的。

劳动妇人的运动,已达到最广的范围,有很大的政治的势力。彼得格勒莫斯科附近地方伊瓦诺维、武阿奈逊斯克等地方,这类事业尤其发达。其中最富于阶级的自觉而最有组织的,莫过于彼得格勒的劳动妇人。此种运动,别处地方也很普及,成绩颇有可观。共产党全俄劳动妇人组织大会,出席的地方代表有二十八县之多,当时未能出席的诸县在共产党妇人部的地方有乌拉尔、乌夫亚、阿

连布克、阿斯特拉坎各县。照这样看来,劳动妇人的运动,业已普遍全俄国了。尼古拉·布哈林有一段话说:

  把那纯粹无产阶级和农民的妇女之间所生的变化观察起来,最有趣味。先前被他人当做家畜看待的人,居然自觉起来,晓得自己也是人也有同等的权利了。她们对于资本主义对于资本家的压榨,对于所有一切奴隶制度,都加入斗争的队伍中了。劳动妇人和农村妇人开始参与农政了。她们参加于劳农会和种种执行委员会,达到有责任的地位,又在战场手执武器从事看护,毫不足怪。中流劳动妇人和农妇,尤其活动谋运用社会的保护制度,保护妇人、母亲、儿童、老人、病人等人。她们照管产妇妊妇,在婴儿院、儿童殖民地、职业介绍所、学校饭厅公设食堂、吃茶所、病院、公立图书馆等处办事,并宣传共产思想普及一般知识。她们所办的事,多以这种运动为中心,她们在尽义务时,表示理智和感情并行,用热烈的感情发挥新创造的能力,关于实际问题,具有丰富的常识。
  革命以前并没听见讲过共产主义,多数都在党内的学校学会读书写字的妇人们,她们能够实现党内的理想,真是可欣赞的事情。革命以后妇人的才能和精力,借自由活动的便利,正如骤雨之后在日光中的植物一样的成长。这种新生活,使无产者和农家的妇人觉悟起来。使她们得着工作、得着义务、得经验和训练。使她们成了勇敢的战士,成为新社会中的共同劳动者。拥护劳农俄国的存在,维持他本然的发达,其间所必须经过的一切困苦和争斗,在现时想起来,这是很可惊叹的。多数派因为要粉碎那反动革命所藉以武器的资本主义精神,不得不继续战斗。国内经济的紊乱,惹起穷乏饥饿和病的各种不幸。虽然如此而劳农俄国却为灿烂的将来，为自由幸福的共同生活而战。无产阶级和农家的妇人，都加入战斗之中。要把这些妇人的活动按日按月记录起来，究应从何处起至何处止方好，就难知道了。

现在莫斯科所开的哥萨克大会，就是表示妇女中觉悟的新个性的好证据。妇女与男子有同等的权利做代表参加此会。革命一事促起她们觉悟，使她们成为劳动者而战的战士。若在革命以前，这些妇人住在哥萨克的乡村，她们只看见她们的母亲和祖母所做过的家事，她们照管公园和田土。当时她们除了所住的小村的境界以外，全然不顾虑的。妇人们中若有一个到郡议会或县议会去旁听，就成了远近的嘲诮的种子。但是到了现在，她们自己去参加劳农会的讨论和决议，长途跋涉跑到莫斯科去也不畏远。她们坐在向未见面的人的当中，发表意见讨论决议。她们觉得和在自家的兄弟姊妹当中一样，议论大俄罗斯最重大的问题。有许多伶俐的话句，贤明的建设，有思虑的质问，都是从农妇的口中发出来的。这事完全像梦一样，然而是现实的。

劳农政府对于一切用手足头脑而创造的劳动者，给他们增进共同幸福和进步的机会；给他们面包、自由、威严、名誉；使他们营人的生活。不分男女都有共同动作的权利和义务，这是劳农俄国的法则。这种协同作业，无论工厂农村和行政，一概通行。帝制时代的妇女们与国家政治的生活全无关系。上流妇人做人的妻，做人的情妇，与国家问题全无关系。平民阶级的妇女与此相似。

常用勇敢充满牺牲精神的俄国妇人，只有革命者之间过了充分的政治的生活。革命运动，女子也和男子一样都做成功了。不单是一个苏菲亚女革命党如此，就是横死于断头台和牢狱和荒野的别的许多妇人，她们的操行也铁石一样，劳动阶级的妇女们，战死沙场的很多。可是和全体劳动阶级的人数比较起来，加入政治的斗争的妇人还算是少的。说起来，就是以前少数特殊的妇人为那些被虐待的妇人奋斗的。只是到了后来，无产者十一月革命就有很多数的劳动妇人和农妇都自己觉悟伟大的理想了。

　　以上不过就我所得的材料作个记述，确实推定劳农俄国妇女的状态。

　　要之，劳农俄国中，凡在政治教育经济社会一切方面，妇人与男子受同等的权利，有平等的发达的机会。照这样的妇人解放决不是否定女性，决不是抑压妇人为母的生活，那种周到的设施，世界良母贤妻国家梦想都不到的。俄国的设施不过使女子和男子一样，尽能力得满足，尽能力尽职务。把这种解放看作是女子的不幸的人，那是特别例外，若对于此事觉得有趣味的人，一定是这样想的了，劳农俄国建国之始，为什么把男女同权作为当然的事来认定呢？

　　在旧俄帝国当时，像欧洲各国那样以中流妇女为本位的妇女运动差不多没有。唯其不是女权运动而是革命运动，所以得今日这样的解放。一九一八年十一月莫斯科第二次全俄无产妇人大会有一个决议：

　　劳动妇人的解放，与无产者全体解放的条件一致，所以我们除了无产者一般的问题没有问题。现在正当社会革命发展之时，一切男女劳动者都要尽全力争无产者的胜利。

　　过去前半世纪以来，为俄国民众解放运动牺牲的妇女的精神，实是如此。俄国无产者中，从前有苏菲亚、查斯里菲克纳，现在有郭伦泰、斯比里特诺、巴尔巴诺，照这样看来，世人怎么能够说妇人先天劣弱，要抑压她们社会的活动，要把她们逐回厨房、儿童房屋里头去吗？男和女都曾经做过奴隶。现在都自由了。我想俄国的革命唯有无产者从赁银制度解放的当时，才是妇人从性的奴隶制度解放之时，这是我极力要对世人说的话。

(第九卷第三号，一九二一年七月一日)